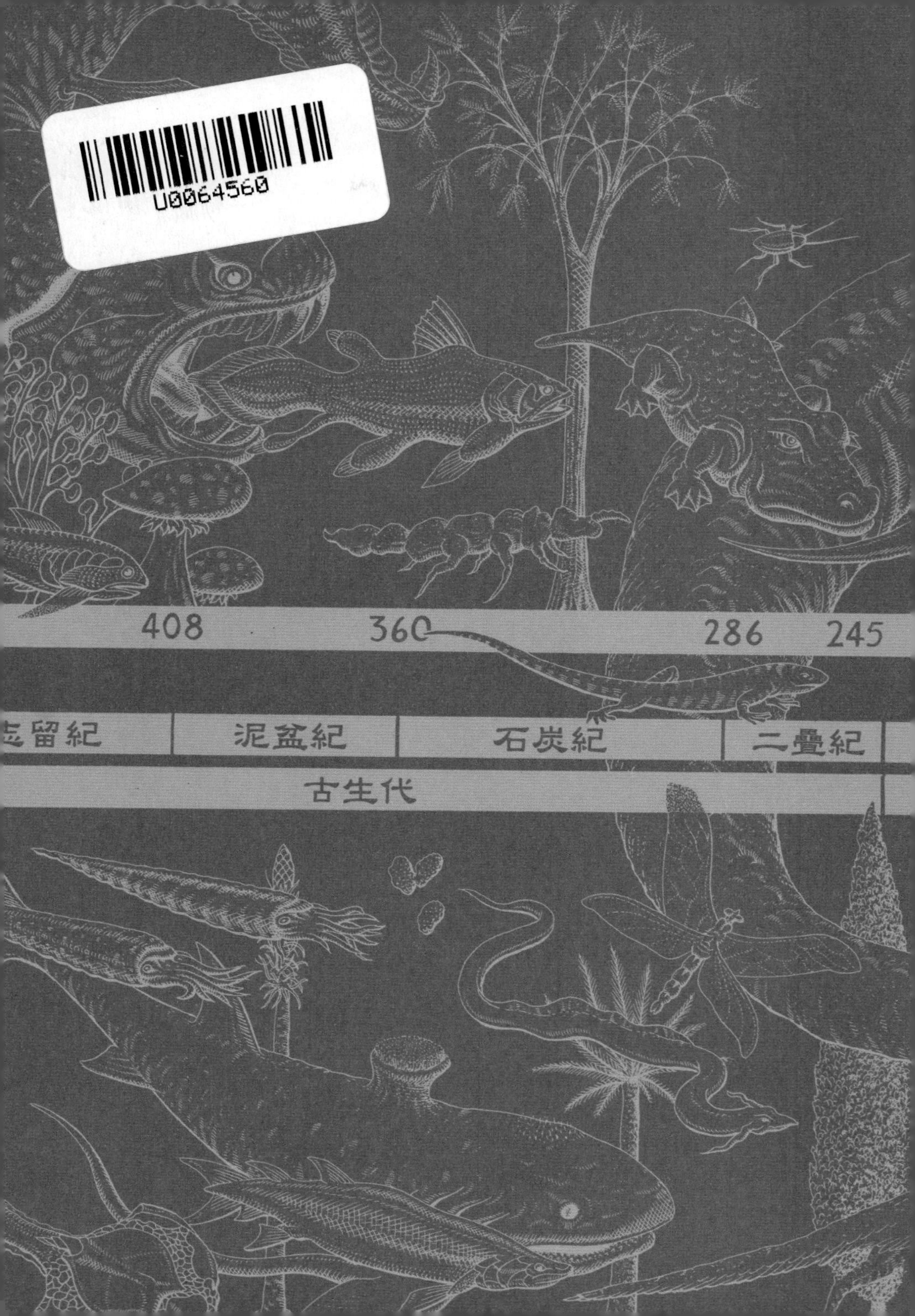

U0064560
408
360
286
245
留紀
泥盆紀
石炭紀
二疊紀
古生代

BWS178

A Short History of Nearly Everything

萬物簡史 上

天地奇航

比爾・布萊森 Bill Bryson——著
師明睿——譯

萬物簡史 上
天地奇航

A Short History of Nearly Everything

第三部　新時代的序幕

第四部　地球，危險危險！

序

跟我從無知邁向幾乎無所不知

歡迎歡迎！另外我還得恭賀各位讀者，你能夠來到這個世界，有緣跟咱們相遇，我由衷為你高興。事實上，我也是不久前才知道，這中間牽涉的比起咱們原先想像的，更加複雜。

你且想想，你之所以能成為現在的「你」，起碼得先讓數十億個活蹦亂跳的原子乖乖聽話，有條不紊按照既定的次序排列，精確組合起來成為你。而這項安排中的所有細節，都各因有不同的作用跟目的而互異。

過程中最不可思議的是，這一切都在沒有預先測試下，就一氣呵成搞定了，然後在此後的許多年內（但願如此），這些微小粒子都無怨無悔的，參與數十億次各種靈巧操作，一方面藉以保持你的身體不至於分崩離析，同時也讓你經歷極其舒適，也就是所謂的「生存」境界。然而此境界對絕大部分不知底細的芸芸眾生來說，卻是抱怨的多，心存感激者寡。

為什麼各個原子會如此不嫌麻煩的保護你，是一個謎。在原子的層次上，做為你的一部分對它們並無任何好處，它們雖然盡忠職守，但顯然並不關心你。它們並無意識，壓根兒不知道有你這號人物存在。這也難怪，它們不是活的東西，只是些毫無心機的小粒子罷了。（讓人覺得比較好過一點的想法是：如果你拿鑷子把身上的原子逐個撿起來擱在一邊，最後會成為一堆細細的「原子塵」，這些原子存活的唯一目的就是「為你而活」！）只是不知為了啥原因，在你生存的這段時期裡，它們為了「讓你成為你」的這個重要使命，赴湯蹈火在所不惜。

原子的忠誠對人說來固然是好消息，卻不是唯一的消息，糟糕的是，這些原子生性善變，它們的犧牲奉獻不僅時間有限，還非常短暫。即使壽命算長的人，一生的時間加起來也只有 65 萬個小時（約 74.2 年）。在這麼一段沒啥了不起的壽限一閃即逝後，或是在其前後的某一個時刻，不知為了啥理由，你身上的原子會突然讓你關門大吉。它們悄悄解散、溜走，變成了別的東西，你就只有壽終正寢一途。

雖說如此，也許你仍舊應該為了原子組合出你而慶幸，因為一般說來，就我們所知，這件事在這個宇宙裡還挺稀罕的。尤其怪異的是，在地球上那些自動自發跑到一塊、同心協力組成各種生物的原子，跟其他星球上的原子並無兩樣，但一旦離開地球，它們就拒絕合作啦！別的不說，光就生物的化學層次而論，生命就出奇的平凡。

為何這麼說呢？生物體內的原子不過是以尋常的碳、氫、氧、氮為主，外加少量的鈣、一丁點硫，還有就是一些極其微量、但依然很普通的元素，沒有一樣是化工原料行裡找不到的，而那就是你所賴以維生的全部所需。

使你身上的原子變得與眾不同的唯一原因，是它們組合成了「你」，當然這也就是生命的奇蹟。

不管原子是否在宇宙的其他地方也合成了生命，它們可是結合成了許多無生命的東西；事實上，所有的非生物也都是由原子組合成的，若是沒有原子，這世界就不會有水、空氣或岩石，不會有恆星跟行星，也不會有極遠處的氣狀雲或旋轉星雲，或其他一切能使宇宙具體展現的東西。不過由於原子為數極多，又是在所必需，使我們很容易忽略掉一件事實，那就是它們壓根沒有實際存在的必要。

其實，我們都是勝利組

這個世界上並沒有任何法則規定，宇宙間必須要以微小的物質粒子來充填；同樣也沒有任何法則規定，一定得產生光、重力以及其他各種物理性質，但是這些性質卻是我們的生存所依賴的。事實上，整個宇宙根本沒有必要存在，而且過去就有一段極其漫長的時間裡沒有宇宙，在這段時間裡，既無各種原子，也沒有供它們浮游的宇宙空間。換言之，徹徹底底的啥都沒有、啥都不存在！

因此感謝老天提供了原子，但是就算有了這些原子，且它們願意乖乖排列組合起來，也只是你能來到此間的部分原因。你之所以來到二十一世紀生活，並躋身為有智識的人類，還必須有一連串的特殊好運才行。

要知道，在地球上存活下來著實不易，開天闢地以來，已有數十億種不同的物種在地球上出現過，而其中 99.99% 都已絕種。所以你瞧，地球上的生命不但短暫，而且十分脆弱。從我們的存活上，凸顯出一件叫人非常納悶的怪事，那就是雖然我們居住的地球跟別的地方比起來，對創造生命非常有利，然而卻更是滅絕生命的殺手。

地球上出現過的物種，存活期長短不一，平均每種約為四百萬年，所以如果你希望數十億年以後，人類還能存活在地球上，就必須要跟組成原子一樣善變！不錯，就是善變，你必須準備隨時改變你的一切：形狀、大小、顏色、所屬物種等種種項目，而且還得一變再變。

不過善變說起來容易，做起來可沒那麼簡單，原因是物種變化的過程毫無目的且隨機。從最初所謂的「原生質的原始小球」* 演化成了具備七情六欲、頂天立地的現代人，其間漫長的歲月內，需要繼續不斷、適時適分且恰到好處的突變出許多前所未有的新特徵來。

所以在過去三十八億年時光裡的各個不同階段，你曾一度厭惡氧氣，然後又變得非它不能過活；曾長出過魚鰭（划水）、四肢及極漂亮風帆似的大背鰭；曾經下過蛋，長過用來搧空氣的叉型舌頭；曾經全身上下滑不嘰溜，也曾遍體是毛；曾經生活在地下，也曾搬遷到樹上；體型一度大若麋鹿，後來又縮小得跟小老鼠相彷。諸如此類的變化不勝枚舉。

* 「原生質的原始小球」（protoplasmal primordial atomic globule）一詞乃源自十九世紀，英國劇作家吉柏特（W. S. Gilbert, 1836-1911）與作曲家蘇利文（A. Sullivan, 1842-1900）合寫的幽默輕歌劇「日本天皇」（The Mikado）裡的一句唱詞：「我們的祖先可遠溯至原生質的原始小球。」

而在這一連串無數的演化步驟裡，只要任何一步出了些微差錯，你現在可能正在山洞裡舔食壁上的藻類，或像海象般懶洋洋的躺在某處海邊大石頭上，或許正打算從你位於頭頂上的呼吸孔努力噴氣，準備潛入海面下 18 公尺，為的是要去吃一口美味的沙蟲。

你不只是有幸從地球開始冒出生命以來，就緊緊把握住正確的演化路線，從未出岔或偏離，並且你本人的先祖還得極度的幸運，說是奇蹟般也許更恰當。

試想在你出生之前的三十八億年內，這段時間的長度真是非同小可，比地球上的山川海洋的歷史還要久遠。你父母兩邊的歷代祖先，每一位的長相都不能太過抱歉，至少要能得到異性的青睞；另外身體要夠健康，足以擔負繁殖後代重任不說，還得受命運跟環境的眷顧，在成長期間沒有發生意外或夭折。

換言之，你的列祖列宗中不能有任何一位發生意外，導致給壓扁、吃掉、溺斃、餓死、困住、撞擊、不小心受到傷害，或卡在其他種種原因，不能達成生命終極目的，錯過了在適當時機，把一丁點基因物質送達正確伴侶那兒，讓那唯一的遺傳序列能永續不斷的傳遞下來。最後叫人震驚且極其快速的產生了結果——「你」！

這本書就是講這一切是如何發生的，我們如何從啥都沒有，變成有那麼一丁點東西，然後又從那一點兒微不足道的東西，演變成了（如此複雜的）我們，並經歷其間的種種變化。當然，這其間涵蓋內容極為廣闊，那也就是為何本書取名《萬物簡史》的緣故。雖然書名明顯誇大不實，不過幸運的話，在啃完這部厚書之前，也許你會覺得它似乎包羅萬象。

我自己的出發點，不瞞你說，是從一本有許多插圖的科學書籍開始的。那是我讀小學四年級或五年級時，使用的 1950 年代教科書。這本書當時已經相當破舊，我也從未喜愛過它，也許是它厚重的外表讓我見而生畏，但是在它靠近封面的前幾頁裡，有一張地球的剖面圖曾一度引起我的注意。這張圖好像是有人用了一把巨大無比的大刀，把地球切出四分之一塊的楔形，再把這部分小心移出，以清楚顯示出地球的內部結構。

說來你或許不相信，在此之前我從未見過這樣的剖面圖。我清楚記得，第一次無意中面對它時，整個看呆了。那張圖有點類似下方這張圖；那張圖顯現出上自北極下至中美洲，有 6 千 4 百公里深的垂直峭壁，正好穿過了美國中部，而美國東部的半壁江山已遭連根移走。

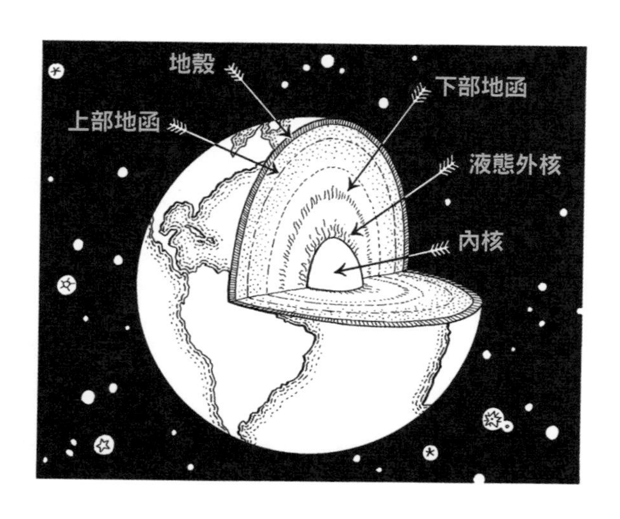

科學家是怎麼知道的？

我最初的反應是：如果地球真的變成這模樣，從美國西部向東前進的不知情車隊，一旦衝過此線就會頓時摔落萬丈深淵。不過隨後我的觀察轉變得比較像學者，才注意到地球內部清楚的分成了好多層，地心則是一球炙熱的鐵與鎳；依照圖上說明，這個鐵與鎳的球，溫度跟太陽表面一樣高。於是我才想到：「他們怎麼會知道這些？」

我從來沒有對這資訊的正確性懷疑過，我一向無條件全盤接受科學家的各種說法，就像相信外科醫師、水電工以及其他具有神祕及特殊管道人士透露的消息一樣。問題是我實在無法相信，居然有人想出方法，搞清楚距離咱們腳底下數千公里，那個眼睛看不見、X 光也穿不透的地方，是什麼光景而質料又是啥。這些對我來說，簡直是不可思議的奇蹟；自從那一刻起，奇蹟成為了我對科學的看法。

當時我非常興奮，該晚我還特地把這本教科書帶回家，在吃晚飯前就迫不及待的把書翻開來，通常這個反常的行為會使我母親伸手摸我的額頭，詢問我是否哪兒不舒服。然後我從第一頁開始，認真閱讀起來。

但我大失所望。裡面的文字一點也不叫人興奮，也說不出一套讓我能懂的道理。最糟糕的是，它完全沒有回答一般人對那張地球剖面圖會有的疑問：諸如，為何得知我們這顆行星的中心有一個小太陽？而如果地心燃燒得那麼熾熱，為何咱們腳下的土地一點也不燙手？為何地球內部的其他部分，不會也呈熔融狀態？或者事實上的確是熔融狀態？當地心最後終於燃燒完畢時，地球表層會不會有部分崩陷到中空的地心，在地球表面造成一個大窟窿？如果有答案，這些答案怎麼來的？又是怎麼想到的？

奇怪的是，那本書的作者對上述細節隻字未提，文中充斥的卻是一些諸如次地背斜（anticlines）、向斜層（synclines）、軸偏離（axial faults）等艱澀難懂的地質術語。看來作者似乎是在故布疑陣，要把好東西藏起來不讓人知道。

之後許多年頭裡，我開始懷疑這並非單一事件，以我看來，教科書作者普遍有一項陰謀，那就是絕不能把教材內容寫得「有趣一點」，更不可能達到妙筆生花的境界。

不過閱讀經驗多了後，我現在知道有滿多科學作家還真不賴，寫的散文既清新又教人振奮，隨意信手拈來三位，姓氏以字母 F 開頭的就有費瑞斯〔Timothy Ferris，著有《銀河系大定位》(*Coming of Age in the Milky Way*)〕、福提〔Richard Fortey，倫敦自然史博物館的資深古生物學家，著有《當三葉蟲統治世界》(*Trilobite! : Eyewitness to Evolution*)〕、及弗蘭納瑞（Tim Flannery，南澳大利亞博物館館長，著有《失落的自然》(*A Gap in nature*)〕。這還不包括現已過世，讓人當神一樣崇拜的費曼（Richard Feynman, 1918-1988）。

悲慘的是，我用過的教科書都不是前面這幾位作者寫的，編寫我的教科書的那些男士（似乎永遠都是男的）有一個有趣的觀念，認為任何事物只要寫成了公式，就立即變得清晰明白。他們還有另一個好笑且誤人誤己的信念：認為如果在每一章的末尾加上習題，美國孩子就會自動自發，花費大量課餘時間去思考、學習。

在這樣的教科書薰陶下長大的我，認定科學「極端無聊」，雖然心裡仍然存著些許奢望，但態度上變得異常消極，對科學議題一概敬而遠之，只要能躲得過連想都不願去想。這也是長久以來，我對科學抱持的另一看法。

你瞭解你住的地方嗎？

然後又過了很久，大約是在四、五年前，有一回我乘坐長程飛機橫跨太平洋，隔窗望著月光下的海洋發呆，突然有一個強烈的想法從思緒中蹦了出來，讓我渾身不自在。什麼想法呢？就是我對這顆我這輩子居住的唯一行星，居然完全不瞭解。

比方說，為什麼海水是鹹的，而北美洲五大湖的湖水卻否？對這個問題的答案，我一點概念都沒有，我更不知道隨時間消逝，將來海水會變得更鹹或是更淡？海水鹽分多寡的變化是否值得我們關心？（我非常高興能告訴讀者諸君，在 1970 年代以前，科學家對這幾個簡單問題，也同樣沒有確切答案，只是他們沒有大聲說出來而已！）

當然上述海洋鹽分只是我無知的一丁點表象而已，以前我壓根搞不清楚什麼是質子（proton），不知道它跟蛋白質（protein）有啥不同？同樣的，夸克（quark）跟類星體（quasar）的差異又在哪兒？我不知道原子是怎麼建構起來的，更無法想像居然有人能有辦法把原子裡的結構給推敲出來。

後來也不知道是怎麼搞的，陡然間，我內心產生了一個強烈卻莫名的衝動，想知道這些東西是怎麼回事，並且想弄清楚科學家當初是如何發現這些答案的。譬如說地球有多重？宇宙是何時開始的？開始時是什麼模樣？而它如今又有多大？科學家用了哪些巧妙的方法，得知地球上大陸板塊在六億年前的分布排列？之後是由於哪些力量的作用，使得它們改變成今天的樣子？但是科學家既然這麼聰明，為什麼仍然沒有辦法預測地震，也無法告訴我們，下星期三去看賽馬時，該不該攜帶雨傘？

於是我決定奉獻出一部分人生（結果花了我三個年頭）廣泛並認真的閱讀，並且無可避免的找了一些極富愛心跟耐心的專家學者，回答一堆非常愚蠢的問題。我這麼做是很想知道，如此一來能否對科學的奇妙內涵跟偉大成就，達到某個程度的認識與瞭解，而能由衷讚嘆乃至於欣賞；而這個科學程度既不要過於專業、讓人吃不消，也不致全部流於潦草膚淺。

這就是我心目中的想法跟期望，也就是我寫這本書的目的。不管怎麼說，你我已不是初生兒，剩下的可用時間遠少於 65 萬小時，更別提還有許多事物等待我們去涉獵，所以廢話少說，讓咱們就此言歸正傳吧！

第一部
迷失在太空裡

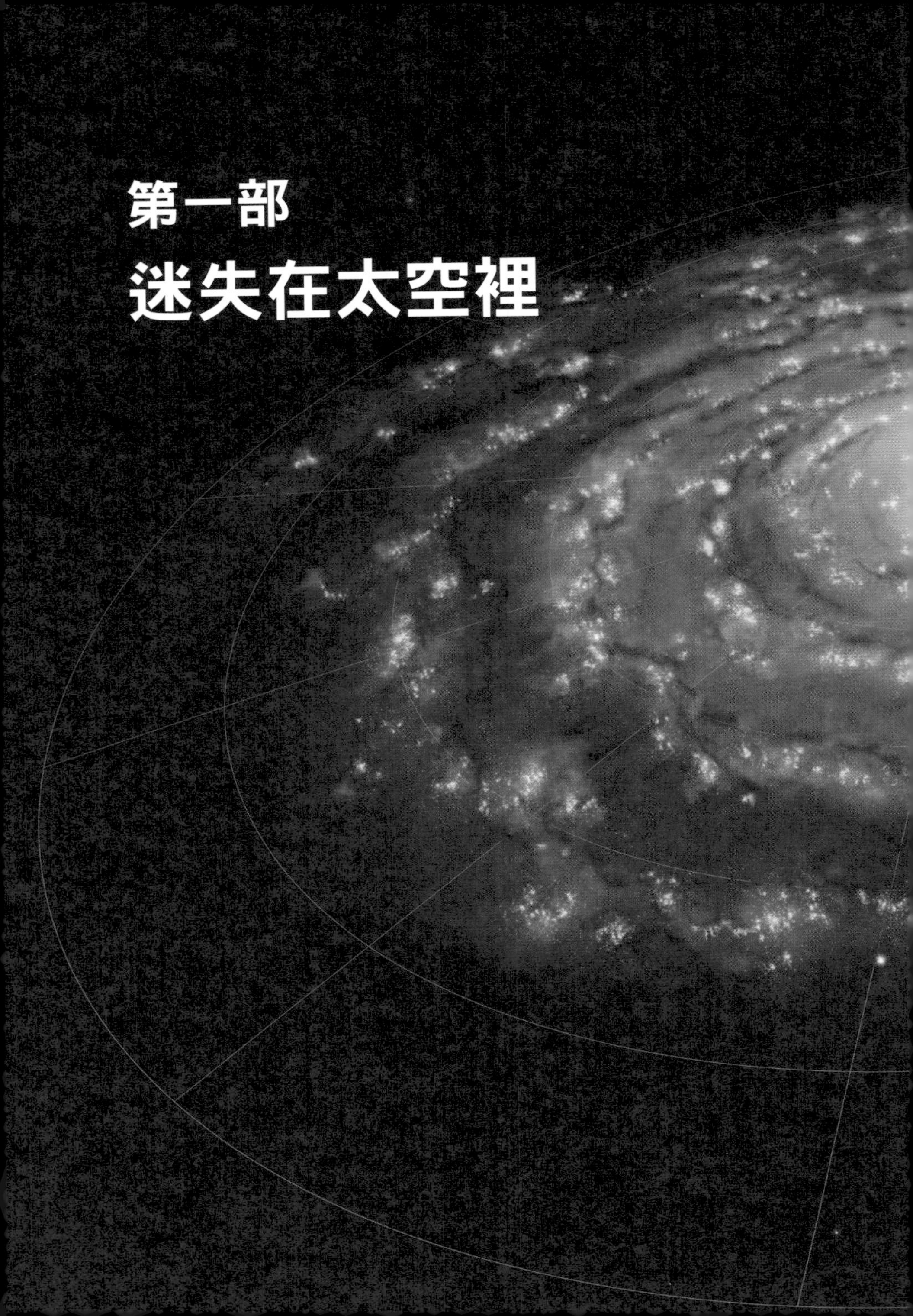

你的位置

我們的銀河系在藝術家的筆下，看起來舒適安寧。但有 10 萬光年寬的銀河系，超乎我們能想像的大。就算是現今最快的太空船，也要花兩萬五千年才能到達最近的恆星，這個距離在這張圖上，長度不到一公釐。而就算從有人類以來，就開始飛行，到現在也飛不到銀河系的中心。科學家無法確知銀河系中有多少恆星，或許是一千億顆，也可能是四千億顆。

第 1 章
如何建造宇宙

它們全在同一個平面上，
朝同方向繞圈子……
這真是完美、華麗，
幾乎不像是真的。
——天文學家瑪西（Geoffrey Marcy）描述太陽系

無論你如何努力，都無法想像出質子究竟有多小，因為它所占據的空間這麼微不足道。反正它就是小極了。

質子只是原子極小的一部分而已，原子本身也是極小無比的。質子小到什麼程度呢？這個字母 i 上面那一點所用的墨汁量，就可以裝下大約 5 千億（也就是 5 後面跟了 11 個零，即 500,000,000,000）顆的質子。若是這個數字的單位轉換成秒，連續 5 千億秒加起來可是超過一萬五千年呢！所以我們說質子小極了，可是一點也不誇張。

現在請想像，如果你能夠（當然實際上沒人有這種本事）把一顆質子縮小成原來的十億分之一後，放進一個小小的空間裡面。這個空間有多小，著實很難直接描述，咱們只能說把正常質子放在它旁邊一比，會顯得龐大得不得了。

在有了這麼一個空間之後，你再拿大約 28 公克的物質，想辦法塞進這個小小的空間裡。塞好之後就一切妥當，你可以啟動一個宇宙啦！

上述的辦法是我預設了立場，認為你希望建造的是暴脹宇宙（inflationary universe）。但如果你想建造的，是古典的標準大霹靂（Big Bang）型宇宙的話，只用 28 公克重的物質未免少了一點，你需要多一些物質。

那麼究竟要多到什麼程度呢？事實上，你得把現有的物質全部聚攏，包括從我們這兒到宇宙邊緣之間的每一片塵土、每一顆粒子，然後想法子把它們「擠進」一個比上述極小空間還要更小的空間內。這個空間之小，已經完全喪失它的長寬高尺寸。它有個特殊名稱叫「奇異點」（singularity）。

不管你決定要採用哪個方式建造宇宙，在啟動爆炸之前，你得躲到一個安全地點，以免在欣賞奇景時，受到波及而粉身碎骨。但很不幸的是，你壓根兒沒有任何「地方」可以躲起來，因為在奇異點之外啥都沒有，包括任何空間。當宇宙開始擴張時，它並不是擴散入原先存在的較大空間內，而是隨著宇宙擴張，空間才逐漸創造了出來。

一般人不免會自以為是的把奇異點想像成某種撐飽了的點，懸浮在全然黑暗、漫無邊際、又毫無其他東西環伺的空間中。這樣的想法其實大錯特錯，因為既無空間，又哪來邊際？當然也無所謂黑暗不黑暗。奇異點根本沒有周遭，因此無所謂四周空不空。由於它本身不占空間，所以也說不上來它的位置在哪兒。我們甚至不能問，它已經在那兒待了多久。

它像咱們腦子裡蹦出的一個好點子那樣，莫名其妙的突然出現了，抑或是永久以來它就悶不吭聲的待在那兒等待恰當的時機？對奇異點來說，時間並不存在，它沒有過去，因此也無法從過去某一個時刻冒出來。

於是乎，我們的宇宙從啥都沒有的情況下開始了。

在強光蔽目的一次爆衝裡，奇異點突然獲得了難以想像的大空間，在此一燦爛的剎那內，變化發生之快速及深廣，筆墨難以形容。在啟動後的第一秒內（此秒非比尋常，許多宇宙學家情願投入畢生精力，對它更加細分），重力跟支配物理學的其他力量相繼產生。不到一分鐘，宇宙的直徑已經從零延伸到 1 千兆英里，而且還在快速擴增。這時候出現了大量的熱，使溫度升高到了一百億度，足以開啟創造較輕元素的各種核反應。初出爐的元素絕大部分是氫跟氦，偶爾會夾雜一丁點的鋰（大約每一億個原子裡只出現一個鋰原子）。然而頭三分鐘完畢時，這個宇宙以後會囊括的物質，98% 都已產生了。此時宇宙已經大致成形，出落得叫人目不暇給，極其曼妙且美麗絕倫。而完成這一切的時間，就跟咱們做一份三明治所需的時間差不了多少。

「大霹靂」的由來

我們這個宇宙是何時開始的？專家的意見並不一致，有些宇宙學家認為創世那一刻距今大約已有一百億年，另一些則相信是二百億年，折衷後比較能獲得大夥同意的數字，似乎是一百三十七億年。之所以答案不一，是因為量計宇宙的年齡極端困難。以後我們會提到為什麼，現在先擱下不表，我們只能說在非常遠古的過去，有那麼一個尚待決定的時間點，不知為了啥緣故，突然發生了科學上所謂的 $t = 0$ 的時刻，爾後我們就正式上路啦。

當然除了上述的大概之外，還有許多細節我們不甚瞭解。長久以來，許多我們自以為知道的事情，其實我們並不真的知道。甚至「大霹靂」這個想法的出現，都還是相當新近的事。這個觀念最初是 1920 年代，由比利時神父勒梅特（Georges Lemaître, 1894-1966）提出的，但起初並沒有受到宇宙學界人士的重視。一直要等到 1960 年代中期，兩位年輕的電波天文學家，在無意中碰到了一個極不尋常的發現，情況才有了轉變。

他們的名字叫潘佳斯（Arno Penzias, 1933-）與威爾森（Robert Wilson, 1936-）。在 1965 年，他們借用了美國紐澤西州何姆得爾（Holmdel）貝爾實驗室的大型通訊天線。但試用時發現這台機器有惱人的背景噪音，這種如排放蒸氣時發生的嘶吼聲持續不斷，讓他們無法進行實驗。這個噪音不只毫無間歇，也沒有焦距，它來自天空中的每一點，不分晝夜，無論四季。

這兩位年輕人折騰了一年，用了他們能想到的一切辦法，企圖追蹤、消除噪音。他們測試了機器上的每一處電子系統，把儀器拆開再重新組裝回去；檢測線路，搖晃電線看接頭處是否鬆動，還替所有的插頭除塵。

他們一度爬進天線的大圓碟子裡，用塑膠膠布把每一處接縫跟鉚釘頭貼起來。發現沒啥效果後，他們再度爬進圓碟子裡，這次帶著掃帚跟硬毛刷子，非常仔細的把他們事後報告上所稱的「白色介電物質」（white dielectric material），從碟子表面清除乾淨。這是啥玩意兒呢？說穿了一文錢不值，就是咱們普通人所說的鳥屎罷了。糟糕的是，他們試過的一切辦法，沒一樣管用！

妙的是他們不知道，就在 50 公里外的普林斯頓大學，有一個科學家團隊，在狄基（Robert Dicke, 1916-1997）的領導下，正在尋找他們努力想去除的東西！

普林斯頓大學團隊是在鑽研一項觀念，而此觀念是 1940 年代由俄國出生的天文物理學家加莫夫（George Gamow, 1904-1968）首先提出的。加莫夫說，只要我們深入太空中去尋訪，就應該能夠發現當初大霹靂殘留下來的「宇宙背景輻射」（cosmic background radiation)。根據加莫夫的計算，在該輻射橫跨廣闊的宇宙來到地球時，會以微波的形式呈現。

更絕的是，加莫夫就在此前不久發表了一篇論文，他在裡面甚至還猜測說，有一台現成的儀器很可能接收得到這種微波，是哪台儀器呢？就是位於何姆得爾的貝爾天線！但很不巧的是，不只是潘佳斯與威爾森沒讀到加莫夫這篇論文，普林斯頓團隊的成員，也都把它給錯過了。

當然，潘佳斯與威爾森聽到的噪音，就是加莫夫先前推測的微波。換句話說，他們發現了咱們宇宙的邊緣，或至少是宇宙可見部分的邊緣，它距離我們大約 900 億兆英里之遙。他們「看見」了最初的光子，這個宇宙中最古老的光，雖然正如加莫夫預期的，時間跟距離已經把光變成了微波。

谷史(Alan Guth, 1947-)在他寫的《暴脹宇宙》(*The Inflationary Universe*)一書中提供了一個類比，可以幫助我們把這項相當抽象的發現具體化。

谷史說，如果你把朝太空深處望去的動作，想成是站在紐約帝國大廈的第一百層樓上，往腳下的街道看去(在時間上，第一百層代表現在，而地面則代表發生大霹靂的那一刻)。潘佳斯與威爾森的時代所偵測到的最遠星系，大概是坐落在第六十層樓的高度。而至今人看得見的最遠東西「類星體」，也還只在第二十層樓左右。然而潘佳斯與威爾森藉著貝爾天線得到的意外發現，讓我們對可見宇宙的認識範圍，推廣到了離人行道僅一公分左右的高度。

這張色溫圖描繪出最初的光子出現的情形，科學家從地球上偵測到微弱但穩定的背景噪音，或我們在電視螢幕上所見的靜電干擾的一部分（雜訊），就是這宇宙中最古老的光。

言歸正傳，當時潘佳斯與威爾森搞不清楚噪音從何而來，於是打電話去普林斯頓請教狄基，他們描述了問題所在，希望狄基能提供解決辦法。狄基即刻就明白了這兩個年輕人的偉大發現，他掛上電話後馬上向他的團隊成員宣布：「這下子可好！小子們，咱們剛讓別人捷足先登了。」

不久之後，《天文物理期刊》（*Astrophysical Journal*）刊登了兩篇文章。一篇的作者是潘佳斯與威爾森，文中描述他們巧遇嘶吼聲經歷的始末，另一篇則是狄基的研究團隊對此現象所做的解釋。

雖然潘佳斯與威爾森從來就不曾主動去找過宇宙背景輻射，當他們碰巧發現時，並不知道這是啥，也從未寫過一篇論文去描述或解釋它的性質，卻為此獲得了 1978 年的諾貝爾物理獎。

至於普林斯頓的那些研究人員呢？他們得到的只是大夥兒的同情而已。根據奧弗拜（Dennis Overbye）在他的《宇宙的寂寞心靈》（*Lonely Hearts of the Cosmos*）一書的記述，當時潘佳斯與威爾森壓根不瞭解自己的發現有啥重要性，直到此事上了報紙，他們從《紐約時報》上讀到有關報導後，才稍知梗概。

順便一提，來自宇宙背景輻射的干擾，其實現代人都經歷過。你若是把電視轉到接收不到的頻道，出現的靜電干擾（即螢幕上跳動的黑白點跟喇叭中傳出的雜音）中，大約有百分之一是拜遠古大霹靂殘留物之賜。所以下回你若抱怨電視上沒啥節目好看，記住你隨時都可以欣賞宇宙的誕生。

宇宙的誕生其實很「速成」

關於宇宙的形成，雖然每個人都把它叫大霹靂，不過許多書上都告誡我們，不要把它想成是傳統上認知的爆炸，它應該是規模浩大的突發擴張。那麼觸發它的是什麼呢？

有一個想法是，奇異點也許是一個更早期已塌縮宇宙的遺骸，因此我們不過是一連串永不止息的「宇宙擴張」跟「塌縮」交替過程中的一環而已，宇宙看來有點像氧氣機上的氣囊（一會兒膨脹，一會兒收縮）。其他一些想法則把大霹靂歸咎於所謂的「偽真空」（false vacuum）或「純量場」（scalar field）或「真空能量」（vacuum energy），無論是哪一個說法，講的不外是某種量或東西，能把一些不安定性介入原本的空虛中。

無中生有看起來似乎不可能，但是從空虛中創造宇宙的事實，證明了此事確實可行。或許我們的宇宙僅是許多同時存在的宇宙之一，每個宇宙各有它不同的規模範圍，而在更廣闊的超大宇宙中，大霹靂不斷的在各處發生。

或者在大霹靂之前，空間跟時間另有其他不同形式，且形式之怪異，完全出乎我們的想像，而大霹靂代表一種過渡時期，此時宇宙從某種我們完全不瞭解的形式，轉變成我們幾乎能瞭解的形式。史丹福大學的宇宙學家林第（Andrei Linde）博士在 2001 年接受《紐約時報》專訪時說：「這些說法已非常接近宗教問題了。」

大霹靂理論的重點不是霹靂本身，而是霹靂之後發生了什麼。對不起，這兒所說的「之後」可不是指要等很久。科學家用了一大堆數學，並且仔細觀察粒子加速器裡發生的現象，自信他們能往回「看到」創世那一刻之後 10^{-43} 秒時的情形，據說那時整個宇宙還非常小，小到咱們必須借助於顯微鏡才看得見。

雖然我們無須在面對每一個不尋常的數字時都大驚小怪一番，但是偶爾也應該稍加瞭解一下，好讓我們記住這些數字代表的那個難以掌握及叫人驚嘆的長度。10^{-43} 秒是多久呢？它就是 0.0000000000000000000000000000000000000000001 秒（小數點後面一連跟了 42 個 0），也就是一千萬兆兆兆分之一秒（10 million trillion trillion trillionths of a second）*。

有關宇宙早期時的各種狀況，如今我們所知道的、或認為知道的「知識」中，大部分都得歸功於一項叫暴脹理論（inflation

* 科學記號：對於寫起來既彆扭又累贅，讀起來更是幾乎不可能的龐大數字，科學家採取了一種用到10乘冪的速記法。譬如10,000,000,000寫成10^{10}，而6,500,000則變成了6.5×10^{6}。其中原理非常簡單，就是利用10的乘積把許多位的數字簡化：如10×10（100）變成了10^{2}，而10×10×10（1,000）變成了10^{3}，照此可無窮無盡的繼續推演下去。
位於底數10右上角的上標數字，表示跟主要數字（如上例中的6.5）後面有多少個0。負的次方則提供了「鏡中倒影」的效果，其絕對值是指主要數字的個位數應該放在小數點右手邊的第幾位（如1×10^{-4}指的就是0.0001）。
雖然我很尊敬上述原理，但是我個人對於有人一見到「1.4×10^{9}公里^{3}」，即刻就能知道它指的是14億立方公里這件事，感到相當不可思議。更叫我疑惑不解的是，為何科學家在書寫時，要選用這種表示方式（尤其是在以一般讀者為對象的讀物中，因為上面這個實例正是摘自一本科普書）。根據我的想法，一般讀者大部分跟我一樣，都欠缺數學細胞，對科學記號不太能接受。所以我在本書中，除了少數無可避免的場合外，盡量避免使用這種速記法。

theory）的觀念，該觀念乃是 1979 年由當時任職史丹福大學（如今在麻省理工學院工作）的年輕粒子物理學家谷史首先提出。

當時年僅三十二歲的他，自承以前在學術上乏善可陳，要不是碰巧聽了一堂關於大霹靂的演說，也許這輩子就像絕大多數同儕，庸碌以終，搞不出名留青史的理論。而那場關鍵演說是誰給

美國太空物理學家潘佳斯、威爾森與通訊天線合影。就是這個天線，讓他們意外發現了宇宙背景輻射，也因此得到了 1978 年的諾貝爾物理獎。宇宙背景輻射是宇宙誕生時留下的最明顯產物。

的呢？沒錯！又是那位幕後英雄，普林斯頓的狄基教授。那場演說激發了谷史對宇宙學的興趣，尤其是宇宙誕生的這一部分。

後來的結果當然就是「暴脹理論」，這個理論主張，在創世之後的最初剎那裡，宇宙從事了一場突發且急遽的擴張，每 10^{-34} 秒體積會增加一倍，而在也許不到 10^{-30} 秒的擴張過程中（也就是在一百萬兆兆分之一秒裡），宇宙從能放在你手心中的東西，變成了至少是原體積的 10,000,000,000,000,000,000,000,000 倍！

暴脹理論有個好處，它適切的解釋了形成宇宙現狀的一項必要條件：漣漪與旋渦現象。這是由於宇宙擴張得太快了，而不是慢慢做伸展操，以致於到處都拉扯得不太均勻、坑坑巴巴的。如果缺乏這些現象，宇宙間的物質不會聚集成塊，不會產生發光的恆星，而只會有飄浮的氣體以及永遠的黑暗。

根據谷史的理論，在過了僅僅一兆分之一秒的一兆分之一的一兆分之一的一千萬分之一的時間後，重力出現了。然後在過了另一個短得可笑的剎那後，電磁現象、強核力、弱核力也相繼加入，構成了種種物理法則。再過一丁點時間後，大批基本粒子出現，這是構成物質的東西。

易言之，在毫無預警之下，在啥都沒有的空虛中，突然冒出了大批光子、質子、電子、中子跟許多其他粒子。根據標準大霹靂理論的說法，每一種粒子在成批出現時，數量都高達 10^{79} 到 10^{89} 之譜。

這麼大的數量當然很難理解，但這已經夠讓我們知道，就在那麼一下子的時間裡，咱們就被賦予了一個巨大的宇宙。理論

依據暴脹理論，宇宙誕生後的最初三分鐘內，每百萬分之一的百萬分之一的百萬分之一的百萬分之一的百萬分之一秒，體積就增加一倍。而構成所有物質的 98% 的粒子，都在那最初的 180 秒內出現。

上，其直徑至少廣達 1,000 億光年，而可能的上限是無窮大，且其中各處都已經完美的排列配置妥當，只等待恆星、星系及其他複雜系統的誕生。

最適合我們的宇宙

就我們的觀點來看，有件事可是極端不尋常，那就是宇宙怎麼會出落得對我們如此恰到好處！怎麼說呢？假如宇宙的形成稍稍有點不同，諸如出現的重力稍微強了或弱了一些，或是擴張的過程稍稍減慢或增快了一點，那麼就很可能產生不出安定的元素，因此無法造就出你我，以及我們站在上頭的地面。

如果重力比現有的稍強一些，宇宙會像沒搭建好的帳篷一樣，因缺乏適當的尺寸、密度以及支撐配件，至今只怕早已坍塌。而若是重力比現有的稍弱，很可能會使物質無法聚攏，宇宙將永遠是一個缺乏活力、物質四散的空洞。

這是為什麼有些專家相信，過去可能曾有過許多大霹靂的原因之一，數目可能多達數兆次，這些大霹靂散布在無始無終的永恆裡。我們之所以生存在這個宇宙，是因為我們「能夠」在這個宇宙裡生存（其他無數宇宙的條件都不合適）。

就像哥倫比亞大學的特賴恩（Edward P. Tryon）有次說：「要回答為什麼宇宙會發生的問題，我審慎建議，我們的宇宙只是一種繼續不斷在發生的東西。」谷史進一步解釋此一說法：「雖然宇宙的創生看起來也許非常不合常理。特賴恩強調那是因為無人曾經去計較失敗的先例。」

英國的皇家天文學家芮斯（Martin Rees, 1942-）相信目前就並存著許多宇宙，數目也許多到無窮大。每一個宇宙有它不同的屬性跟不同的組合，而我們之所以活在這個宇宙裡，只是剛好它的物質組合方式允許我們生存。

他用一間非常大的服裝店做為比喻：「如果店裡的服裝存貨非常多，多到遠超過應有的地步，那麼對於任何身材的顧客都能找到完全合身的套裝的這件事，就一點也不稀奇啦！同理，如果我們有許多宇宙，而統治管理每一個宇宙的基本數字組都不相同，那麼其中總會碰到一個，它的基本數值組剛好適合生命發生。我們就是活在這樣的宇宙中。」

芮斯寫過一本書《宇宙的六個神奇數字》，主張有六個特別數字統管著咱們的宇宙，這些數字中的任何一個，如果稍微變動了，世間一切將隨之改變。比方說，我們這個宇宙之所以能發展成目前的這般模樣，在氫元素轉變成氦元素時一點也不能馬虎，必須非常精準，特別是需要把它質量的千分之七轉變成能量的這個部分。

只要這個數字稍稍變小了一些，比如從千分之七變成了千分之六，促使元素轉變的核反應就不會發生，結果是整個宇宙裡除了氫元素之外，其他啥元素都不會產生。反之若是此數字稍稍變高一點，變成了千分之八的話，那麼組合動作就會更趨普遍跟積極，積極到宇宙中的氫元素會早就用光啦！總之，不管是變大還是變小，這些數字只要稍有變動，我們現在所知跟所需的宇宙便無法成形。

其實我們應該這樣說，到目前為止，一切似乎是恰到好處，但是如果從長遠的角度來看是否也是如此，我們尚不知曉。以重力為例，也許咱們這個宇宙的重力稍強了一點，以致於將來終究有一天，它會把宇宙的擴張行動拉住制止，開始向內塌縮，一直到整個宇宙收縮成另一個奇異點，然後也許就此重新出發，回過頭再來進行一次大霹靂。相反的，也許咱們的重力因為稍弱了一些，使得整個宇宙永遠擴張下去，一直到宇宙中的每樣東西都因為跟別的東西分開得太遠，而不能發生任何物質交互作用。到那時，宇宙成了一個空間大而無當，且毫無生機、死氣沉沉的所在。

第三個可能則是重力不大不小，剛好介於上述兩種情況之間，宇宙學家對它有個專門術語，稱為「臨界密度」（critical density），這是指宇宙擴張到了某一個尺寸後慢慢停了下來。宇宙學家有時戲稱這種情況為「金鳳花效應」（Goldilocks effect，是從金鳳花姑娘與三隻小熊的故事來的），這個效應是指一切條件恰到好處的意思。總合以上所描述有關宇宙未來命運的三種不同性質，按照次序分別稱為閉合（closed）、開放（open）跟扁平（flat）。

說到這兒，咱們每個人遲早都會想到，如果你往外太空旅行，到達宇宙的邊緣後，故意把腦袋伸出宇宙的「帷幕」，你的頭是否不在這個宇宙了？那麼你的眼睛會看到些什麼呢？答案叫人很意外也很失望，原因是沒有人能到達宇宙邊緣。這倒不是因為此舉需要花費太長的時間，雖然要到達宇宙邊緣的確要投入極長的工夫，但真正原因是：即使你一直朝著同一方向直直飛去，堅持以赴，無論多久永不氣餒，也永遠到不了外太空的邊緣。

那麼你終究會飛到哪兒去呢？奇怪的是你哪兒也去不了，

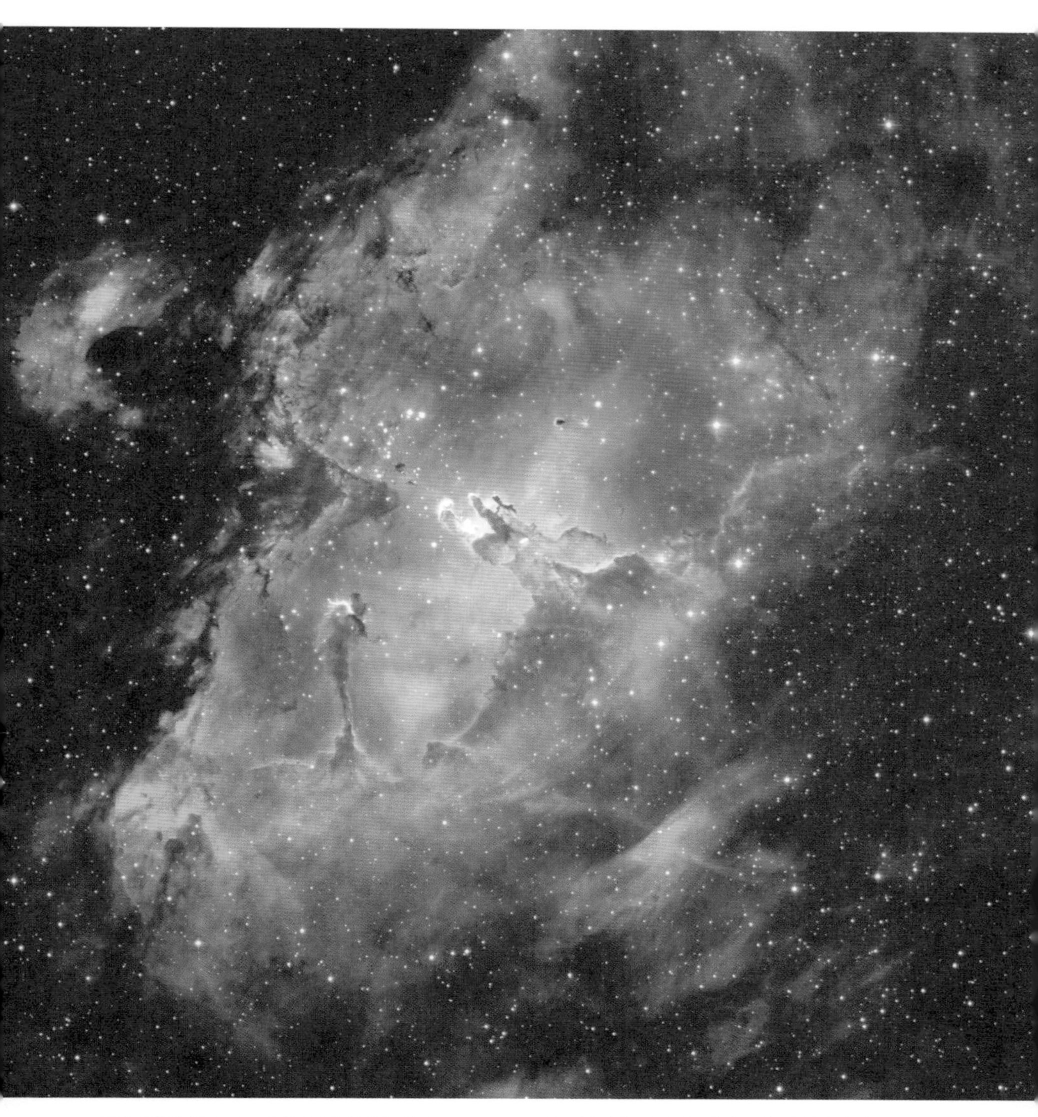

距離地球約 7,500 光年的老鷹星雲（Eagle Nebula），相當巨大但十分年輕。星雲中由氣體塵埃組成的雲柱內，有許多新星誕生，這些可說尚在「嬰兒時期」的雛星，僅有約五百五十萬年的歷史；它們與周遭雲氣形成的星雲，綿延數十億公里長。

到頭來會回到出發點（這時你大概會因此傷心難過，然後憤而放棄）。怎麼會有如此叫人喪氣的結果呢？原因是根據愛因斯坦（Albert Einstein, 1879-1955）的相對論（theory of relativity，到了適當時機，我們會討論此議題），咱們的宇宙有個讓人極難想像的性質：它是彎曲的（即其中的直線會自動轉彎）。目前我們只需記得：我們並非飄浮在一個龐大無比、一直朝外膨脹中的氣泡裡面。比較正確的觀念是：由於空間會轉彎，結果使得我們的宇宙，體積有其限度，卻不具有邊界。

除此以外，我們甚至還不該說空間在擴張，正如 1979 年諾貝爾物理獎得主溫伯格（Steven Weinberg, 1933-）所指出：「各個太陽系跟星系（的內部相對配置）都不再擴張，因而空間本身並不再擴張。」然而我們卻看到星系之間正快速的彼此分離，這個現象對咱們的直覺的確是難以接受的挑戰。或許就像英國生物學家霍登（J. B. S. Haldane, 1892-1964）有感而發的名言：「這宇宙不只是比我們所認為的還古怪，它根本是怪到我們無法想像的地步。」

通常用來解釋空間彎曲現象的類比，是試著去想像一位來自扁平面的宇宙，從沒見過球形東西的人，在地球上漫遊。由於地球表面是彎曲的，地表的大小也有其限度，卻不具有邊界，結果是無論他怎麼跑，也不管跑了多遠，永遠找不到地球表面的「邊緣」。也許他決定沿直線往前走，最後卻意外的發現回到了原出發點。這對他來說，當然是完全不合情理、無法解釋的事！你瞧，我們在太空的處境，豈不是跟那位受球面迷惑的老兄一樣，

這張十九世紀的木雕畫顯示，人對宇宙邊際外的景象，有無窮的好奇。
宇宙邊際外頭有什麼，可能是我們永遠也無法回答的問題。

只是讓我們腦子轉不過彎的是更高的空間維度而已。

正因為我們找不到宇宙的邊緣，所以宇宙中並沒有一處地方可讓我們站在那兒說：「這兒就是咱們宇宙的正中心，最初開始的地點耶！」反過來想，我們是否可以推論：無論我們走到哪兒，都是宇宙的中心呢？事實上，這樣的結論也過於牽強，更無法用數學去證明。科學家認為，我們不可能是事實上宇宙的中心；若是的話，應該從各處看出去都是同一個樣子才對呀！所以我們其實不知道答案。

對我們來說，咱們這個宇宙的範圍只能達到自宇宙形成以來，在過去一百多億年裡，光走過的距離。我們知道跟能探討的這個可見宇宙，直徑大約是四個一百萬的自乘積或一兆兆（即 1,000,000,000,000,000,000,000,000）英里。但是根據大多數理論，此外沒被看到的宇宙，有時稱為總宇宙（meta-universe），比上述的尺寸不知大了多少倍。

根據芮斯的說法，從我們這兒到那個看不見、較大宇宙邊緣的光年數值，寫下來「不只有十個零，甚至不只一百個零，而是數百萬個零。」簡言之，僅是看得見的宇宙這部分，已經大得讓人無法想像，更不要說其餘的部分啦！

大霹靂的大漏洞

過去很久以來，大霹靂理論有個大漏洞讓許多人很困擾，那就是它無法解釋我們是打哪兒來的。雖然所有現有物質，98% 是大霹靂發生後那一剎那間創造出來的，但如同我們前面說的，這些物質純粹是輕元素氣體：以氫跟氦為主，加上極少量的鋰。至於構成你我身體所不可缺的較重元素：碳、氧、氮等等，在大霹靂創造的氣體混合物裡，連一顆粒子都不會產生。

而讓人頭大的關鍵問題是，這些較重元素的鍛造，必須要有類似大霹靂時所產生的熱跟能量，但是由於大霹靂就只有一次，而該次大霹靂並沒有創造出這些元素，那麼這些元素是從哪兒來的呢？

有趣的是，發現上述答案的人，竟然是一位打從心裡看不起大霹靂理論，並諷刺的創出「大霹靂」這個名稱的宇宙學家。我們待會兒就要談到他，不過在探討我們如何降生此處之前，也許值得先花費數分鐘時間，思考一下「此處」究竟是指啥。

第 2 章
歡迎來到太陽系

天文學家羅爾在亞利桑納州旗杆鎮上，他創建的天文台進行觀測。羅爾深信，太陽系有尚未發現的第九顆行星，他在生命末幾年，都在找尋這顆所謂的「行星 X」，但始終沒成功。然而在他死後的第十三年（1930 年），這顆行星由年輕的天文學家湯博發現了。

現代的天文學家能力超強。如果有人在月球上劃根火柴，他們就可以找到閃光的位置。從遙遠恆星極其微小的規律悸動及搖擺，他們可以推斷出該恆星的大小跟性質；甚至連遠得看不見的行星，他們也能推測有無讓人居住的可能，而這些行星離我們之遙遠，搭太空船要花五十萬年才到得了。

天文學家利用電波望遠鏡，能捕捉到一些非常小量且強度微弱到幾近荒謬的輻射。有多微弱呢？天文學家薩根（Carl Sagan, 1934-1996）曾打過比喻，他說，天文學界從 1951 年開始蒐集太陽系以外的輻射以來，所有蒐集到的能量加總起來，「比一片雪花從天空飄落下碰到地面時，所釋出的能量還要小！」

簡言之，如果天文學家有心，咱們宇宙各處的風吹草動都難逃他們的法眼。那也是為什麼如今回頭想來，遲至 1978 年才有人發覺，冥王星旁邊有一顆衛星凱倫（Charon，又名冥衛一）的這件事，特別值得我們注意。

1978 年夏天，在亞利桑納州旗杆鎮美國海軍天文台任職的年輕天文學者克里斯蒂（James Christy），對冥王星的一堆照片進行例行檢視時，在一些照片上看到了某樣東西。這東西的影像黯淡模糊，但絕對不是冥王星本身。他拿了照片去跟同事哈林頓（Robert Harrington）商量，結論是：他看到的影像是一顆衛星。這顆衛星還非比等閒，相對於它所繞行的行星（冥王星），它可是太陽系內排行第一大的衛星。

這個發現使冥王星的行星地位受到了衝擊。不錯，冥王星從來就是小的行星，它甚至比水星還小。以往人們不知道冥王星有衛星，曾誤把衛星所占的空間也歸諸於冥王星。說起來還真是有些不好意思，包括我們地球的月亮在內，太陽系的近百顆衛星當中，就有七顆衛星的個頭比冥王星大。（編注：因此，國際天文聯合會在 2006 年 8 月 24 日表決通過，修正了「行星」的定義，冥王星降級為矮行星，失去七十年來公認的太陽系第九大行星的地位，太陽系從此只有八大行星。）

遲來的發現

現在又產生了一個問題，為什麼會等到這麼晚，才發現在咱們太陽系裡面有這顆衛星？

答案是三個因素共同造成的，第一是很少有天文學家把望遠鏡指向這兒；第二是每台儀器因探測目的不一，所以設計特性各有千秋，即使偶爾掃瞄過此處，也不見得會發現這顆衛星；第三則是冥王星本身的問題。

當然第一個因素影響最大，天文學家查普曼（Clark Chapman）曾為此解釋說：「大多數人以為，天文學家晚上到天文台，漫無目的掃瞄天空的各個方位，事實上大謬不然。世界上所有的天文望遠鏡，幾乎都經過特別設計，只能用來觀看遙遠的天空中一些非常小的區域，目的是瞭解某個類星體、尋找黑洞或觀察遙遠的星系。只有軍方曾設計跟建造過掃瞄整片天空的望遠鏡群組。」

以往我們看多了經過藝術家改頭換面，重新詮釋過的天文照片，以致於誤以為天文照片都相當清晰且容易辨識。這其實大錯特錯，高解析度的天文照片可說壓根兒就不存在。

克里斯蒂照片上的冥王星也是模糊又朦朧，就像是太空裡一個絨毛球，而它的衛星更不像是《國家地理》雜誌上的圖畫那樣，由浪漫的背光襯托出鮮明輪廓的圓球，陪伴在冥王星身旁。實際的影像是讓人隱約感覺到，似乎多出了一個模糊影像，但卻微不足道且極不明確。這個模糊影像經由克里斯蒂認定是衛星後，實際上又等了七年才另有一個人，在不知情的情況下又「獨自看到」了這顆衛星，證實了衛星的存在跟克里斯蒂的發現。

克里斯蒂的發現還有一個有趣的巧合，那就是旗杆鎮正好也是 1930 年，冥王星首度被人發現的地方。那次的天文學發現對後來影響極深遠，主要歸功於天文學家羅爾（Percival Lowell, 1855-1916）。

火星上有運河？

羅爾出身於美國波士頓最古老且最富有的家庭〔有一首膾炙人口的美國歌謠，描述波士頓是豆子跟鱈魚之鄉，那兒的羅爾家族成員只屑跟卡伯特家族（Cabots）寒暄，而卡伯特家族的成員則只跟上帝交談！〕，羅爾捐助了大批銀子給旗杆鎮的這座天文台，該台就把名稱命名為「羅爾天文台」來致謝。

不過羅爾最叫人不能忘懷的事蹟，是他相信火星表面上遍布運河，這些運河由勤奮的火星人建造，目的是把水從火星的兩極，導引到靠近赤道那些肥沃卻乾燥的地帶。

羅爾的另一個不變的信念是認為，在海王星軌道的外圍，還有一顆人們尚未發現的第九顆行星，他稱為「行星 X」（Planet

X)。他的此項信念是基於他偵測到天王星跟海王星的軌道有些異常。他奉獻了生命的最後幾年，努力尋找一顆他認為鐵定存在的氣態巨星。不幸的是，他在 1916 年遽然去世，其中部分原因是拜了工作過勞之賜，找尋行星 X 這件事也因此停頓下來。

之後羅爾的子嗣為了遺產問題爭吵不休，無暇他顧，一直拖到了 1929 年，羅爾天文台的董事有意要轉移外界對火星運河傳奇的注意（當時已演變成相當讓人難堪的窘境），決定恢復尋找行星 X 的任務。為此他們雇用了一位來自堪薩斯州、名叫湯博（Clyde Tombaugh, 1906-1997）的年輕人。

這張香菸畫片上，畫的是想像中的火星運河。羅爾至死（1916 年）都深信，火星上布滿了火星人建築的運河。雖然這件事完全沒有科學根據，但是許多科幻作家，甚至二十世紀中的許多科學家，都相信羅爾的這個說法。

湯博並未接受過正式的天文學訓練，但為人非常勤快機警。在經過一年的耐心找尋後，終於不負所託，看到了冥王星。不過它只是在眾星閃爍的穹蒼背景中，一個相當黯淡的光點。這個發現本身就是一個奇蹟，使它變得更不可思議的是後來證實，當初羅爾用來預測海王星外側，另有一顆行星的那些軌道觀測跟計算，完全錯誤。

湯博第一眼就看出，這顆新發現的行星並非羅爾所期盼的巨大氣態球體，但是湯博跟其他人對這顆新星性質的假設，很快就給擱在一旁。在那個容易起鬨的年代，一般人遇到重大新聞，情緒多半極度興奮，不願意冷靜思考。媒體對此事的報導重點放在，它是美國人發現的第一顆行星，沒人願意想到，它實際上只是離我們極遙遠的一顆冰凍小不點。

它會取名為冥王星，至少部分原因是冥王星（Pluto）的頭兩個字母，恰好是羅爾（Percival Lowell）姓名的縮寫。當時羅爾雖然已經死了十四個年頭，卻意外的由此發現獲得身後殊榮，讓人捧為一等一的天才。至於真正發現冥王星的湯博，除了搞行星天文學的同儕對他一直相當尊崇外，大部分的老百姓早已經記不得他啦！

如今仍有少數幾位天文學家認為，行星 X 或許真的存在，而且可能是個特大號的傢伙，體積有木星的十倍那麼大，但是因為它離太陽太遠，我們看不見它（因為它接收到的陽光太少，以致於幾乎全無反光）。他們的想法是，行星 X 離我們太遠，可能遠達 7.2 兆公里，因此並不屬於木星、土星之類的傳統行星，而比

湯博用他發明的閃視鏡工作。湯博用這個閃視鏡，分辨出遠在 60 億公里外，星光微弱的冥王星以及漂流在冥王星旁的大片背景星。

較像一顆沒搞成氣候的太陽。這個想法倒非純屬臆測，緣由是太空中大部分的恆星系統都是雙星系統（有兩個太陽），使得只有單一恆星的太陽系顯得有點奇怪。

格格不入的冥王星

至於冥王星本身，至今仍沒人確知它究竟有多大、它的內部結構成分是啥、具有哪一類的大氣層、或甚至於它的真正「身分」為何！

此話怎講？原來有許多天文學家相信，它根本不是一顆行星的料，而僅是在一個叫柯伊伯帶（Kuiper belt）的銀河碎片區內，找到的最大物體罷了。

柯伊伯帶是一位叫倫納德（F. C. Leonard）的天文學家在 1930 年首創的理論，它之所以命名為「柯伊伯帶」，是為了紀念一位原籍荷蘭，後來在美國搞天文學的柯伊伯（Gerard Kuiper, 1905-1973），他對該理論的擴展很有貢獻。

柯伊伯帶是短週期彗星的來源，這類彗星經常有規律的出現，哈雷彗星就是此類彗星中最著名的一個。另一類比較蟄伏不出的是長週期彗星（近期內曾造訪我們的，有海爾—波普彗星與百武彗星）則是來自遙遠得多的歐特雲，這是在 1950 年由荷蘭天文學家歐特（Jan Hendrick Oort, 1900-1992）發現的，關於這點我待會兒會提到。

的確，冥王星的行為作風都跟其他行星很不像。冥王星不只個頭嬌小、外表黯淡、輪廓模糊，而且運行時有較多變化，以致於沒人能告訴你，一個世紀後的今天，冥王星的準確位置會在哪兒。太陽系其他八個行星的軌道，大致上都坐落在同一個平面（黃道面）上，只有冥王星的軌道例外，它的繞行平面跟太陽系的黃道面相交，夾角為十七度，遠看有點像人的頭上斜戴著的帽子。

由於它的軌道呈長橢圓形（其他行星軌道都比較接近正圓），雖然冥王星是已知行星中的平均距離，離太陽最遠的一顆，但冥王星的軌道中有滿長的一段，是位於海王星軌道的內側（此時冥王星要比海王星更靠近我們），這正是 1980 至 1990 年代的實際情況。不過 1999 年 2 月 11 日那天，冥王星又回到了海王星軌道的外側，而且在接下來的兩百二十八個年頭裡，繼續保持為距離太陽最遠的行星。

所以如果冥王星真是行星的話，那它的確是行星中的怪胎。它的個頭非常小：質量還不到地球的萬分之二十五，如果把它拿來放置在美國的本土，還遮蓋不住美國大陸四十八州的一半面積，這就讓它顯得跟其他行星極端的格格不入。

這也意味著咱們行星系統的組成，是裡層有四顆岩質行星，較外層有四顆巨型氣態行星，最外面有一顆非常小顆且單獨存在的冰球。然而我們有理由可以假設，在冥王星的附近，隨時都有可能發現個頭比冥王星更大的冰球，如果這項假設成立，冥王星的行星地位就大有問題啦！

克里斯蒂指出了冥王星的衛星之後，天文學家開始對太空裡這塊區域比較注意，結果在 2002 年 12 月初之前，已經有人陸續

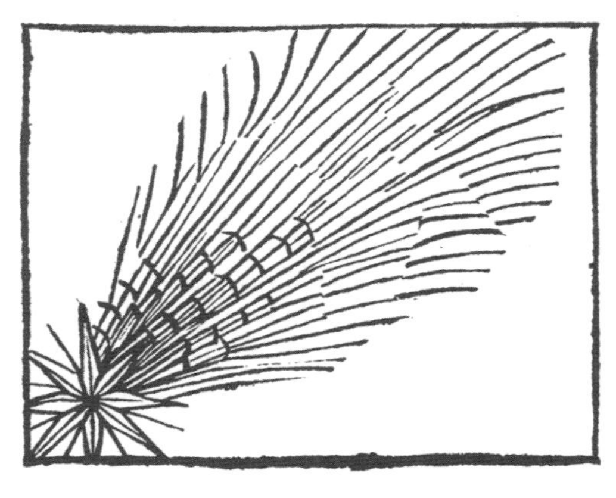

這是十五世紀時，一位德國觀測者所描繪的哈雷彗星。哈雷彗星是太陽系最有名的訪客，它遠從外太空而來，每七十六年造訪地球一次，早在西元前 240 年，就有哈雷彗星造訪的紀錄。不過，一直到 1682 年，才經由天文學家哈雷（Edmond Halley, 1656-1742）確認，我們定期會看到的彗星是同一顆，也就是哈雷彗星。

發現也稱為「小冥王」（Plutino）的「海外天體」（Trans-Neptunian Object），總數超過六百顆。

其中一個命名為瓦茹納（Varuna，譯注：源出印度吠陀經典中的海洋之神），大小就幾乎跟冥王星的衛星凱倫一樣。如今，天文學家認為這類小星體的總數達數十億之多，但是它們的反光非常黯淡，通常反照率（albedo）只有 4%，跟木炭的相若。當然，讓我們難以看見它們的原因還有，這些木炭似的東西距離我們大約有 64 億公里之遙！

來一趟太陽系壯遊

64 億公里究竟有多遠呢？它幾乎超乎咱們的想像。你瞧，太空浩瀚無際、廣大無邊！現在咱們姑且用想像力，只當是為了陶冶性情跟找樂子打發時間，來趟冥想中的火箭旅行罷。咱們也不想走得太遠，只要到達我們太陽系的邊緣就好，我們的目的是要藉此見識一下，太空之大及相形下地球之小。

這樣一趟旅行還沒正式開始，就出現了好消息跟壞消息。先說壞消息：即使我們以光速（30 萬公里／秒）來回一趟，只怕也無法趕回地球吃晚飯。因為光線從我們這兒到達冥王星，就得花費七小時。但事實上我們不可能以那麼快的速度旅行，而必須受限於太空船的速度。太空船的速度與光速相比，堪稱牛步。美國航空暨太空總署（NASA）的太空船「航海家一號」跟「航海家二號」是跑得最快的人造飛行器，它們正以每小時 5 萬 6 千公里的速度飛離我們。

HARDY

想像中，從冥王星上看到的冥衛一景象。從 1978 年發現冥衛一後，顯示出冥王星小於我們原先的預測，它甚至比地球的月球還小。這掀起了冥王星到底是不是行星的爭論：它是不是僅是繞行柯伊伯帶的最大星體？

NASA 之所以選在 1977 年的 8 月跟 9 月發射航海家號太空船，有一個重要的時機考量，那就是要遷就當時木星、土星、天王星跟海王星等四顆氣態巨大行星的最佳相對位置，好讓太空船在航行途中，利用一種叫做「重力協助」(gravity assist) 的技巧，這就像在宇宙中甩鞭一樣，把太空船連續從一顆行星甩到下一顆行星。這種機會並不常有，每一百七十五年才能遇到一次。不過即使它們的行程如此的精打細算，這兩艘太空船仍花費了九年才到達天王星附近，耗時十二年才跨過冥王星的軌道。

那麼好消息又是什麼呢？那是如果我們耐心等待 2006 年 1 月 NASA 的新地平 (New Horizon) 太空船升空前往冥王星之後，我們可以借用木星的最有利位置，外加一些科技上的新改進，可望在出發後的十年內到達冥王星附近，只不過回程的時間會拉得久一些。無論如何，去冥王星打個來回，顯然不是一趟「短期」旅行。

談到這兒，你大概心裡有些明白，太空裡的名稱儘管取得神氣活現，實質上卻平淡無趣得叫人厭倦。在我們周遭數兆公里的偌大範圍內，太陽系可能是最不死寂的部分，但是其中一切看得見的東西，包括太陽自己、各行星跟它們的衛星、小行星帶上約十億顆亂翻筋斗的巨石、各式彗星，以及其他種類繁雜、到處飄浮的碎石，若是全部聚攏起來，占據的空間尚不能填滿原有空間的一兆分之一。

另一件你會很快明白的事實是，你以前見過的太陽系圖畫，全都只是示意圖，沒有一張畫得跟真實比例相近似。大部分學校

1977 年，航海家一號在美國佛羅里達州的甘迺迪太空中心發射升空，這一路上剛好可以陸續利用木星、土星、天王星跟海王星這四顆氣態巨大行星的重力協助，奔向冥王星。這種機會，每一百七十五年才有一次。

教室裡的掛圖，展示的是一串大小行星彼此近距離的排列在一起，外圍的巨型行星上，還會有其他巨型行星的陰影。其實這只是迫不得已的伎倆，目的是要把整個太陽系清楚的畫在同一張紙上罷了。比方說，海王星實際上絕對不是在木星外側附近，而是在木星外側非常非常遙遠的地方，它們之間的距離，相當於地球與木星距離的五倍。因此海王星表面上接收到的陽光強度，約只有木星上的 3% 而已。

這一切都是因為行星彼此間的距離太遠，使得畫家無論怎樣也不可能按照真實比例把太陽系畫下來。即使在教科書裡插入很長的摺頁，或是做成很大張的海報，幫助也不大。

如果圖要照比例來畫，把地球縮成一粒小豌豆（直徑約 0.5 公分）的話，木星會距離太陽 300 公尺遠，而冥王星跟太陽的距離則足足會有 2.4 公里。由於冥王星的直徑還不到地球直徑的五分之一，所以照比例來說，它比一粒小米還小了許多，大約跟英文裡的句點差不多。

按照上述同樣的比例，太陽系最近的恆星「比鄰星」（Proxima Centauri，距離我們 4.28 光年）跟我們的距離變成約 1 萬 6 千公里。如果你再進一步把一切東西都縮小，木星變得差不多只有跟這頁書上，字母 i 上的那一點同樣大時，冥王星約只有分子般大，即使如此，冥王星跟木星的間距還有十多公尺之遙。

所以咱們這個太陽系的確相當浩瀚。當我們快到冥王星附近時，我們的太陽，這個受人愛戴、溫暖、能烤焦皮膚、生命之源

要在一般書本上，把太陽系模型中，各星球的距離以正確的比例呈現，是不可能的。就算把地球的直徑縮到只有豆子般大，這張圖要有 2.5 公里寬，才能畫出冥王星的軌道，而且還要再延伸數千公里，才能把太陽系的外緣畫出來。

的太陽，已經縮到只有大頭針的針頭那樣小了，看起來與天上明亮的星星差不多。

在那種寂靜空曠中，你會開始瞭解，即使是當地以為最重要的星體，譬如冥王星的衛星凱倫，何以會輕易逃過地球上人們的注意。冥王星不是唯一受到忽略的，在航海家太空船探測之行出發前，人們以為海王星身旁只有兩顆衛星，航海家經過時，居然一舉發現了另外六顆衛星。當我還是個孩子時，人們認為太陽系裡總共有三十顆衛星，現在已知「至少有九十顆」，而其中三分之一是過去十年發現的。

這兒該記住的重點是，當我們談論整個宇宙時，實際上我們對自己太陽系裡的許多細節還陌生得很呢！

當我們快速經過冥王星附近時，你會注意到，行程表上不是明明寫著，這趟旅行的目的是要到咱們太陽系邊緣走一遭，怎麼還沒到呢？在學校教室裡的太陽系掛圖上，冥王星照例都是畫在最外圍，是離太陽最遠的星體。但太陽系可並不是到冥王星為止，事實上，要到咱們太陽系的邊緣之前，得先經過前面提到的歐特雲。

歐特雲是一塊極龐大的天體範圍，裡面有許多飄浮竄動的彗星。那麼太空船經過了冥王星後，還得繼續全速跑上一萬年才到得了歐特雲。糟糕！原來我們都叫教室裡的太陽系掛圖給騙啦。冥王星壓根兒不是太陽系最外緣的地標，從地球前進到冥王星的距離，僅僅是全程的兩千五百分之一呢！

當然之前我們從沒期盼能有這趟旅行。因為一趟單程距離為 38 萬 6 千公里的月球之旅，對我們來說，仍是偉大的挑戰。當年美國老布希總統在任時，曾在一次輕鬆場合裡，大聲疾呼要美國政府開始一項載人到火星去的計畫。之後有人計算出該項計畫得花費 4,500 億美元，並且在太空船抵達火星之前，船上人員可能已經全數喪命（由於長時期暴露在無可防護的高能量太陽粒子襲擊下，他們身上的 DNA 可能給扯得像碎布一般），該計畫才悄然無聲的擱置下來。

根據我們目前所知及合理的想像，將來絕不可能有人能前去拜訪我們太陽系的邊緣，原因很簡單：實在是太遠了。事實上，甚至在有了哈伯望遠鏡以來，我們仍無法看到歐特雲裡面的情形。我們並不真正知道它的位置，它的存在仍是個謎，還停留在假定的層次 *。

有關歐特雲的性質，可信賴部分只有：歐特雲的範圍起自冥王星外側的某個區域，爾後向外太空延伸達 2 光年之遙。在太陽系內，距離的基本單位為「天文單位」（Astronomical Unit, AU），代表太陽到地球的距離。冥王星距離我們大約是 40AU，而從歐特雲的中心位置到我們這兒呢？差不多有 8 萬 AU。簡單的說，真遠。

但是讓我們假裝已經到達了歐特雲，你首先會注意到，這地方真是非常平靜安逸。我們現在遠離一切，也遠離了我們自家的太陽，此時太陽看起來甚至不是天空中最亮的星。神奇的是，這個距離極遙遠、看起來那麼小的太陽，居然有足夠的重力拉住所有的彗星，叫它們都乖乖的待在各自的軌道上不到處亂竄。當然這個拉力不是很強，所以彗星多半都慢條斯理的浮動，速度只有每小時 350 公里左右。

* 歐特雲較正確的名稱應該是奧皮克–歐特雲（Öpik-Oort cloud），該名稱的前半是紀念愛沙尼亞天文學家奧皮克（Ernst Öpik, 1893-1985），他在 1932 年假定有歐特雲的存在；後一半則是為了紀念荷蘭天文學家歐特，因為他在 18 年後（1950 年），改善了相關的計算。

彗星接近太陽時，表面的物質會開始蒸發，使彗星的尾巴各有特色，有時彗星的尾巴會長達數百公里。這張十九世紀的平版印刷品顯示出歷史上所見的各種彗星。

不過偶爾會有少數幾個獨來獨往的彗星，突然受到某種輕微的重力動盪，也許是受到過往星體的重力影響，而給推出正常的軌道。有時它們朝上方的太空彈射出去，從此掰掰永不再見；但有時它們也會落入某個極為細長的繞日軌道，這種情形每年會發生三或四次，它們貫穿太陽系的深層內部，成了所謂的長週期彗星。只是這些遊蕩走失的造訪者，偶爾會撞擊到諸如地球之類的固體。

這正是我們來這裡的原因，因為剛才有人發現，太空船旁邊有顆彗星不知為何突然失去了平衡，轉頭開始朝太陽系中心栽了下去，它選中的目標偏偏是美國愛荷華州的曼森（Manson）。不過甭緊張，它得走很長一段時間才能到得了目的地，少說也要三、四百萬年吧，所以咱們就此先把它暫時擱下，等這本書寫得差不多時再來談它也不遲！

孤獨的地球

以上就是咱們的太陽系了，至於它的外面又有什麼呢？你可說啥都沒有，也可說東西一大堆，端賴你的看法。

簡單的說是啥都沒有。那是因為，星際空間裡，「空」的比任何人造的「真空」還要更空。朝太陽系的外頭走，有一段非常長距離的真空。在宇宙中，我們最近的鄰居是比鄰星〔屬於半人馬座 α（Alpha Centauri）三星系統中的一顆〕，它離我們 4.3 光年，雖然以星系的尺度衡量，簡直是小兒科，但卻是地球跟月球距離的一億倍。若要搭乘太空船前往，至少得花費二萬五千年。而且即使你到達了目的地，你會發現它只是在空曠的一大片天空裡，有十來顆相距不遠的星星聚在一塊兒。若要繼續向前到離它們最近的下一個顯著目標天狼星（Sirius），你就又有 4.6 光年的路程得趕。

我們可以如此一步步用這種「跳星」（star-hop）方式，橫跨整個宇宙，不過僅是這樣從地球一路到達銀河系的中心，所需要的時間就比人類在地球上出現的歷史還長久。

容我再重複一遍，太空大得簡直無以復加。恆星之間的距離平均是 32 兆公里，即使可以用接近光速的速度旅行，這樣遠的旅程仍然是極其了不得的挑戰。

當然啦！咱們不能說絕對「不可能」有外星人為了開心，不惜動輒旅行數十億公里，跑到英國南部威爾特夏郡（Wiltshire）的麥田裡，印上一些大大的圓圈記號，或跑到美國亞利桑納州的偏僻道路上，把獨自開著小卡車趕路的人嚇個半死（看來他們跟咱們一樣，也有調皮搗蛋的青少年嘛），不過並不太可能。

雖說如此，依據統計學分析，外太空的確可能會有能思想的「人」。沒有人確實知道，我們銀河系裡究竟有多少顆恆星，目前估計約在一千億到四千億之間；而銀河系只是大約一千四百億個已知星系中的一個而已，而其中比咱們銀河系更大的星系，比比皆是。

在 1960 年代，美國康乃爾大學有位名叫德雷克（Frank Drake, 1930-）的教授，受到這些龐大數字的刺激，推演出一個著名的方程式。該方程式以咱們銀河系為例，把他認為頗為關鍵的六個或七個因素的機率互相乘起來，而得到銀河系中具有文明行星的總機率。這些因素包括恆星中擁有行星的百分比、行星中適合生命繁衍的比率、有生命的行星中會出現文明的機率等等。如果以銀河系裡的恆星總數乘以這個總機率，我們得到的就是銀河系中具有文明的行星總數；如果以整個宇宙的恆星總數來乘，得到的就是整個宇宙裡的文明行星總數。

德雷克方程式裡面所選用的各個因素，並沒有固定的機率值，隨著使用者的看法不同而有相當大的差異。但是即使各以最保守的設定值放到該方程式裡，我們發現僅僅在銀河系裡，文明行星的數目就高達數百萬。

原來我們只是數百萬文明中的一個而已，夠刺激、夠有趣吧？但很不幸的是，太空實在過於龐大，把這些文明分隔得太開，任何兩個文明中間的距離，平均至少是 200 光年。200 光年聽起來好像不多，它代表的實際距離可是了不得的。

而且更糟糕的是，如果距離我們 200 光年的「外星人」知道我們的存在，而且有辦法用他們製造的望遠鏡看到我們，問題是他們瞧見的光影，是兩百年前由地球發出的，所以他們現在看到的不是你跟我，而是法國大革命跟美國前總統傑弗遜，以及那些穿絲質長襪、戴著撲了粉假髮的人，這些人壓根兒不知道原子是啥、基因又是啥。他們用毛皮去摩擦琥珀棒，藉以產生靜電，因而洋洋得意，自以為了不起。

而外星人若發訊息給我們，則很可能模仿咱們四百年前的寫法，比方說以「尊駕大人左右」起頭啦，內容則是恭賀咱們養的馬兒長得多俊挺呀，以及認為我們精通鯨魚油的使用方式啦！至於 200 光年究竟是多大的距離呢？我們實在無法想像，無從描述。

即使我們真的不是宇宙間的唯一文明，但實際距離限制了我們跟其他文明的交往，所以我們仍然是孤獨的。薩根曾經估算過

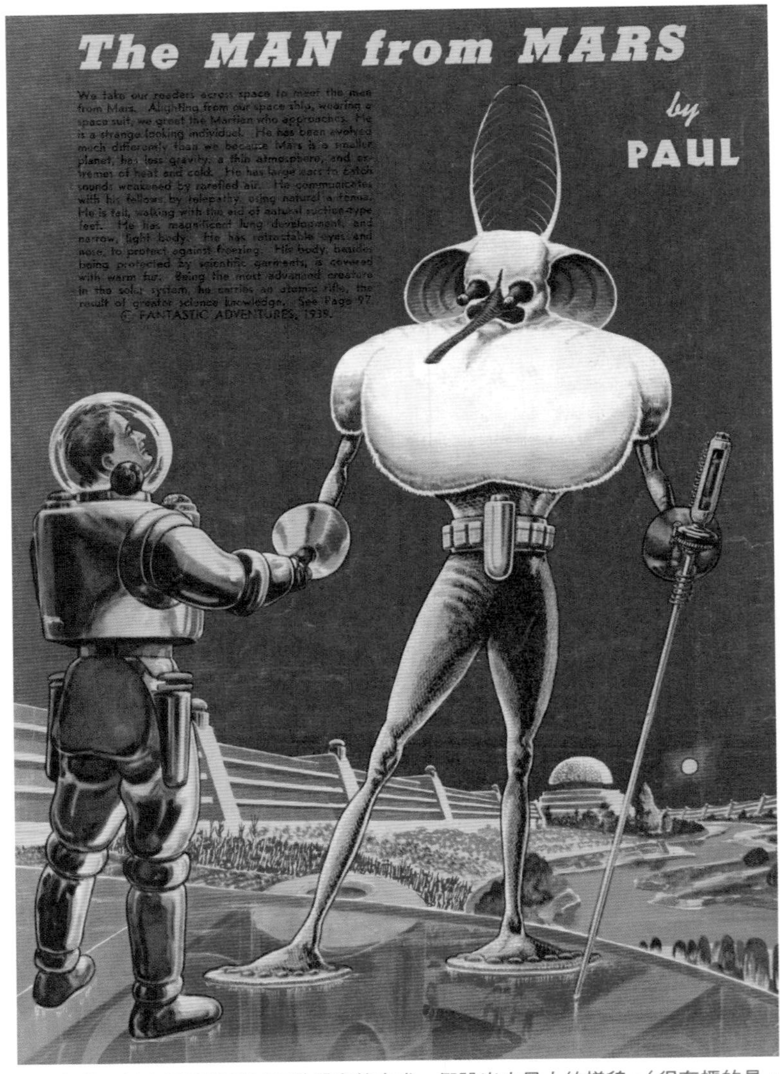

1930 年代，某本通俗雜誌以有點嚴肅的方式，假設出火星人的樣貌。（很有趣的是，大家都認為火星人比地球人高大，火星的科技也比較進步。）擁擠的宇宙有數以百萬計的先進文明，在我們的銀河系中，就存在了許多。然而太空浩瀚無邊，跟遠道來的外星訪客握手，仍只是科幻電影的情節。

整個宇宙可能有的行星數目，他給的答案是 100 億兆顆，這簡直不可思議的多。而同樣不可思議的是，它們稀鬆的散布，彼此之間的空域極大。薩根說：「如果你給隨意丟在宇宙裡，而發現此點剛好就在一顆行星上或它的附近，這種情形的出現機率，比 10 億兆兆分之一還小了一些。（10 億兆兆相當於 10^{33}，也就是 1 後面跟著 33 個 0。）所以世界雖多，既有的仍然是非常珍貴！」

這也就是為什麼在 1999 年 2 月，國際天文聯合會（International Astronomical Union）正式裁定冥王星為一顆行星這件事，是一個好消息。宇宙是一個龐大而孤獨的所在，我們需要可以相伴的所有鄰居！

第 3 章
伊凡斯牧師的宇宙觀

在 1979 年，於澳洲定春山的英澳天文台以縮時攝影拍攝的照片。照片裡的光環，是未沉落的恆星繞行南天極的軌跡。

每當夜晚天空裡清淨無雲，月亮不會太明亮時，伊凡斯（Robert Evans）牧師就會把一台笨重的望遠鏡，扛到住家後院的陽台上。伊凡斯牧師是話不多但笑口常開的人，他住在澳洲的藍山山脈內，位於雪梨市西方約 80 公里處。他用這台望遠鏡做一件很不尋常的事：觀察久遠的歷史，找尋正在死亡的恆星。

當然啦，搜尋過去是這項工作中容易的部分，任何人只要朝夜空裡一瞧，見到的淨是歷史，因為我們看到的星星，並非在它們目前的真正位置，而是星星射出星光時的位置。

就我們所知，我們長久以來的忠實伴侶北極星，雖然看起來都是好端端的在那兒，但是也許近則就在上個一月、或早在 1854 年、或從十四世紀以來漫長歲月中的任何一個時刻，它已經燃燒完畢不再繼續發光了，只是這個消息尚未送達我們這兒罷了。

所以今晚當我們抬起頭，看見它還在老地方指引方向時，頂多只能說，在今晚的六百八十年前，它還在燃燒發光，之後有沒有發生變動，地球上沒人知道。事實上，滿天繁星，隨時都有一些正在死亡，不過在試圖觀察這種天空告別式的凡人中，伊凡斯可是箇中翹楚。

伊凡斯是服務於澳大利亞聯合教會裡，一位生性慈祥的半退休牧師，白天裡，在現任牧師有事時，他幫忙代理，也對十九世紀宗教運動的歷史做些研究；但是一到夜晚，他搖身一變，成了鋒芒不露的天空巨人，專門搜獵「超新星」（supernova）。

超新星的出現，是當一顆個頭遠比我們太陽大的巨星（giant star）塌縮後發生大爆炸，瞬間釋出相當一千億個太陽的能量，

我們與星星之間驚人的距離，
意味著我們注視夜空時，
看到的不是星星的現況，
而是數十年、數百年、甚至數千年前的景象。
時間的長短，端看星光離開星體到達地球的時間有多久而定。

而且在一段時期內，它的亮度比所屬星系的全部恆星加起來還亮。伊凡斯說：「它就像是一兆顆氫彈同時引爆！」

根據他的說法，如果在離我們不到 500 光年的範圍內，出現了一顆超新星，我們就全死定了。「萬一碰到這種情形，咱們就都沒戲好唱啦！」伊凡斯說起來倒是挺輕鬆的。好在宇宙極其龐大，以致於一般超新星都離我們遠遠的，不會傷害到我們。

事實上，大多數的超新星跟我們的距離遠得難以想像，當它們的光終於傳遞到我們這兒時，亮度已經比不上最微弱的星光了。此後約只有個把月的時間，我們能看見它。超新星在這段期間內，跟天上其他星星沒啥區別，唯一的不同只是它們占據的那些「點」或位置，以前沒有星星存在。所以要找到它們，沒有超凡的記憶是辦不到的。伊凡斯牧師夜晚在滿天繁星之間尋找的，正是這種極不尋常而偶然發生的亮點。

要想瞭解他這項工作在技術方面的困難度，我們首先想像一張標準大小的餐桌，桌面鋪上黑色桌布，然後抓把鹽隨意撒在上面，把散布在桌布上的無數晶瑩細鹽粒子，想成是同屬一個星系的群星。其次，我們想像一千五百張同樣的餐桌，都經過同樣的撒鹽處理。這一千五百張餐桌，集中起來可擺滿一座大型超市的停車場，若是一張接一張的排成直線，則足足達三公里長，而每一張桌子上的鹽粒排列圖案都不相同。

這時，先讓伊凡斯到各個桌邊去遊走、認識一番，然後請別人拿一顆鹽粒隨意丟到某一張桌面上，再讓伊凡斯回頭逐桌觀察。伊凡斯的目光一接觸到這顆後來加進去的鹽粒，就能立即把它指認出來。而那顆鹽粒，就是超新星！

伊凡斯是個非常特殊的天才，科普作家薩克斯（Oliver Sacks）在他所寫的《火星上的人類學家》（中譯本由天下文化出版）裡，有一章講罹患自閉症的著名學者，其中的注釋提到了伊凡斯。不過，該書作者迅即加上了一句：「他卻沒有一點自閉的跡象。」兩人從未謀面，伊凡斯知道了這段文字後笑著說，別人暗示他是自閉症患者或自閉症學者，他都覺得很好笑，不過他無法解釋他這項過人的天賦是打哪兒來的。

我到他府上拜訪，談到此事時他跟我說：「我只是有辦法記住天空中恆星的散布情形。」說此話時他臉上掛著歉疚的表情。他跟太太怡蓮（Elaine）住在一棟圖畫書中才有的漂亮平房裡，房子建築在一個名叫榛溪（Hazelbrook）的村子邊，周遭的環境非常恬靜宜人。該村坐落在雪梨市郊的最西端，再往西走就進入了澳洲無邊的叢林地區。

他接著又說：「做別的事我就不比別人行，譬如記人名的本事我全沒有……」這時在廚房裡的怡蓮大聲的接了腔：「或總是記不得把東西擱在哪兒了！」他坦然的點頭表示老婆說的沒錯，並且咧開嘴笑了起來。

然後他問我想不想看一看他的望遠鏡。在我以前的想像裡，他家後院必然會有一座相當「稱職」的天文台，也許是縮小版的威爾遜山天文台（Mount Wilson Observatory）或帕洛瑪山天文台（Mount Palomar Observatory），會有一個滑動開閉的鐘形屋頂，跟全機械動力調整的座椅，讓人坐在上面操作起來樂在其中。

假如地球附近有超新星爆炸，情況如同這張在 1987 年拍攝到的照片，那麼傳遞來的爆炸威力，會把地球上的生命一舉消滅。幸好超新星的量很少，而且通常發生在遙遠的宇宙中。

哪裡曉得他沒帶我往屋子外走，卻來到廚房旁邊一間堆滿東西的儲藏室。這裡面放的主要是他的書籍與文稿，也擱著他的望遠鏡：一個白色的圓筒，大小、形狀都跟家用熱水器的儲熱水桶差不多，架設在他自己用合板製作，可供旋轉的底座上。每次他要觀星時，得分兩趟才能把望遠鏡扛到廚房外的小陽台上。

這個陽台的一邊，是他家外牆跟屋簷，另一邊有茂密的尤加利樹枝葉伸入。兩相遮掩之下，他能看到的天空其實相當有限，但是他說就他的目的而論，不但夠用還綽綽有餘。於是就在這樣因陋就簡的裝備跟環境下，每當天空裡清淨無雲、而月亮不是太過明亮的夜晚，他就上陽台去尋找，而且找到了他的超新星。

怪才發現中子星

「Supernova」這個英文詞彙是 1930 年代，由一位值得懷念的天文物理學家前輩創造出來的。這位老兄名叫祖威奇（Fritz Zwicky, 1898-1974），在保加利亞出生，在瑞士長大、受教育，並在 1920 年代來到美國加州理工學院。由於他性格暴躁又是個怪才，一開始就很突出。他似乎並不是一等一的聰明，在許多同事眼中都認為他只是「討人厭的丑角」。他是個健身狂，只要有人質疑他的男子氣概，他就會在學校食堂或其他公共場所裡，就地表演單臂伏地挺身。

他是出了名的張牙舞爪人物，後來更變本加厲，就連跟他最接近的工作夥伴，一位名叫巴德（Walter Baade, 1893-1960）的謙謙君子，都拒絕與他單獨相處。兩人的是非中有一項，是祖威奇指控巴德為納粹黨徒，巴德是德裔沒錯，但不是納粹份子。祖威奇至少有一次公然威脅巴德，說下次在加州理工學院校園裡看到巴德，就要把他宰掉。幸好那時巴德的上班地點不在學院本部，而是在山上的威爾遜山天文台。

但是祖威奇也有兩把刷子，他有見人之未見的驚人才智。在1930年代初期，他把注意力轉移到一個長久以來一直困擾天文學家的問題：那就是天空裡偶爾會出現一些莫名的光點，亦即新星是也。

那時英國的查兌克（James Chadwick, 1891-1974）剛發現了「中子」這個次原子粒子，一時間中子成了科學界人士的最新熱門話題，祖威奇也不免俗，只是他把兩件看似無關的東西聯想到了一塊：新星的中心會不會是中子？因為他突然想到，如果一顆恆星發生塌縮，密度會迅速增大，最後變得跟原子的核心部分一樣緊密，原子受強大的力量互相壓擠，電子給壓進了原子核，形成了中子，星體也可能成為中子星。

試想我們如果把一百萬顆非常重的砲彈全部擠壓到一起，壓縮成一顆小彈珠，這樣總夠緊密吧？其實還差得遠咧！中子星的核心密度高得多，在那兒一湯匙的物質，重量高達兩千億磅。才一湯匙耶！

稀奇的還不止於此，祖威奇還推想到，在這顆星塌縮後，應該餘留下大量的能量，足夠促成宇宙裡最大的爆炸。他把這樣子產生的爆炸稱為supernova，意思就是超新星，稱它super（超級）其實一點也不誇張，因為超新星本來就是宇宙間最了不起的大事。

1934 年 1 月 15 日那天，《物理評論》（*Physical Review*）期刊上登載了一篇非常簡短的文字，這是依祖威奇與巴德於一個月前，到史丹福大學發表的學術報告所寫成的摘要。

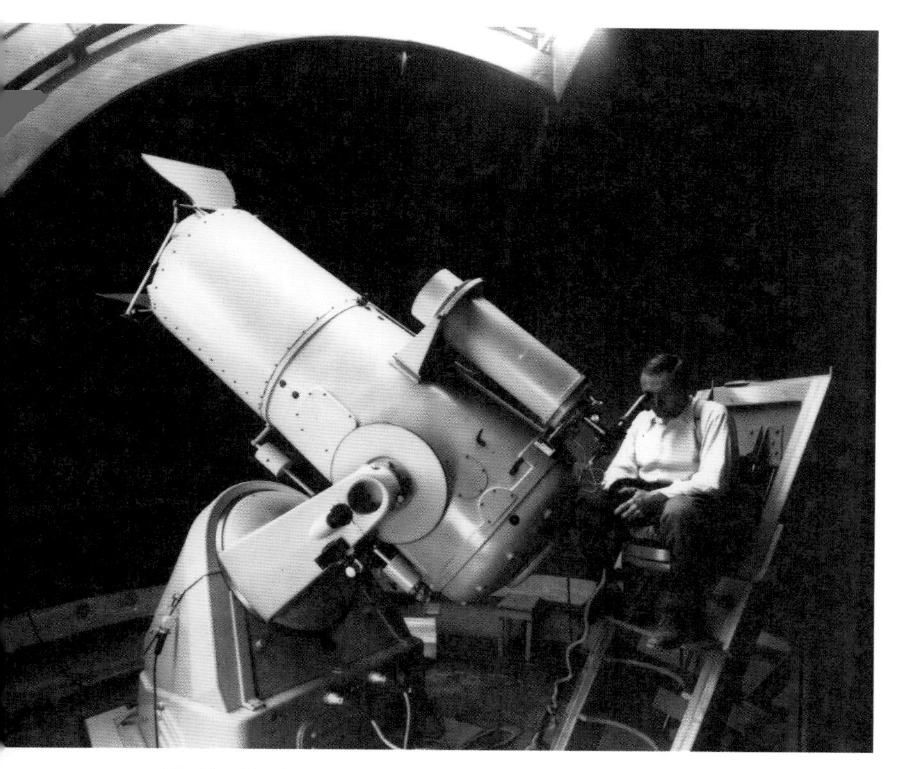

聰明但脾氣暴躁的天文學家祖威奇，在同事眼中只是一個討人厭的丑角，因此幾乎完全忽略他在超新星上創世紀的科學概念，以及之後對於暗物質、黑洞提出的理論。

這篇文字雖然簡短，僅僅一段共二十四行，卻包含極大量的全新科學：它提供了第一手的超新星與中子星的參考資料，也深具說服力的解釋了它們的形成方式，正確的計算出它們爆發力量的規模，並在結論裡附送了一個意外的贈品，那就是把超新星的爆炸，跟一種叫做宇宙射線（cosmic ray）的神祕新現象扯上關係；此前不久，才有人發現此種射線成群蜂擁穿過宇宙。

這幾個觀念都具有革命性，中子星這個新想法此後經過了三十四個寒暑，才終於經人證實。跟宇宙射線有關的概念雖然公認不無道理，但截至目前為止，尚未鑑定為真。套用加州理工學院天文物理學家索恩（Kip S. Thorne, 1940-）的說辭，整體說來，這篇摘要是「物理學跟天文學的歷史上，最具先見之明的文件之一」。

有趣的是，祖威奇幾乎完全不懂為什麼這些事情會發生。索恩認為「他對各項物理定律瞭解有限，無法把他的觀念變得具體化」。祖威奇的長才在於開創偉大的觀念，而其他人，尤其是巴德，就只有用數學替新觀念做些清理的工作了。

祖威奇還率先認識到，宇宙中可見的質量委實太少，不足以把星系拉攏，所以其中必定有其他重力的影響，這就是我們現在所謂的暗物質（dark matter）。不過有一件事他一直沒看出來，就是當中子星塌縮到了一個程度後，會變得緊密到連光線都不能逃出它巨大重力的拉扯，因而成了所謂的「黑洞」。

不幸的是，由於祖威奇的大部分同事都對他心存芥蒂，大夥兒不但躲著他的人，對他腦子裡的觀念也幾乎不理睬。因而在五年後，偉大的歐本海默（Robert Oppenheimer, 1904-1967）在一篇劃時代論文中，把注意力轉移到中子星上時，他列舉的參考佐證資料中，祖威奇的文章居然完全缺席。雖然祖威奇研究這個問題已經多年，而且兩人的辦公室就在同一層樓呢！祖威奇有關暗物質的高明推論也一樣不受聞問幾達四十年。在這段歲月裡，祖威奇應該做了無數次的伏地挺身吧。

尋找超新星是件苦差事

當我們在夜間翹首上望，能看得見的宇宙真是少得叫人訝異。光憑咱們肉眼觀察，從地球上看得見的恆星加起來，總共不過六千來顆，而從地球表面上的任一地點，能看到的更只有兩千顆上下。

使用雙筒望遠鏡幫忙往天空方向望去，能看得見的恆星數目就會增加到五萬顆。若是我們用兩英寸的天文望遠鏡，這數字就會跳到了三十萬。如果你用的是十六英寸望遠鏡，就像伊凡斯採用的那台那樣，你不但可以數計到更多星星，還能開始數星系的數目。

伊凡斯估計從他的陽台上，一共可以看到五萬到十萬個星系，而每一個星系裡面，都有數百億顆恆星。但是即使在這麼多恆星裡面，成為超新星的仍極端稀有。一顆恆星可以一連燃燒數十億年，到頭來只死一次而且死亡的過程非常迅速；眾多恆星裡只有少數幾顆在死亡過程中會發生爆炸，大多數像破曉時的營火那樣，悄然熄滅。

在一個有一千億顆恆星的典型星系中，平均每兩百年到三百年，才會有一顆超新星產生。所以找到一顆超新星的機會，有點像站在紐約帝國大廈的觀望台上，用望遠鏡檢查曼哈頓市區裡，所有窗戶內的動靜，希望看到有人正在生日蛋糕上點蠟燭，慶祝二十一歲生日。

所以當初這位滿懷希望、言詞溫文爾雅的牧師，找上天文學專家，詢問是否有可以幫助他尋找超新星的星象圖時，大夥兒都認為他是瘋子。那時候伊凡斯有一台十英寸口徑的望遠鏡，這對業餘的觀星族而言，可算是頂級的豪華設備，但根本不適用於研究嚴肅的宇宙學，而他想要尋找的東西，卻是宇宙間相當少見的現象之一。

在伊凡斯於 1980 年開始尋找超新星之前，整個天文學的歷史上發現的超新星總數，還不到六十顆。（當我在 2001 年 8 月間去拜訪他時，他正好記錄下由他發現的第三十四顆超新星，三個月之後，他發現了第三十五顆，而第三十六顆則出現在 2003 年的年初。）

當然，伊凡斯的成功，也受天時地利人和之助。譬如說，其他同性質的觀星家，就像地球上大部分的人一樣，都住在北半球，尤其是伊凡斯剛開始觀看天空的那幾年，跟他競爭同一片天的人並不多。

另外他還占了速度快跟記憶力神奇上的便宜。後者我們已經提過，速度快又是怎麼回事呢？要知道，大型望遠鏡相當笨重，大部分的使用時間，都花費在定位的操作跟調整上，相形之下，伊凡斯的十六英寸望遠鏡則非常輕便靈活，就像裝置在老式纏鬥用戰鬥機後座的機關槍一樣，想要指向天空中的任何一個定點，調整時間不會超過兩秒鐘。結果一個晚上下來，他可以觀測到約四百個星系，而大型專業望遠鏡運氣好的話，一個晚上能看五、六十個星系就算是非常難能可貴的了。

尋找超新星的確是苦差事，絕大多數夜晚都是毫無所獲。從 1980 年到 1996 年之間，伊凡斯平均一年只發現兩顆，比起他睜大眼睛一再凝視的數百個夜晚來說，報酬不能算大。他偶爾也有運氣好的時候，有一回他在十五天內，一連發現了三顆；但他也有白白看了三年，而一個也沒找到的經驗。

伊凡斯牧師在他位於澳洲新南威爾斯家中的陽台上，用一副十六英寸的望遠鏡，觀測到超新星。他是世上在個人發現超新星上，最傑出的一位。

他說：「毫無所獲也具有某種正面價值，它可以幫助宇宙學家計算出星系演化的速率。這種沒有證據就是證據的情況，極為少有。」

在望遠鏡旁邊的桌子上，堆著好多疊照片跟論文，都跟他的研究有關，他順手拿了一些給我看。如果你曾翻閱過通俗天文學出版物，你就知道它們通常是遠處星雲之類的相片，色彩極豐富炫亮，似乎是由神仙用天光去照亮雲彩，烘托出最細緻跟感人的壯麗景象。伊凡斯的工作相片可完全不是那回事，它們只是一些模糊不清的黑白照片，顯示一些帶著毛邊的小亮點。在一張他指給我看的相片上，顯示在一大群星星之間有個微不足道的光點，我得把照片湊到鼻尖前面才看得清楚它。

伊凡斯告訴我，這個小光點是天爐座（Fornax Constellation）中的一顆星，屬於天文學界所知的 NGC1365 星系（NGC 是 New General Catalogue 的縮寫，意思是「新的通用目錄」，用來記錄恆星跟星雲，以前它曾經是擺在愛爾蘭首都都柏林某人書桌上的一本厚重參考書，現在我不說你也知道，它已用電腦資料庫的方式呈現了）。

這顆恆星在壯觀的死亡過程中釋放的光線，於過去長達六千萬年的歲月裡，在太空中不休止的持續旅行，一直等到 2001 年 8 月的某一個夜裡，這光線才以一陣短暫的輻射形式抵達地球，在夜空裡呈現出微弱的亮光。當然啦！當時的目擊者不是別人，正是在瀰漫尤加利香的山坡上進行觀測的伊凡斯。

伊凡斯說：「我認為這樣的巧合很讓人高興。你瞧，光線在太空中旅行了數百萬年之久，經過地球的那一剎那，正好有人拿著望遠鏡，對著這一小片天空掃瞄，由此瞧見了它。宇宙裡發生了如此重大事件，應該有人目擊才對。」

超新星不只是供人欣賞的奇觀，它還具有許多意義。比方說，超新星並非都是同一個樣，它們可以分成好幾個類型（其中有一型還是伊凡斯發現的）。有一個特殊類型叫做 Ia 超新星，對天文學家很重要，原因是它們的爆炸方式每次均相同，有同樣的臨界質量（critical mass）。由於這個特性，它們可以當作標準「燭光」來測量宇宙擴張的速率。

1987 年，美國加州勞倫斯柏克萊實驗室的普密特（Saul Perlmutter）覺得光靠人的目光，能找到的 Ia 超新星，數目有限，而他需要更多這類新星，於是他打定主意，要研究出比較有效的尋找辦法。結果普密特設計出一套漂亮的搜尋系統，把精緻的電腦跟所謂「電荷耦合元件」（charge-coupled devices, CCDs）的技術結合，而所謂的「CCDs」就是一台性能超棒的數位電子照相機。

這套系統的功能，是把搜尋超新星這件折磨人的差事自動化，系統裡的望遠鏡現在可以動輒拍下數千張相片，然後交由電腦偵測，判定上面是否出現以往沒有的亮點。有了這套新技術後，普密特跟他在柏克萊的許多同事，果然在五年內發現了四十二顆超新星。如今甚至有業餘的追星族，也在利用 CCDs 尋找超新星。伊凡斯語帶落寞的說：「有了 CCDs 後，你只需要把望遠鏡對準天空，就可以進屋看電視去啦！觀星的浪漫，全叫它給破壞掉了。」

我問他是否有意願也採用這項新技術，他回答說：「啊不！我太喜愛我自己的方式了。再則……」他點頭示意我看他最近發現的超新星相片，然後笑著說：「有時我還是比他們快一步呀！」

如果恆星爆炸……

接下來有人會問：「如果我們附近有恆星爆炸，那會怎樣？」前面提過，離我們最近的恆星鄰居是半人馬座 α（Alpha Centauri），它與我們相距 4.3 光年。我以前的想法是，要是它發生了爆炸，我們會有 4.3 年的時間，來觀看這個蔚為奇觀的事件所發出的光，情況如同打翻了大染缸一樣，五顏六色向外擴散，跨越太空。

我們眼看一場無可幸免的大災難朝我們靠近，明知它一旦來臨，會讓我們皮骨不存，但有四年四個月要眼睜睜的看著它。我們會怎樣因應？人們還是照常工作嗎？農人仍然種地嗎？種出的糧食還會有人送到商店裡去賣嗎？

數星期後，我回到美國新罕布夏州小鎮上的家。順便把這個問題拿去問鎮上達特茅斯學院（Dartmouth College）的天文學家托斯騰森（John Thorstensen）。

他讓我的幻想逗得笑了出來，他說：「唉呀不對！事件發生的消息是以光速傳播的，它的破壞力也以光速前進，所以你會在獲知消息的同一刻死亡。不過甭緊張，因為這種事不會發生。」

他隨即解釋說，要讓超新星的爆炸殺死還不太容易，必須跟它「接近到荒謬的程度」才行，也許距離得在十光年以內。「會造成災害的是各種類型的輻射，例如宇宙射線之類的。」

這些輻射會製造出驚人的極光（auroras），整個天空成了布滿閃閃幽光的光幕。這可不是什麼好事，凡是有潛力展示這樣現象的東西，都能輕易把地球的磁層（magnetosphere）摧毀。磁層是位於地球上空的磁性區域，平常能保護我們不受紫外線跟其他宇宙輻射的襲擊。如果地球沒了磁層，地球人只要一不小心曬到太陽，身體表面就會很快給燒傷，像是烤焦了的披薩！

托斯騰森說，我們之所以能合理且有信心的認為，這種可怕的事件不會發生在銀河系裡咱們這個角落，第一個原因是，並非所有恆星都會變成超新星，有資格的恆星必須是我們太陽質量的十倍到二十倍，「幸好這宇宙非常寬宏大量，在我們太陽系的周遭並沒有這樣的恆星。」他同時指出，離我們最近的這類恆星是參宿四（Betelgeuse），多年以來，它經常向外噴灑東西，顯示它正有某種不穩定的有趣現象在進行。好在它跟我們的距離尚遠，達 500 光年左右。

有史以來，總共只有半打的超新星，在我們肉眼可見的距離內。在 1054 年發生的那次爆炸，形成了蟹狀星雲（Crab

Nebula），而在 1604 年的另一次爆炸，產生的新星特別明亮，剛開始的三個星期，在大白天裡都看得見。最近可看到的一次爆炸則是在 1987 年，有人看見大麥哲倫雲（Large Magellanic Cloud）內有一顆超新星的火花在閃耀，不過它僅在南半球勉強看得見而已，對我們來說非常安全，因為它跟我們相距 16 萬 9 千光年。

大霹靂創造重元素

超新星對我們來說，還有個絕對不能缺少的重要性，原因是沒有它們就不會有你我。你應記得我們在第一章結束時賣了一個關子，說大霹靂創造了大量輕的氣體，卻沒有各種重元素。這些重元素是在大霹靂之後產生的，但是有很長的一段時期，沒人搞得清楚它們後來是如何出現的。

要製造重元素，你必須有一個非常熱的地方，要比最熾熱的恆星中心溫度還要高出許多，才能鍛造出碳、鐵之類的元素，這些元素是合成我們身體的必要成分。超新星這個「點子」剛好提供了合理的解釋，而這個點子是一位英國宇宙學家想出來的。這位英國仁兄行事作風之怪異，幾乎跟祖威奇先生不分軒輊。

他是約克郡人，名叫霍耶（Fred Hoyle, 1915-2001）。他在 2001 年過世時，《自然》期刊上的訃聞，把他定位為「宇宙學家兼好辯者」，真是一針見血，兩個頭銜他都當之無愧。根據《自然》上訃聞的說法：他生前「大部分時光都花費在與人爭辯上」以及「讓自己的名聲受損」。比方說，他在沒有佐證的情況下，指控倫敦的自然史博物館珍藏的一個始祖鳥化石是贗品，說它跟

「皮爾丹人（Piltdown）騙局」如出一轍。該博物館的古生物學家非常憤怒，因為他們得浪費許多天，回答媒體記者從世界各地打來的電話。

霍耶也相信地球上的生命種子來自外太空，連很多疾病，諸如流行性感冒與腺鼠疫（bubonic plague），也是如此。他還說，人類之所以演化出凸出的鼻子，且鼻孔位於下方，是為了避免從外太空飄來的各種病原體落到鼻孔裡！

而「大霹靂」這個名詞，就是他老兄在 1952 年一場無線電廣播裡，開玩笑時創造出來的。當時他指出，在我們對物理中已

這是一千年前左右的北美洲岩石壁畫，一般確信這上面記錄的，是天文學上的重要歷史時刻：1054 年形成蟹狀星雲的超新星爆炸。這種不用望遠鏡就可以看到的超新星爆炸，寥寥可數。

瞭解的範疇裡，沒有理論能用來解釋為什麼，每樣東西聚合到某個程度後，會突然之間、戲劇化的開始擴張開來。

霍耶本人偏愛「穩態宇宙」（steady state universe）理論，他主張宇宙一直不斷擴張，並不斷在創造新的物質。霍耶也瞭解，恆星發生爆炸會釋出非常巨大的熱量，在溫度到達一億度或更高時，這樣的高溫足以啟動一種叫做「核合成」（nucleosynthesis）的反應，開始生產那些較重的元素。

1957 年間，霍耶跟別人合作，證明了較重元素的確是在超新星爆炸中產生的。由於這項傑出成就，他的一位工作夥伴富勒（W. A. Fowler, 1911-1995）獲得了諾貝爾獎，而很遺憾的，霍耶並沒份。

根據霍耶的理論，爆炸中的恆星會產生足夠的熱能，製造出所有的新元素，並且把它們一起噴灑到外太空中。在那兒它們形成了各式氣態的雲霧，即所謂的星際物質（interstellar medium），最後又併入新的太陽系裡。有了這套新理論後，對於我們如何來到這個世界上的問題，終於可以構思出合理的情節來解釋。以下是我們現在以為我們知道的部分：

大約在四十六億年前，一個直徑約 240 億公里的大片旋轉氣體跟塵土，在我們太陽系現在所在的空間開始聚集。這些質量的 99.9%，也就是幾乎全部的質量形成了太陽。剩餘的少數飄浮物質中，有兩顆得放在顯微鏡下才看得見的粒子，浮動到了彼此附近，當它們之間的距離，接近到靜電力足以把它們拉到一塊的剎那，就是我們這顆行星孕育的肇始。

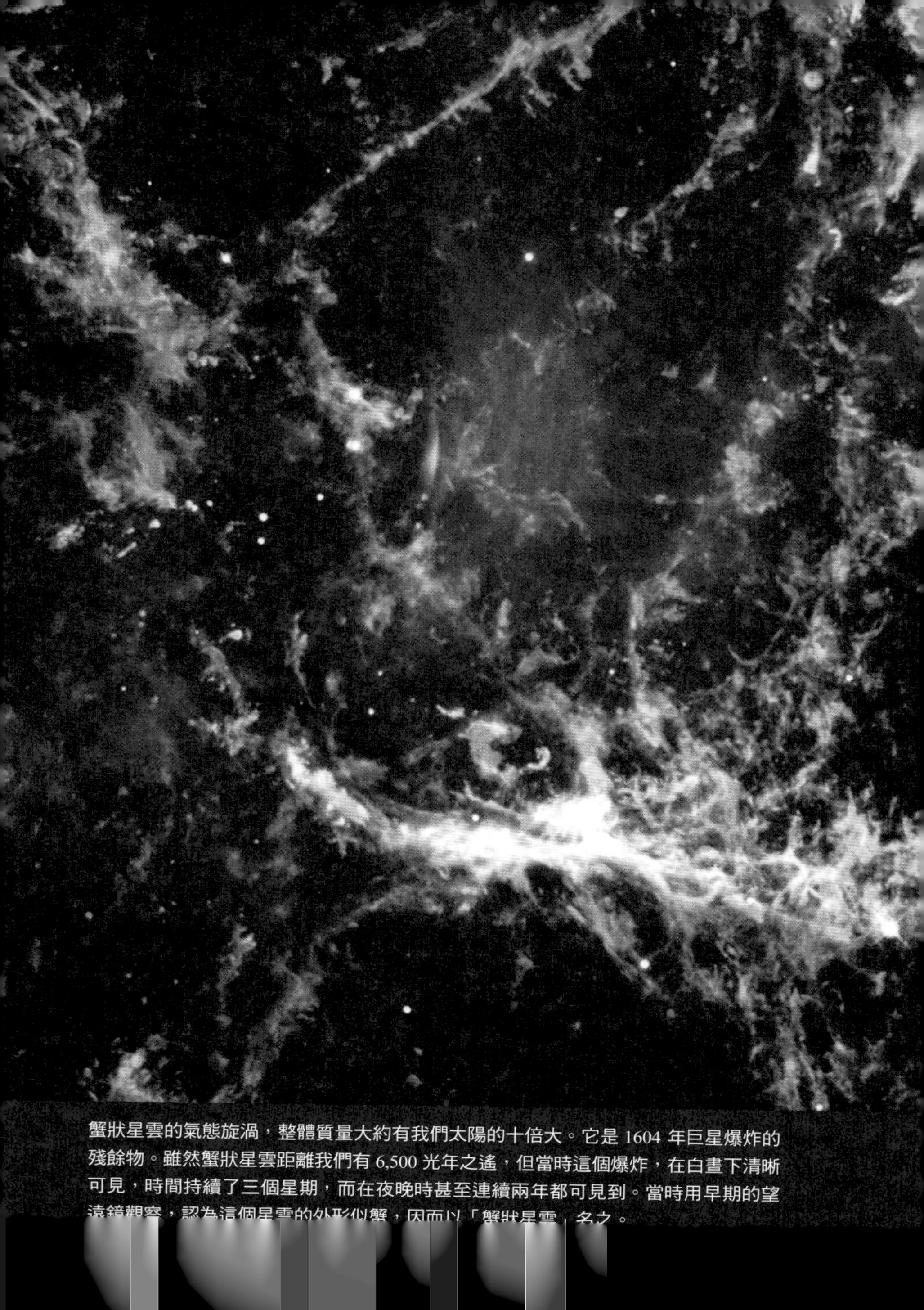

蟹狀星雲的氣態旋渦，整體質量大約有我們太陽的十倍大。它是 1604 年巨星爆炸的殘餘物。雖然蟹狀星雲距離我們有 6,500 光年之遙，但當時這個爆炸，在白晝下清晰可見，時間持續了三個星期，而在夜晚時甚至連續兩年都可見到。當時用早期的望遠鏡觀察，認為這個星雲的外形似蟹，因而以「蟹狀星雲」名之。

英國天文學家霍耶創造了「大霹靂」這個名詞，並解釋了超新星的爆炸，可能產生了足夠的熱，生成重元素。這些重元素是促使岩狀行星，甚至我們形成的要素。

在太陽系形成的過程中，同樣的事情到處都在發生，微小粒子碰撞後結合，成為愈來愈大的塊狀物。這些塊狀物長大到某個程度後，稱為微行星（planetesimal）。在這些不休不止、或輕或重的碰撞過程中，微行星有時會散成數塊，有時會復合為一，持續的分分合合，但是每次它們相遇的結果都會出現一個贏家，而這些贏家中總有一些最後會脫穎而出，質量增大到足以獨霸它們運行的軌道，成為行星。

行星生長的過程非常快速，只要數萬年就可以從極小的粒子群，長大到直徑數百公里的袖珍行星。地球形成現今規模的雛形，前後大約只花兩億年或更短，不過那時地球仍是一個熔融的火球，而且有殘餘在空中浮動的碎塊不時俯衝撞來。

此時，大約是四十四億年前吧，有一個大小跟火星差不多的物體快速撞上了地球，迫使地球拋彈出足夠的物質，形成一個伴球，這顆伴球就是後來的月球。專家認為這些拋彈出去的物質，在短短數星期內重新聚合成一大塊，而在一年內，就形成了到現在還陪伴著我們的這個圓球形大石。

月球的大部分物質，經認定是來自地球的地殼而非地心，所以月球的含鐵量非常少，而地球的含鐵量很多。順便一提，一般以為月球來歷的理論是「最近」才發現的，但事實上早在1940年代，哈佛大學的戴利（Reginald Daly）就提出這個理論，只不過人們「最近」才發現了它。

當地球只有它最後重量的三分之一時，地球的周遭就很可能已經開始形成了大氣層。不過，那時候的大氣成分，主要是二氧化碳、氮氣、甲烷跟硫磺，這些東西很難跟生命聯想到一塊兒，然而奇妙的是，就是在這樣有毒的混合物裡，生命居然形成了。

二氧化碳是強有力的溫室氣體，這可是件好事，因為那時的陽光強度遠比現在要弱，如果沒有溫室效應的幫助，地球可能早已永遠冰凍起來了，生命也許就失去了在地球上立足的機會。但是不知如何，生命幸運的做到了立足於地球。

在其後的5億年內，年輕的地球繼續不停的遭彗星、隕石、以及其他種種星系碎片襲擊。重要的是，這些東西帶來了水，水注入低窪地區形成了海洋，另外還有一些能促使生命成功形成的必要成分。雖然那時地球的環境異常惡劣跟不友善，對生命繁衍極端不利，但生命幸運的繁衍了下來。某些小包裝的化學物質受刺激後活了起來。咱們就是這樣開始的。

四十億年後的今天，人們才開始想知道，當初這一切是如何發生的？接下來的故事，就是要就這部分說個分明。

夜空中的獵戶座，在中間偏右的地方，有三顆亮度相仿的星星，
構成了獵人的腰帶，腰帶上的一顆紅巨星是參宿四，
它的亮度約為我們太陽的 1 萬 3 千倍。
質量這麼大的恆星，相較之下生命週期較短，參宿四總有一天會變成超新星，
幸好它與地球相距有 500 光年，因此不會對我們產生任何威脅。

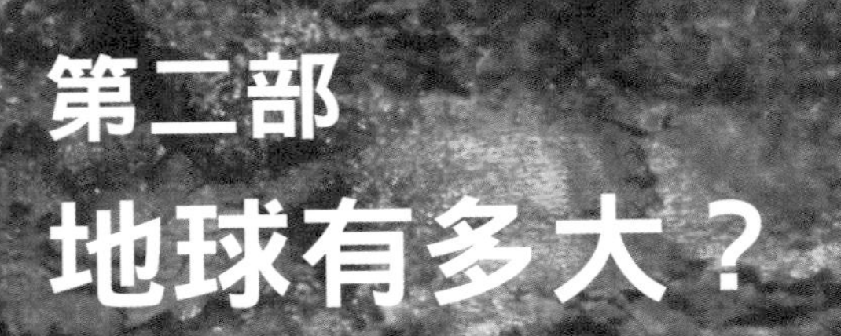

第二部

地球有多大？

這是十九世紀時，
畫家布雷克（William Blake, 1757-1827）
對牛頓充滿幻想且美化的描繪。
牛頓所提出的科學理論與布雷克的信念多所牴觸。

自然與自然律
原本都潛藏在夜裡。
上帝說，讓牛頓來吧！
於是，一切都明亮了起來。
——波普（Alexander Pope, 1688-1744）

第4章
前仆後繼探測地球

如果必須在眾多的科學實地考察中，選出最不歡樂友善的一個，絕對是法國皇家科學院 1735 年的祕魯探險之旅。那個探險隊由科學家跟冒險家組成，領頭的是名叫布給（Pierre Bouguer, 1698-1758）的水文學家與一位名叫拉孔達明（Charles Marie de La Condamine, 1701-1774）的軍人數學家。他們跑到南美洲的祕魯，要用三角測量法確定安地斯山區中的某些距離。

那時候，人們剛開始強烈想要瞭解地球的一切：它的年齡多大、有多重、在太空中的位置，以及如何演變成現在這副模樣。這個法國團隊想借助測量經線一度的長度（亦即地球經過兩極的大圓周長的三百六十分之一），來解決地球周長幾何的問題。他們選擇去測量的那一度，所在位置當時屬於祕魯，而今則是在厄瓜多境內。從基多（Quito，今厄瓜多首府）附近的雅牢基（Yarouqui）開始，到剛過了匡卡（Cuenca）之間的一條直線，總距離大約是 320 公里 *。

* 他們使用的三角測量法是很普遍的技術，根據的是幾何學，那就是如果你知道三角形的一個邊長，以及它兩端的仰角，坐在椅子上就可以把其他兩個邊長計算出來。比方說，你和我想知道月亮距離我們有多遠，若是用三角測量法，首先要在我們之間建立一段距離。怎麼個建立法呢？假設你我原先都在巴黎，那麼一個辦法是你留在那兒，我跑到莫斯科去，然後我們同時抬頭看月亮。現在你可以想像，把你、我跟月亮這三個點，用直線連結成一個三角形。再測量出你我之間基線的長度，以及在你我兩點上測得的兩個仰角，剩下的就是簡單的計算了。（由於三角形三內角和一定是 180 度，所以只需知道任兩個內角的大小，就可以算出第三個內角的大小。知道了這個三角形的形狀以及一個邊長，可以透露出其他兩個邊長的長度。）
事實上，古希臘的天文學家希巴爾卡斯（Hipparchus of Nicaea, 約西元前 190-125）早在西元前 150 年，就用這個方法來計算月亮跟地球之間的距離。這個方法用在地面上也一樣，只是想像中的三角形不伸入太空，而是平躺在地圖上。為了測量那一度經線的長度，基於他們使用的量尺長度有限，這些測量員得憑空製造出一連串的三角形，貫穿當地崎嶇不平的地貌。

這個探險隊伍幾乎打從一開始就狀況百出，有些狀況還真是非常戲劇化。在起點旁邊的基多城裡，這些訪客不知為啥觸怒了當地百姓，結果被暴民用石塊趕出了基多城。其後不久，探險隊的隊醫因為一名婦女的關係，與人發生誤會而遭謀殺。隊上的植物學家不知為何突然發了瘋，另外還有隊員發熱死掉或摔死。隊裡第三資深的隊員是一位名叫哥定（Pierre Godin）的男子，居然跟當地一名十三歲的小女生私奔，無論隊友怎樣勸說，就是不肯歸隊。

這幅法國軍人數學家拉孔達明的肖像，是在十九世紀繪製的。拉孔達明在1735年率領一支由法國科學家組成的探險隊，歷經諸多災難，試圖從當時的祕魯計算出地球的周長。

後來有段時期，這個團隊必須暫停工作達八個月之久，原因是他們的許可證出了問題，拉孔達明只得騎馬長程跋涉到祕魯的首都利馬（Lima），才把問題解決。最後拉孔達明跟布給鬧翻，兩人從此不講話也拒絕合作。

這個人數愈來愈少的團隊所到之處，當地官員都投以最懷疑的目光，難以相信一群法國科學家會旅行半圈地球，為的是要測量整個世界。事實上，此舉的確幾乎沒道理，不但兩個半世紀以前的南美人搞不懂，兩個半世紀後的現在，我們仍然覺得很不合理。問題是這些法國人幹嘛不在法國進行測量呀，根本犯不著跑到安地斯山區來受苦受難。

答案可分為兩個部分，其一是十八世紀的科學家都喜愛標新立異，他們極少直截了當的做事，愈荒謬的選擇愈趨之若鶩，其中尤以法國人為甚。其二是跟英國天文學家哈雷（Edmond Halley, 1656-1742）率先提出的具體問題有關，在法國人布給跟拉孔達明夢想到南美洲之前的許多年以前，哈雷就提出這個問題了。因為這兩個原因，他們當然非去不可。

頂尖科學家的賭局

哈雷是很不平凡的人物，一生事業既長久又有成就。他曾經是海船的船長、地圖繪製者、牛津大學的幾何學教授、皇室鑄幣廠副主計員、皇室天文學家，以及深海潛水鐘的發明人。

他寫了些權威著作，分別討論磁學、潮汐現象、跟行星的運行，也寫了讚揚鴉片功效的文字。另外他還發明了天氣圖及精算

哈雷是英國的天文學家，我們所熟知的哈雷彗星就是以他的名字為名。哈雷的其他成就，還包括天氣圖的發明，以及對鴉片功效的論述。

這張在 1787 年繪製的圖，畫出世界上第一個成功的商業潛水鐘。哈雷的這項發明使尋找失事船舶殘骸的工作，變得較容易。

表，也建議了好些方法，來計算地球的年齡以及地球跟太陽的距離。他甚至還設計出一個很實用的辦法，可以讓魚類放過季仍保新鮮。

不過相當有趣的是，有件事情他倒是沒做過，就是那顆用他的姓氏命名的彗星並不是他發現的。他當時只是體認到，他在 1682 年看到的彗星，跟以往別人在 1456 年、1531 年跟 1607 年看到的彗星，其實是同一顆。而且這顆彗星是在 1758 年才命名為「哈雷彗星」，此時哈雷已去世十六年。

在哈雷眾多成就裡面，對人類知識的最大貢獻，也許只是他曾跟另外兩位同時代的傑出人士進行的一場科學小賭。一位是虎克（Robert Hooke, 1635-1703），虎克最著名的事蹟為，他是歷史上描述細胞的第一人；另一位是高貴偉大的蘭恩爵士（Sir

Christopher Wren, 1632-1723），蘭恩原先是天文學家，後來成為建築師，但現代人對他印象最深刻的，並不是他的這兩項專長。

話說 1683 年的一天晚上，哈雷、虎克跟蘭恩在倫敦一家餐廳同進晚餐，席間話題轉到天體運動。那時候的人們已經知道，行星很喜歡依循著一種叫做橢圓（ellipse）的特殊長圓形軌道運行。套句費曼的名言，橢圓是「非常特殊跟精確的曲線」。但是當時他們還不知道為何會如此，於是蘭恩慷慨的拿出了一件價值四十先令的東西做為獎品（四十先令大約相當他兩個星期的薪資），說好要送給他們三人中能提供答案的那位。

虎克以凡事喜歡居功出名，根本不管功勞是否跟他有關。他宣稱對此問題早有解答，不過他不願意馬上說出來，因為不想破壞別人發揮創造才能的興致，以及奪走人家自己發現答案時的滿足感。所以他決定「暫時把答案隱藏起來，也好讓別人有機會體會答案的價值」。他心裡面是否另有算計，表面上別人完全看不出來。

至於哈雷，在此次餐會之後，整個心思都放在找尋答案上，甚至在次年專程前往劍橋，大膽的去拜訪當時身為劍橋大學盧卡斯數學講座教授（Lucasian Professor of Mathematics）的牛頓（Isaac Newton, 1643-1727），希望後者能助他一臂之力。

牛頓絕對是個奇怪的人物，他聰明蓋世但性情孤僻不群，抑鬱不樂、易怒的程度近乎偏執，也是有名的心不在焉（據說有時他早晨從床上翻身坐起之後，由於腦子裡突然思緒來潮，可以坐在那兒一動不動的達數小時之久），並且能專注於新奇的事物。

他建造自己的實驗室，這在劍橋是項創舉，但也做了一些最怪異的實驗。

有一次，牛頓把一根錐子，就是縫皮革用的長針之類玩意兒，插進自己的眼窩裡，並且把它「在眼睛跟骨頭間揉來揉去，盡可能靠近眼睛的背後」，目的只是想瞭解這樣做會發生什麼事情。結果是奇蹟似的完全沒事，至少沒造成長遠的影響。

在另一次場合裡，他睜大雙眼逼視太陽，直到無法忍受時才停止。他想知道，這樣做會對視力產生怎樣的後果。結果他又幸運的逃過永久性的傷害，雖然在視力恢復之前，他必須待在一個暗房裡達數天之久。

不過除了這些奇怪的信念跟不尋常的個性外，牛頓的確具有頂級天才的心思。即使做一般傳統工作，他也經常會表現出與人迥異的傾向。當他還是學生的時候，由於對傳統數學的有限功能極端不耐，於是發明了一套全新的數學形式，亦即後來的微積分，但在其後的二十七年裡，他卻沒有告訴任何人這件事。同樣的，他早年研究光學，整個改變了我們先前對光的瞭解，並為光譜學（spectroscopy）這門科學奠下了基礎。但是他也把這些成果藏了起來，不肯與人分享，前後長達三十年。

在他一生的卓越事蹟裡，真實科學只是他諸多興趣中的一部分，他把一生至少一半的工作時數，花費在鍊金術跟古怪的宗教熱忱上。而這些都不是蜻蜓點水式的偶爾外務，而是全心全意的長期奉獻。他還是亞流教派（Arianism）的祕密信徒，亞流教派是信奉異端邪說的危險教派，主要教條是篤信上帝並非三位一體

（Holy Trinity，中文簡稱為「三一」。有些諷刺的是，牛頓在劍橋教書的地方就稱為三一學院）。

牛頓花費了無數小時研究所羅門王神殿的建築平面圖，神殿原在耶路撒冷但早已消失（在研究過程中為了審視原文資料，他自修了希伯來文），如此費時耗力的原因，是他相信在該平面圖內藏有數學線索，可解開基督再次來臨以及世界末日的日期之謎。

此外，他對鍊金術的熱中程度也不遑多讓。1936 年間，經濟學家凱因斯（John Maynard Keynes, 1883-1946）從拍賣場買回來了一大箱牛頓的文稿，結果驚奇的發現，文稿中絕大部分都跟光學或行星運動沒有關係，而是專注於把不同卑金屬轉變成貴金屬的探索。

牛頓在科學上有過人的天賦，因而創造了萬有引力定律，他曾把長針插進自己的眼窩裡，只為了看這麼做會有什麼事發生，這是他做過最怪異的實驗之一。

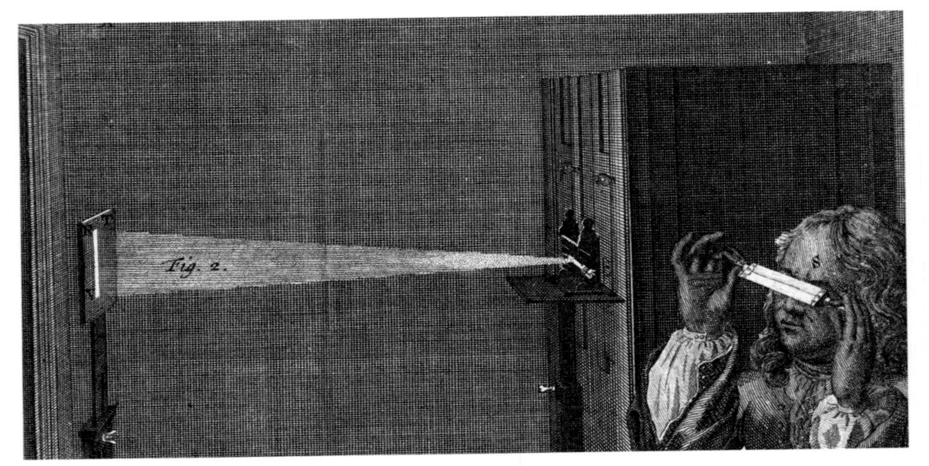

光學實驗圖：雖然牛頓把他對光的發現藏了 30 年才與人分享，
但他在光學方面的實驗與研究，奠定了現今光譜學的基礎。

1970 年代，有人拿了牛頓的一束頭髮去做元素分析，發現裡面含有水銀，而水銀除了鍊金術士、製帽業者、溫度計製造者會有興趣外，其他行業的人士幾乎完全不會去碰。牛頓頭髮裡的水銀濃度，是正常人頭髮中含量的四十來倍。或許這就是他早晨醒來後，常忘了起身的原因。

至於 1684 年 8 月，哈雷突然去劍橋拜訪，究竟希望從牛頓那兒得到什麼，我們原本只能憑空猜想，但是多虧牛頓的一位法國好朋友棣美弗（Abraham De Moivre, 1667-1754）的事後記述，我們才對這件科學上最具歷史意義的一次會面，有了白紙黑字的紀錄：

> 1684 年，哈雷博士來到劍橋拜訪。在見面寒暄一陣子後，博士問他，如果行星對太陽的吸引力，跟它們之

> 間距離的平方成反比的話，對於行星運行的軌跡，他會認為是怎樣的曲線。

哈雷提到的，正是數學裡的所謂平方反比律（inverse square law），哈雷此時顯然已經認定，此定律必然是正確答案的核心，只是他並不確知該如何解釋。

> 牛頓爵士不假思索的回答道，那個曲線就是橢圓。哈雷聽了既歡喜又震驚，接著問牛頓是如何知道的，牛頓答道：「哦，這個我以前計算過！」哈雷馬上要求牛頓出示他的計算，牛頓就到文稿堆中去翻找，結果並沒有找到。

這真是讓人驚奇莫名，就像有人說他曾研究出治癌藥方，只是不記得把藥方給收到哪兒去了一般。在哈雷的懇求下，牛頓答允將再次計算，並且會寫成論文公開發表。

牛頓後來不但沒有食言而肥，還做了比允諾的多出了太多，他為了聚精會神去回憶跟撰寫，竟然退隱兩年不問世事，終於寫出了曠世名著《自然哲學和宇宙體系的數學原理》（拉丁文原名為 *Philosophiae Naturalis Principia Mathematica*，英文譯名為 *Mathematical Principles of Natural Philosophy*）一書，我們較常聽到的是它的簡稱《原理》（*Principia*）。

每隔一段很長的時間，才能出現一本這樣有水準的書，而且這樣的機會在歷史上次數極少。人類心智竟然能寫出這些極其敏銳且出乎意料的觀察報告，使得人們一時很難判定，究竟哪一樣比較令人吃驚，是事實的本身呢？還是居然會有人想到了此一事實？

《原理》一書的發行正是這種不世出的情況，不但讓牛頓一夕間名滿天下，之後的有生之年，各種喝采跟榮譽也都接踵而來。牛頓成為英國因科學成就而受封騎士爵位的第一人。

偉大的德國數學家萊布尼茲（Gottfried von Leibniz, 1646-1716），雖然曾經跟牛頓為了誰先發明微積分而長期爭論不休，但也公開承認：牛頓對數學的貢獻，等於前人累積的總和。哈雷曾寫下一句對牛頓的看法，認為他「性近乎諸神，凡人中則無人能望其項背。」無數與他同時代的人都同聲附和此觀感，而後人贊同的也不在少數。

雖然《原理》這本書曾被公認為是「天下最難懂的書之一」（牛頓故意把它寫得很難，以免那些他稱之為對數學「一知半解的人」來騷擾他）。對那些看得懂的人，該書有如黑暗中的燈塔一般，不只是用數學解釋了天體的運行軌道，並且還讓人認識到，基本上使得天體移動的吸引力——重力。於是陡然間，宇宙內的每個動作都變得合理了。

《原理》的內容重心是牛頓的三大運動定律，以及萬有引力定律。

牛頓的三大運動定律，陳述非常直率，第一定律是說物體會沿著一條直線等速度移動，直到有其他作用力使它慢下來或轉向；第二定律是說物體受力時，會沿受力的方向移動；第三定律是說每個作用力都有一個方向相反、大小相等的反作用力。

萬有引力定律是說，宇宙間的每一物體對其他物體都會發出一個拉力。也許看起來很不像，但是現在當你坐在這兒，你就正在把你周遭的每一件東西，包括牆壁、天花板、燈、貓咪等等，都拉向你，使用的是你自己微弱（的確非常弱）的重力場。而這些物體也正在把你拉向它們。

再一次借用費曼的話，牛頓是第一位瞭解任何兩個物體間的相互吸引力，「跟它們各自的質量成正比，同時也跟它們之間距離的平方成反比。」換言之，如果你把兩個物體之間的距離增加為原先的兩倍，則它們之間的引力就會變成原來的四分之一。此定律可以下面的公式表示之：

$$F = G\frac{Mm}{r^2}$$

當然啦，我們大部分人都無法實地應用這個公式，但至少我們能欣賞到它的優美跟精簡。這個公式只需要兩次簡單的相乘，加上一次簡單的相除，就一切搞定啦，無論你在哪兒，你都清楚知道你的重力部署。這是破天荒第一遭，由人類心思提出的一個真正的自然律，所以牛頓才會受到如此的景仰與尊重。

《原理》的成書過程還另有戲劇化的一面，就在稿子即將完成之際，牛頓跟虎克為了誰先想到平方反比律而爭吵了起來，被激怒了的牛頓遂拒絕發行關鍵的第三冊，如果沒有第三冊，前面兩冊幾乎毫無價值可言。哈雷為此煩惱震驚，只得發動密集的穿梭外交（倫敦、劍橋兩頭跑），並對牛頓施展出大量的馬屁攻勢，終於讓這位性情乖戾的教授首肯，把寫好的第三冊乖乖交了出來。

你以為哈雷的夢魘可以就此歡喜收場了嗎？還沒有咧！英國皇家學會原本答應出版這部書，但是事到臨頭卻突然反悔不幹了，理由是學會這時缺錢，因為前一年，學會才剛投資支持印製費用高昂的《魚類史》（*The History of Fishes*）一書；此外主事者也懷疑，講數學原理的書會有多大的市場？於是打了退堂鼓。

哈雷本人並不富有，卻慷慨的掏腰包出版了這部書，而牛頓仍然照他的老習慣辦事：一毛不拔！更糟糕的是這個時候，哈雷剛剛接受了皇家學會執事的職位不久，學會居然通知他說，現在已經付不起原先講好的 50 英鎊年薪，不足之數要用《魚類史》做為抵償！這對哈雷來說，無疑是屋漏偏逢連夜雨了。

牛頓定律解釋了太多太多的事物現象：海洋浪潮的拍擊與翻滾；行星的各種運動；為何砲彈射出去之後，在砰然一聲回到地面之前，要依循特殊的彈道在空中行進；為什麼當我們腳底下的地球，以高達每小時數百公里的速度在迅速旋轉，我們卻沒有被「甩」到外太空去*。所有跟這些現象有牽連的事物，都得花費一

* 你的旋轉速度要看你站在地球上的位置而定，地球表面因地球旋轉而移動的速度因地而異，赤道上的速度是每小時1,600公里，南北極兩點上的速度是每小時0公里。在倫敦，因旋轉而移動的速度是每小時998公里。

些工夫逐件慢慢發掘，但是有一點啟示卻幾乎即刻成了大夥兒爭論的焦點。

這個啟示就是地球並不是一個正圓球形。根據牛頓的理論，地球自轉產生的離心力，應該使得地球的兩極稍微扁平，而赤道部分凸出來些，整個行星有點呈幾何學上的扁球形（oblate）。這也表示經線一度的長度，在義大利或在蘇格蘭，會有些許差別。

更精確些的說，經線一度的長度，距離兩極愈遠就會愈短。這對那些假設地球是個正圓球形，來測量地球大小的人，無疑是個壞消息。這種人不只是一、兩個，而是包括每一個曾測量過地球的人。

漫畫家羅賓森（Heath Robinson）筆下的「牛頓定律，堅若磐石」。

諾伍德的土法煉鋼

有半個世紀之久，人們都在試圖測量地球的大小，大部分都量得非常仔細，然而囿於工具的粗陋，結果的精確度相當有問題。

投入這項工作的首批學者之中，有一位名叫諾伍德（Richard Norwood, 1590-1675）的英國數學家。他年輕的時候，曾經攜帶著一只以哈雷原始設計為本的潛水鐘，旅行到百慕達，打算在那一帶的海床採集珍珠，大發橫財。不料這個美夢沒法實現，因為那兒既不產珍珠，而他帶去的潛水鐘也不管用，但諾伍德是能從經驗中記取教訓的人。

十七世紀初，百慕達在航海船長圈子裡，以難以找到它的位置著名。它的四周海域很大，百慕達相形之下很小，當時可用來處理這種懸殊情況的航海工具，簡直是毫無指望的不管用。那個時代，甚至連一個大夥兒認同的海里長度都還沒有，在汪洋一片的廣闊海面上，只要發生一丁點計算錯誤，就會造成嚴重的誤差後果。所以船隻經常會以讓人驚訝的大偏差，錯過了像百慕達這樣小的目的地。

諾伍德的最愛是三角學跟不同的角度，百慕達之行回來後，他決心要把數學上的嚴謹帶入航海業，因此決定應用三角學計算地球經線一度的長度。

他背對著倫敦塔開始前進，花了兩年時間向北前進了 334 公里，到達約克（York），路上重複使用同一條鏈子，把鏈子拉直，用鏈子的長度去量測距離，順應地面的上下坡、道路的曲折做仔細的修正。

最後，他得在同一時刻，找兩個人分別在起點跟終點兩地，測量當時太陽的角度。從這兩個角度間的差跟上述距離總和，他認為就可以計算出地球經線上一度的長度，並進一步推算出整個經線的長度啦！不過他這個方法之麻煩瑣碎，幾乎到了滑稽可笑的地步，其中牽涉到的所有角度，若有一丁點偏頗，就能讓最後的答案出現數英里的偏差。

事實上，諾伍德當時很驕傲的向人宣稱，他的結果誤差應該「不到一根小木材的寬度」，或者，說得實在一點，誤差不超過 550 公尺。諾伍德當時測算出來的每一度弧長，數值相當於 110.72 公里。

1637 年，諾伍德出版了航海學領域的傑作《海員實務》（*The Seaman's Practice*），即刻洛陽紙貴，該書後來一共發行了十七個版本，且在他過世後的二十五年內仍在印行。諾伍德成家後，帶著妻小回到百慕達，變成了一位成功的農場主人，並把他的休閒時光奉獻給自己的最愛——三角學。

他在這個島嶼上生活了三十八年，而我真希望能向讀者報導說，他的這段日子是在快樂跟幸福中度過的，但事實並不是如此。從英國坐船渡海過來時，他那兩名年紀輕輕的兒子跟懷特（Nathaniel White）牧師住在同一間艙房，他們把這位年輕教區牧師捉弄得非常火大，以致於牧師在後半輩子想盡各種辦法迫害諾伍德。

諾伍德還有兩位寶貝女兒，也都因遇人不淑而更增加了他的痛苦。其中一位女婿很可能受到教區牧師的鼓動，不斷為些雞毛蒜皮的小事上法院控告老丈人，使得諾伍德極端憤怒之餘，每次還必須大老遠的跑法院出庭。

最後到了 1650 年代，審判女巫的風潮飄洋過海來到了百慕達，諾伍德在人生最後幾年陷入了嚴重的恐懼不安，原因是他那些三角學的論文文稿裡面，用了一些外行人看不懂的符號，有心人就很可以借題發揮，誣指這些符號是他跟魔鬼之間交換的訊息，那麼諾伍德就會被教會處以可怕的死刑。我們完全不曉得，諾伍德曾經做過些什麼事，才讓他落得一個這樣不快樂的晚年，我們只知道，他的晚年的確難過。

在諾伍德受苦受難的同時，測量地球周長的風氣轉移到了法國。天文學家畢卡特（Jean Picard, 1620-1682）設計了一套讓人印象深刻的複雜三角測量方法，裡面用到四分儀（quadrants）、擺鐘與望遠鏡（用來觀測木星衛星的運行）。

他也花費了兩年時光橫跨法國，一路慢行並進行三角測量，在 1669 年宣布一度弧長為 110.46 公里，這個值比諾伍德測量的更接近真實。當時法國人非常以此為榮，但它的先決條件仍是假定地球為完美圓球。但牛頓說地球不是完美圓球！

地球到底是怎樣的橢圓？

讓事情更複雜的是，在畢卡特去世後，有一對卡西尼父子（Giovanni and Jacques Cassini）在較大範圍內重複了畢卡特的實

人類花了好幾個世紀，進行關於地球大小及運行方式的推測與度量。就如同這幅在《新大成》（*Almagestum Novum*）書中的扉頁圖一樣。《新大成》在 1651 年出版，由里奇奧利（Giovanni Battista Riccioli）所著。

驗，他們的結果居然顯示，地球較肥胖的地區在兩極，而不是在赤道附近。易言之，他們認為牛頓完全搞顛倒啦！因此，法國的科學院才派遣布給與拉孔達明到南美洲去進行全新的測量。

他們之所以選擇了安地斯山，一則是因為他們需要在赤道附近測量，以便決定球面在此是否真的跟其他地區不同；二則是他們以為山地的視線較好。哪曉得祕魯境內的山上常有雲霧籠罩，啥也看不見，他們經常一等數星期，只有一小時雲開霧散，可進行測量。更糟糕的是，他們居然選擇了地球上對旅行最不友善的地勢。祕魯人對他們的風景地貌，以「muy accidentado」來形容，意即很多意外，證諸事實，這一點也不騙人。

這些法國人到了那兒，不但丈量過一些世界上最具挑戰性的山，其中有些山甚至連騾子都沒法上去，而且在到達山區之前，他們必須涉過湍急的河流、披荊斬棘用刀斧開路穿過叢林、橫跨數公里寬的高原石漠，他們走的路幾乎在地圖上都找不到，而且遠離所有補給品來源。但是布給與拉孔達明百折不撓，堅持要達成任務，經過了冗長、可怕、酷熱的九個半年頭後才終於完成。

就在任務畫下句點前不久，他們得到了消息，說是奉派到斯堪地那維亞北部，同樣去做測量的另一個法國團隊（他們面對的卻是全然不同的困苦境遇，從走起來發出嘎吱聲的沼澤，到危險的浮冰），已經發現靠近北極時，經線一度的長度，比在法國測得的還長些，跟牛頓所主張的相契合。地球的赤道周長要比經過兩極的經線周長多出 43 公里。

布給與拉孔達明率領的探險隊，花費了幾乎十年工夫，得到

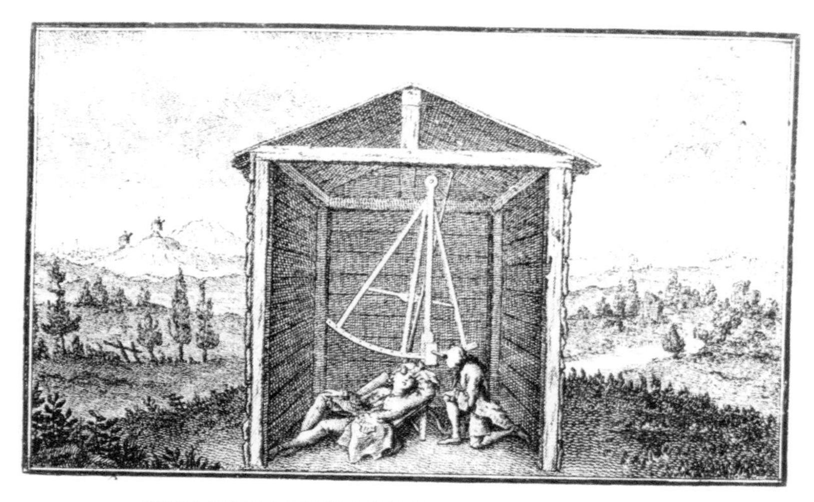

圖中的卡西尼父子正運用畢卡特所設計的複雜工具，測量地球的周長。他們的測量結果很不巧的，與牛頓的結論有所衝突。

一個跟他們原先期望相反的結果，而且這個結果還是由另一隊搶得了頭籌，他們垂頭喪氣、無精打采的完成了任務，也證實另外那個法國隊的發現果然正確。最不可思議的是，兩位領隊到了這個時候，仍舊堅持不跟對方說話；回到海岸之後，他們分搭不同的船隻回法國！

牛頓在他的《原理》一書中還臆測了另一件事，那就是一根懸在山邊的鉛垂線會有少許的偏斜。原因是鉛錘不只受到地球重力的吸引，側面也會受到山的重力影響，因此鉛錘並不在懸吊點的正下方，而是稍稍朝向山的方向。如果你能夠正確測量出上述的些微偏差，以及這座山的質量，那麼你就能夠計算出萬有引力常數，那是什麼呢？那是重力的基本數值，一般稱之為 G。有了

G 值，你就能算出地球的質量了。

布給與拉孔達明本來有意在祕魯境內的欽博拉索山（Mount Chimborazo）旁邊做這個試驗，但後來不了了之，原因之一是技術上遇到很多難題，其二是他們意見不合、老在吵架。於是此議題就擱置了下來，並且一耽擱就是三十年，一直到後來英國的皇室天文學家馬斯基林（Nevil Maskelyne, 1732-1811）在英國重新推動，這個計畫才又死灰復燃。

1995 年，女作家梭貝爾（Dava Sobel）寫了一本暢銷書《尋找地球刻度的人》（中文版由時報出版），書裡把馬斯基林描述成壞心眼的大驢蛋，不懂得賞識鐘錶匠哈里遜（John Harrison, 1693-1776）的卓越才華。這個批評也許並沒有錯，但是書中沒提

這張圖畫出科多帕西火山（Mount Cotopaxi，現在厄瓜多境內）爆發情形，由拉孔達明的探險隊成員所繪製。這支探險隊在安地斯山脈歷經了近 10 個艱困的年頭，卻發現另一支法國探險隊早一步把正確結果測量出來了。

及馬斯基林的貢獻，尤其是他用來成功秤量地球的設計。

馬斯基林理解到鉛垂線實驗搞不成的癥結，是在那座山需要有一個相當規則的外形，才可能判斷出它的質量來。由於馬斯基林的極力堅持，英國皇家學會才答應雇用一位可靠的人，到英倫三島各處勘查，看看能否找到合乎上述要求的山。

當時馬斯基林心目中正好有這麼一號合適人物：天文學者兼土地測量員梅森（Charles Mason, 1730-1787）。馬斯基林跟梅森在十一年前就已是朋友，當時他們一起參與一個案子，要測量一個非常重要的天文事件：金星凌日（即金星從地球跟太陽之間的連線穿過。從地球上看過去，就像金星在太陽的表面上越過）。

精力過人的哈雷，早在許多年前就曾經建議，如果在地球上選擇幾個點，同時測量這樣的凌日現象，就可以應用三角測量的原理，計算出太陽與我們的距離。知道此距離後，也就可依據它去校準太陽系內其他天體跟我們的距離。

但很不幸的是，金星凌日的發生並不規則，通常會以兩次為一組，其間相隔八年，然後就要等一個世紀或更久，下一組才會再臨。哈雷的運氣不太好，一輩子沒遇到這個機會 *，但是他的建議深植人心，大家都在盼望下一次（1761 年）金星凌日的來臨，那時哈雷已經去世了近二十年。最後終於盼到時，科學界早已準備妥當，說真的，妥當得簡直沒有任何往例可及其萬一。

* 本書英文版出版時，作者提醒大家下一次金星凌日是2004年6月8日，然後是2012年(編按：目前下一次是2117年)，而二十世紀從頭到尾都沒發生過。

冒死觀測金星凌日

在那個熱中尋求不可能的挑戰的時代，科學家計劃好分別啟程前往全球各地的一百多個地點，包括：西伯利亞、中國、南非、印尼以及美國威斯康辛州的森林。法國一共派出三十二名觀測員，英國則有十八名，還有許多人是從瑞典、俄國、義大利、德國、愛爾蘭及別的國家分頭出發。

這可是歷史上第一次科學上的國際合作，但幾乎處處都碰到問題。許多觀測員在路上遭遇戰爭、疾病或船難而給攔阻了下來，其他的雖平安到達了目的地，然而打開木箱後才發現，觀測儀器不是摔破了，就是給熱帶高溫烤得變形。而且再次顯示，法國人似乎注定了在歷史上提供最多運氣不佳的參與者。

有一位名叫夏皮（Jean Chappe）的法國人，搭乘馬車、船跟雪橇，花費了數個月的時間到達西伯利亞，一路上非常小心的保護著他的精密儀器，避免受震損壞。但在最後一段路上，遇到不尋常的春雨，導致河水暴漲，把他困在當地動彈不得。

當觀測的日子來到時，當地居民見他把奇怪的儀器指向天空，居然把水患成災歸罪於他，以為是他在作法搞鬼，要把他宰掉。幸而夏皮夠機警，設法逃脫，至於身負的測量任務，只有擱在一邊，因而沒能取得任何有用的數據。

更不幸的是勒襄特（Guillaume Le Gentil, 1725-1792），他的經驗由費瑞斯（Timothy Ferris）在《銀河系大定位》（*Coming of Age in the Milky Way*，中文版由遠流出版）一書中生動的描述。

勒襄特在前一年就從法國出發，計劃要從印度觀測 1761 年的金星凌日，但遭遇到一連串挫折，金星凌日的那天，他老兄還坐在船上。這大概是全世界做這項觀測最不理想的地方，因為在顛簸的船上，根本不可能進行平穩的量測。

不氣餒的勒襄特並未因此打退堂鼓，他繼續旅程到達印度，乾脆去等候 1769 年的下一次金星凌日。由於有八年的準備時間，他搭建起一座第一流的觀測站，測試再測試自己的各種儀器，確定每樣東西的運作狀況都到達了頂級完美的地步。

第二次金星凌日是在 1769 年 6 月 4 日，他醒來時發現這是個理想的晴天，但是正當金星開始走進太陽的那一刻，一朵雲彩飄了過來擋在太陽前方，而且停在那兒不動達三小時十四分又七秒，正好跟這次凌日的時間長度分秒不差。

勒襄特冷靜的把儀器打包裝箱，然後出發前往最近的口岸。但是在路上不幸感染了痢疾，使他臥病將近一年。在還未完全恢復健康之前，他終於搭上了船，然而這條船在非洲外海又遇颶風，幾乎遭難沉沒。當他最後返抵家門時，距當初離家已有十一年半，而且一事無成。他發現親戚早就趁自己不在時，宣布他已死亡，並在爭奪他的「遺產」。

比較起來，英國派遣出去的十八名觀測員雖然也沒成功，但所幸沒有像法國人那麼慘。一開始，梅森受指派跟一位名叫狄克森（Jeremiah Dixon, 1733-1779）的年輕土地測量員搭配，顯然他們倆相處得不錯，所以變成了固定的兩人小組。

他們拿到的指令是去印尼的蘇門答臘觀測金星凌日的過程。

不料上船之後才過了一夜，他們乘坐的船就遭到一艘法國快速軍艦的攻擊。（雖然當時各國科學家都很有國際合作的意願，但是國與國之間則否。）

驚魂甫定，梅森與狄克森合寫了一封短信，送交英國皇家學會陳述他們的意見，說他們認為公海上實在太過危險，詢問學會是否可以把觀測計畫取消。回信裡是簡短、冷酷的斥責，提醒他們已經領取經費，而國家跟科學界都指望他們完成任務，並警告他們若是陣前退卻，將會造成不能補救的個人名譽損失。

遭到斥責的兩人只好繼續搭船前往印尼，然而在途中他們又接到消息，說蘇門答臘已陷入法國人之手，所以他們只得停留在非洲的好望角，從那兒觀測金星凌日的過程，但不得要領而失敗。他們在返回英國途中，曾停靠大西洋中的孤島聖赫勒納島（St. Helena），在島上遇到了馬斯基林。馬斯基林也是外放的觀測員之一，卻受到陰天雲層的阻擾而無法達成任務。梅森跟馬斯基林一見如故，很快建立了堅固的友誼，而且在島上記錄當地的潮汐流向，共度了愉快且有點用處的數星期。

其後不久，馬斯基林回到英國，變成了皇室天文學家。此時顯然變得成熟老練的梅森跟狄克森，又出發到北美洲去幹活兒，待了既漫長又常涉險的四個寒暑。他們一共行進 392 公里，在危險的美洲荒野進行測量，為的是要平息一樁發生在兩大塊殖民地間的邊界糾紛。

這兩塊殖民地是佩恩（William Penn）家族擁有的賓夕凡尼亞（Pennsylvania），與巴爾的摩爵士（Lord Baltimore）家族的馬

馬斯基林牧師後來成為英國的皇室天文學家，他發明了測量地球重量的方法。

里蘭（Maryland）。測量的結果就是著名的「梅森—狄克森線」（Mason-Dixon line），後來這條線因緣際會變成了奴隸州跟自由州之間的分界，因而有了象徵性的重要意義。（雖然這條線是他們兩人一生中最主要的工作，但是他們也另外接過幾個天文方面的測量案子，包括該世紀中所做過最精確的經線一度長度的測量。在英國本土，這項成就帶給他們的喝采，遠勝於平息缺乏教養的貴族間發生的邊界糾紛。）

故事場景拉回到歐洲，馬斯基林跟他在德國與法國的對等官員基於事實，不得不向一個結論低頭，就是 1761 年的凌日觀測計畫基本上沒有成功。檢討過諸多失敗因素當中，有一個出乎意料的是：計劃了太多觀測點。當這些觀測結果集中彙整時，許多數據相互牴觸，無法分辨孰是孰非。

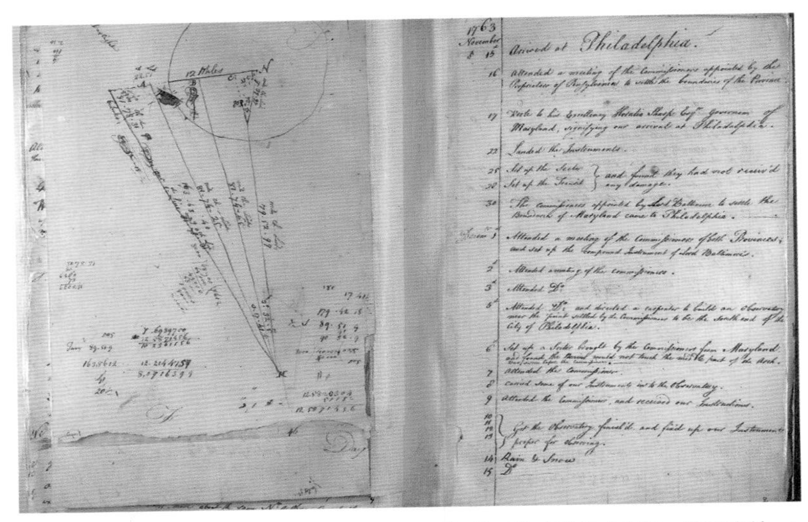
1763 November
15 Arrived at Philadelphia.
16 Attended a meeting of the Commissioners appointed by the Proprietors of Pensylvania to settle the boundaries of the Province.
17 Wrote to his Excellency Horatio Sharpe Esqr. Governor of Maryland, signifying our arrival at Philadelphia.
22 Landed the Instruments.
25 Set up the Sector
28 Set up the Transit } and found they had not receiv'd any damage.
30 The Commissioners appointed by Lord Baltimore to settle the Boundaries of Maryland came to Philadelphia.
Decem^r 1 Attended a meeting of the Commissioners of both Provinces, and set up the Compound Instrument of Lord Baltimore.
2 Attended a meeting of the Commissioners.
3 Attended D^o.
5 Attended D^o. and directed a carpenter to build an Observatory near the point settled by the Commissioners to be the South end of the City of Philadelphia.
6 Set up a Sector brought by the Commissioners from Maryland and found the Plumb would not touch the middle part of the Arch.
7 Attended the Commissioners.
8 Carried some of our Instruments into the Observatory.
9 Attended the Commissioners, and received our Instructions.
10–13 Got the Observatory finish'd and fixed up our Instruments proper for observing.
14 Rain & Snow
15 D^o.

這是梅森與狄克森的工作手札。他們最為人所知的工作成就是「梅森—狄克森線」；另外，他們還完成了當時最精確的經線一度長度的測量，這可說是他們最重大的科學貢獻。

這場金星凌日觀測的唯一成功案例，是約克郡出生的英國海軍上校庫克（James Cook, 1728-1779）做的觀測，但在之前甚少有人知道他。他在大溪地一座陽光燦爛的山頂上，記錄了 1769 年的金星凌日過程，然後繼續航行到澳洲，測繪了澳洲周圍海岸線圖，並代表英國政府宣稱澳洲為英國屬地。

靠著庫克帶回英國來的金星凌日數據資料，法國天文學家拉朗德（Joseph Lalande, 1732-1807）計算出地球到太陽的平均距離，稍稍超過 1.5 億公里。（十九世紀的兩次金星凌日，讓天文學家有機會把這個數字進一步修正為 1.4959 億公里。此後教科

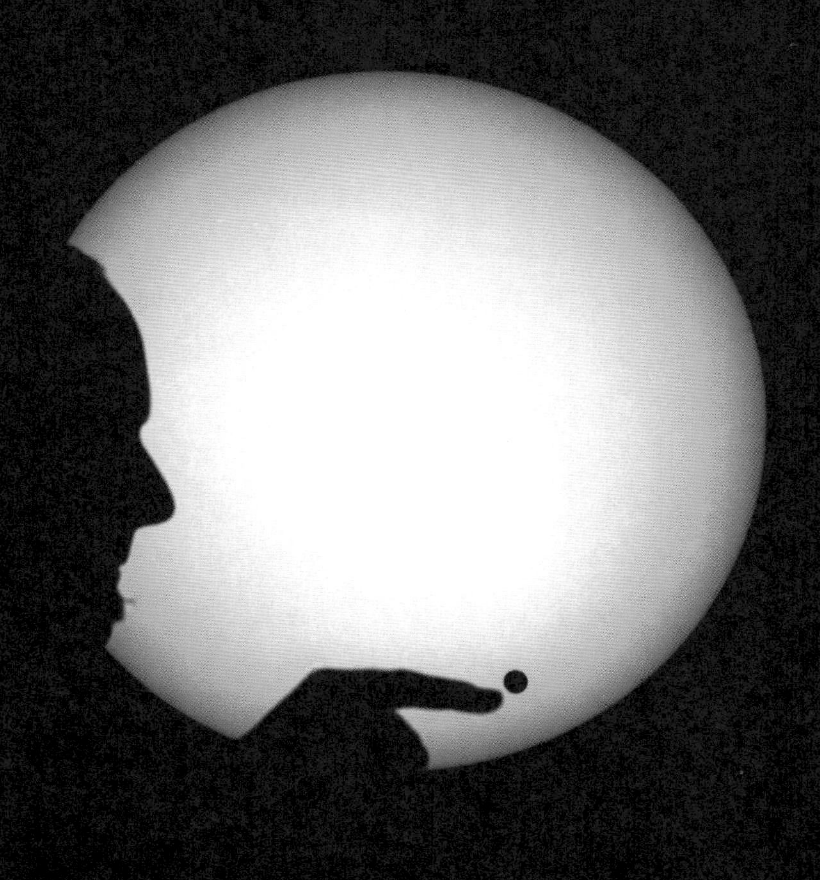

一位觀測者正指著 2004 年 6 月，金星凌日時形成的陰影。金星凌日十分罕見，
大約每隔一個世紀才有兩次觀測機會出現，兩次間距八年。
在十八世紀時，科學家對金星凌日的精確測量，
對於瞭解地球的所在以及地球與其他行星的距離有重大幫助。

書上的數字一直維持後者未變，我們現在所知道的最精確距離是 1.495978706901 億公里。）於是，地球終於在太空中有了一個定位。

幫地球秤重

故事再回到梅森跟狄克森，他們頂著科學英雄的形象回到了英國，然後不知道是為了啥原因，結束了夥伴關係。觀諸他們的大名，常跟十八世紀科學一些啟蒙事件有關聯，我們很難理解為何兩人的生平事蹟既沒有傳記流傳下來，而其他著作裡也找不到與他倆有關的記載。

《國家傳記字典》（*Dictionary of National Biography*）在「狄克森」的詞條下，很有玄機的簡單寫著：「據說他出生在煤礦內。」之後就沒有了下文，大概是要讓讀者用想像力猜測當時可能的情境。接下來的記載是 1777 年他在德罕（Durham）去世。我們只知道他的名字，以及他生前曾長久與梅森為伍，除此之外的生活片段完全沒有留下紀錄。

梅森的情況稍稍好一點，我們知道 1772 年，在馬斯基林的要求下，他接受任務去尋找一座適當山丘，以進行重力偏轉方向的實驗。在過了很長一段時間後，梅森終於回報說，他們需要的山就在蘇格蘭高地中部的泰湖（Loch Tay）上方，一個叫做榭赫倫（Schiehallion）的地方。但是無論別人如何勸說利誘，梅森都不肯花一個夏天去測量這座山。

此後他再也沒有回到測量工作上，他的下一個為人所知的動向，是 1786 年出人意表且神祕兮兮的出現在美國費城，身旁伴有妻子跟八個兒女，看來已經山窮水盡，瀕臨絕境。自從十八年前他在那兒完成測量工作後，未曾回過美洲，也沒有理由回去，更沒有朋友或金主歡迎他。數星期之後，他就過世了。

既然梅森拒絕測量這座山，這件差事就落到了馬斯基林自己頭上。所以 1774 年夏天裡一連四個月，馬斯基林搭了一間帳棚，住在一個偏遠荒涼的蘇格蘭小山溝裡。白天，馬斯基林率領一隊測量員，在每一個可能的位置測量高度，結果測到數百個數值。但是要從這麼多數值中求出這座山的質量，需要一大堆冗長而枯燥的計算。於是一位名叫赫頓（Charles Hutton, 1737-1823）的數學家特地受雇前來，做這件沒有人願做的苦差事。

交到赫頓手上的是一張地圖，上面密密麻麻寫滿了數字，每一個數字代表該山上面或其周邊附近某個定點的高度。這張數據表上的數字寫得非常雜亂，只讓人覺得眼花撩亂、愈看愈糊塗。但是赫頓很快注意到，如果他用鉛筆把高度相等的點都連接起來，整張畫面頓時變得有規律起來。的確，任何人一見到赫頓的鉛筆連接線，馬上就能感覺這座山的形狀跟坡度。就這樣，赫頓無意中發明了「等高線」。

結果赫頓僅用了在榭赫倫測量到的數據，就推算出地球的質量約為 5 千兆（5×10^{15}）噸。然後他再進一步以此數值為基準，逐一合理的推算出太陽系中，包括太陽在內，所有其他主要天體的質量。所以只是從這個單一實驗裡，讓我們獲得了地球、太陽、月亮、其他行星以及它們的衛星的各自質量，而且還意外的

梅森終於找到了適合用來進行測量的榭赫倫山，就位於蘇格蘭高地。1774 年時，馬斯基林在這兒花了四個月，在每個可能的位置進行測量。

順便撿到了等高線這個畫地圖的高招。工作一個夏季就有了這麼多收穫，想想還真不賴呢！

然而並不是每個人都對這些結果很滿意，榭赫倫實驗的缺點是（它量測得到的只是山的體積），赫頓無法得知這座山的實際密度，沒有實際的密度可用，赫頓只好憑空假設，整座山就跟一般石塊一樣，密度大約是水的 2.5 倍，這個假設只比憑經驗做出的猜測好一點點罷了。

另有一名看似不可能把心思放在這件事上的英國人，開始思考這件事。他是一位鄉村教區牧師，名叫米歇爾（John Michell, 1724-1793），居住在約克郡內一個叫做刺丘（Thornhill）的偏遠村落裡。雖然他居處偏遠荒涼，米歇爾可是十八世紀最偉大的科學思想家之一，而且以此備受尊崇。米歇爾在許多其他興趣裡，認識到地震有波動的性質，他也在磁性跟重力方面做了許多創新實驗，而更非比尋常的是，他比其他人早了兩百年預料到黑洞存在的可能性，這種直覺推理上的躍進，甚至連牛頓也做不到。

數學家赫頓紀念獎章的正反兩面。經由赫頓耐心的推算，才首次準確估量出地球的質量。

當德國出生的音樂家赫歇爾（William Herschel, 1738-1822）終於發現了自己生命中真正的興趣是天文學時，他拜在米歇爾門下學習製造望遠鏡，由於這項喜好，行星科學從此得仰仗他呢＊。

在米歇爾的諸多傑出成就裡，他設計製造的一台測量地球質量的機器，構思最精巧，對後世的影響也最深遠。但非常不幸的，機器完成後還來不及做實驗，他就一命嗚呼了。不過他的想法跟這台必備的儀器，全交給了一位具有超高智慧、但極其怕羞的倫敦科學家卡文迪西（Henry Cavendish, 1731-1810）。

最終算出地球質量的是……

卡文迪西倒是個表裡如一的人。他出生在奢華的巨富豪門，祖父跟外祖父都是英國公爵，領地分別是德文郡（Devonshire）與肯特郡（Kent）。與當時同代人比較，他是最有天分的英國科學家，也是最奇怪的一位。一位替他寫傳記的作家說：他的怕羞「程度上已經到了生病邊緣」。任何人際接觸對他而言，都能造成最深沉的不安。

＊ 1781年間，赫歇爾成為近代史上發現行星的第一人。他本來打算將新發現的行星命名為喬治（George），以尊崇當時的英國國王，哪曉得竟然被批駁不准。他只好把它稱作天王星（Uranus）。

有一次他開門，發現階梯上站著一位剛從維也納來的奧地利仰慕者。這位奧國人見到卡文迪西很興奮，開始嘮嘮叨叨的恭維他。起先卡文迪西反應還好，似乎不太覺得這些馬屁話刺耳，之後沒辦法再忍受下去，突然拔腿就向大門外衝了出去，連前門大開著也不管它。一去數小時後，經人連哄帶騙才肯回來。平日甚至連管家都不敢跟他說話，得靠寫信跟他交換意見。

不過有時候卡文迪西也冒險出門，參與一些社會活動。他特別喜愛參加由偉大的博物學家班克斯爵士（Sir Joseph Banks, 1743-1820）主持，每星期舉辦一次的科學晚會。但是在場其他賓客每次都會被清楚告知，不准許任何人直接走過去驚動卡文迪西，甚至不能向他的座位方向張望。

若是很想知道卡文迪西的意見，唯一的可行方法是假裝意外的徘徊到他的座位附近，然後「好像對著虛空發言」。如果所說的確有科學價值，發問者也許會聽到一些喃喃的回應，不過極偶爾也會聽到一聲很不高興的尖叫（卡文迪西的嗓音顯然比常人高），回頭望去，看到的會是一張空座位，以及卡文迪西逃往安靜角落的身影。

卡文迪西的殷實財富跟孤獨個性，讓他把在克拉普翰（Clapham）的豪宅改建成巨大的實驗室，在其中他可以完全不受干擾的，搜尋物理科學的每一個角落，包括電、熱、重力、各種氣體，以及任何與物質成分有關的東西。十八世紀下半葉，科學愛好者對於氣體跟電這些基本物質的物理性質，興趣急速增長，開始想知道可以拿它們做啥用途，而且是狂熱多過感觸。

十八世紀掀起了一股科學愛好風潮，圖中這些參加派對的人，正在進行他們不知所以、但顯然讓人興味盎然的電學實驗，這是當時流行的餘興節目。

在美洲有一個著名的故事，是富蘭克林（Benjamin Franklin, 1706-1790）冒著生命危險在雷雨中放風箏。在法國，有一位名叫羅其埃（Pilâtre de Rozier）的化學家，自己吸了一大口氫氣後噴向火焰，試驗氫氣的可燃性，結果一舉就證明了兩件事情：其一是，氫氣的確會發生爆炸性的燃燒；其二是，眉毛不見得是人類臉孔上永遠存在的部分！

而卡文迪西用自己的身體做了一些實驗，他拿不斷增強的電流來電自己，很認真的注意到痛苦的感覺愈來愈強，直到他無法抓牢手中的鵝毛筆，有時甚至到失去了知覺，不過好在沒出過更大的意外。

卡文迪西在漫長的一生中，有一連串的開創性發現，諸如他是第一個分離出氫氣的人，也首先使氫氣與氧氣化合成水，但是他的所作所為，幾乎都與怪異脫不了關係。科學界同儕對他一直很不諒解，因為他經常在發表的論文裡，暗示還有一些實驗結果他從未向任何人提及。另外他愛隱匿的個性不只像極了牛頓，而且更有過之。譬如他做過的導電性質實驗，領先別人達一個世紀之久，然而很不幸的是，當那個領先世紀結束時，還沒人發現他的實驗紀錄呢！

的確，他生前所做的大部分研究都不為人知，一直等到十九世紀末，劍橋物理學家馬克士威（James Clerk Maxwell, 1831-1879）自告奮勇，去整理、編輯卡文迪西遺留的文稿，卡文迪西的研究才得以大白於天下。但是這個時候，卡文迪西的首創功勞都早已給其他後來者領走了。

在卡文迪西許多未告知別人的研究項目中，他首先發現或預期到的有能量守恆定律、歐姆定律、道耳吞分壓定律、瑞奇特反比定律（Richter's Law of Reciprocal Proportions）、查理氣體定律、導電度原理等等，而這還只是其中一部分而已。

根據科學史家克勞瑟（J. G. Crowther）的考證，卡文迪西也領先了「凱文勳爵（Lord Kelvin, 1824-1907）跟喬治 · 達爾文（G. H. Darwin, 1845-1912，演化學家達爾文之子）對潮汐摩擦減緩地球自轉速度影響的研究，以及拉莫（Larmor）在 1915 年間發表的，關於區域性大氣冷卻影響的發現……皮克林（Pickering）對各種混合物的冷凍研究，以及魯斯布姆（Rooseboom）對非勻相平衡（heterogeneous equilibria）研究的部分」。

最後，卡文迪西還留下了一些線索，直接導致貴族氣體元素的陸續發現。此族元素中有的非常難以捉摸，以致於它們的最後一個成員竟然遲至 1962 年才為人發現。但是我們此處的興趣在於，我們所知的卡文迪西生平最後一次做的實驗。時間是在 1797 年夏末，是年他已六十七歲，他注意到米歇爾四年前指定留給他的幾個木箱，木箱裡裝著儀器。贈送的動機顯然是出自米歇爾對卡文迪西在科學上的景仰。

開箱組裝起來後，米歇爾的儀器看起來簡直就是十八世紀款式的鸚鵡螺（Nautilus）牌的重量訓練機。其中包含砝碼、平衡砝碼、鐘擺、轉軸及扭力線。機器的結構重心是兩個固定的、各重 158.7 公斤的大鉛球，另有兩個較小的鉛球則懸吊在它們旁邊，而機器的作用是要測量小球受到大球吸引所產生的重力偏向（gravitational deflection）。從這種偏向就可以計算出重力常數，再由此常數推算出地球的重量（嚴格說來，應該是地球的質量）*。

因為重力能夠拘束行星，叫它們不亂跑，而維持在軌道上運動，並且能讓下墜的物體落地時，發出「碰」的聲響，我們很容

* 對物理學家來說，質量跟重量是兩種相當不一樣的東西。你的質量是固定的數值，不論你走到哪兒，它都不變。但是重量則否，你的重量隨著你和身旁最重物體（譬如地球）重心的距離在變化。旅行到月球，你的重量要比在地球上輕得多，可是質量仍然相同。在地球上，由於在所有實際應用場合裡，質量跟重量幾無分軒輊，所以至少在教室外面，質量與重量可以當同義詞看待。

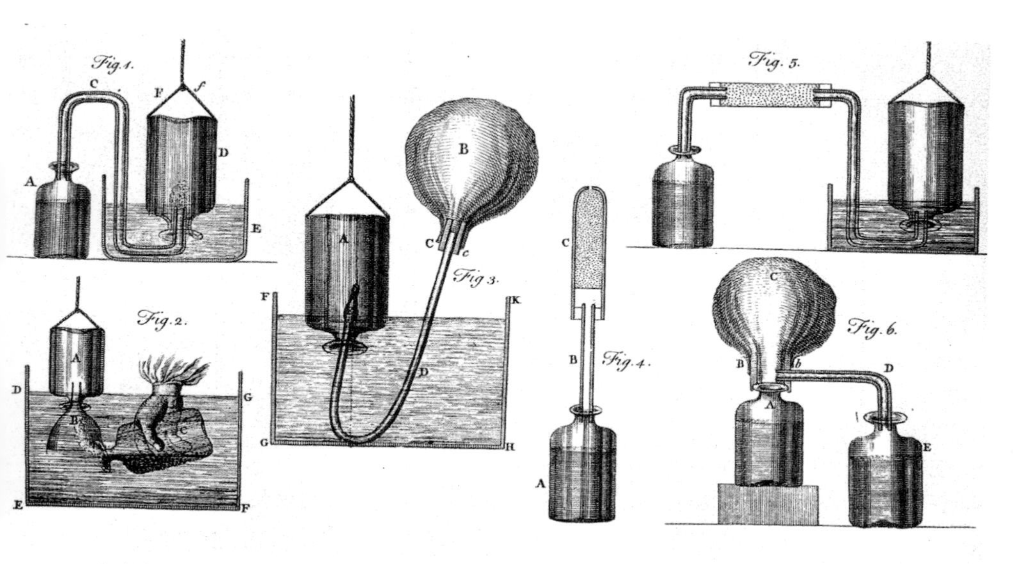

卡文迪西在 1766 年所做的關於「人造氣體」，以及各種不同氣體比重的實驗裝置圖。

易以為，重力是很強的力，其實並不盡然。重力只有在某種集合意味下才很強，例如太陽跟地球兩個非常重的物體之間，吸引力固然很強，但是在自然環境的層次上，重力是極其微弱的。每次當你從桌上拿起一本書，或從地板上撿起一枚硬幣，你都毫不費力的克服了整個地球對它的吸引力。在那個實驗裡，卡文迪西試圖去測量的，正是這個極端羽量級的層次。

這個實驗的重點若要一言以蔽之，則是「精細靈敏」。在裝設儀器的房間裡，不能容許有一丁點的干擾，所以卡文迪西在隔壁房間找了適當的位置，透過牆壁的小孔，用望遠鏡觀察儀器的動靜。實驗工作出乎想像的精確，裡面牽涉到十七個非常棘手且相互牽連的數值，測量工作一共花費了近一年的時間才完成。完成所有後續計算後，卡文迪西宣布地球的重量略多於 13,000,000,000,000,000,000,000,000 磅，也就是 13 兆兆磅。換成當今世界通用的單位，則約合 60 億兆噸（1 噸為 2,205 磅）。

今天，科學家所用的量測機器既精確又靈敏，其精確度之好，可以探測到一個細菌的重量；靈敏度之高，23 公尺外有人打個哈欠，也會干擾到讀數的穩定。然而這麼多年下來，還沒有人能夠把卡文迪西在 1797 年量測得到的結果，做出大幅修正。

目前地球重量的最佳估計值是 59.725 億兆噸，跟卡文迪西當年得到的結果僅相差約一個百分點而已。更有趣的是，卡文迪西這麼折騰了一年，得到的結果只是證實了一百一十年前，牛頓沒靠任何實驗數據所做的估計，竟然正確無誤。

所以，在十八世紀末期之前，科學家已經非常精確的知道地球的形狀跟尺寸，以及它跟太陽與其他行星的距離。現在卡文迪西甚至待在家裡沒出門，就告訴大夥兒地球的重量。所以你也許會以為，發現地球的年齡應該相當容易，因為所需要的一切物證無須外求，全躺在咱們的腳底下嘛！但是你錯啦，人類研究出地球的年齡是在我們讓原子分裂，以及發明電視、尼龍與即溶咖啡之後的事了。

要瞭解為何如此，我們必須北上去蘇格蘭，從一位智慧過人並和藹可親的男士說起。此人很少有人聽聞，他剛發明了一門叫做地質學的新科學。

倫敦科學家卡文迪西因為極度害羞的個性，讓他鮮少公開發表研究成果，但他在 1797 年的嚴謹實驗，終於確切得出地球的質量。

第 5 章
敲石頭的人

赫頓是現代地質學之父。
這張關於赫頓的圖是在 1787 年繪製的。
你注意到他正在敲擊的岩石上，出現了幾張臉的輪廓嗎？

正當卡文迪西在英國倫敦快要完成他的實驗時，在六百多公里外的愛丁堡，隨著詹姆士．赫頓（James Hutton, 1726-1797，是地質學鼻祖，跟上一章所述，發明等高線的數學家赫頓同姓）的去世，另一個重要時刻也正要開始。

赫頓的死亡當然是壞消息，但對科學卻正好相反。唯有赫頓過世，布雷費爾（John Playfair, 1748-1819）才敢大膽重寫赫頓的研究報告，而不會不好意思。

從所有的記載上看，赫頓這個人，對事物洞察最犀利，與人交談時精力最充沛，人人都喜歡與他為伴，尤其是談到地球形成所經過的神祕緩慢程序時，沒人瞭解得比他深入。但很不幸的是，要他把腦子裡的理念寫下來，成為人人都能看得懂的文字，則顯然超出了他的能力範圍。

一位傳記作家談及此事時，長長嘆了一口氣說，赫頓「幾乎完全不知道有修辭學這門藝術。」他寫的東西幾乎每一行都有催眠作用，讓讀者直想打瞌睡。從他在 1795 年出版的大作：《有證據跟插圖的地球理論》（*A Theory of the Earth with Proofs and Illustrations*）一書，我節錄了一段內容如下：

> 我們居住的世界由各種物質構成，不是現在緊接著的先前那個地球的，而是從現在升起來、我們認為是第三的那個地球的物質。並且它還是那個高於海面陸地的前身，而我們目前的陸地那時候還沉沒在海洋的水下方。

雖然如此，赫頓仍然幾乎是單槍匹馬，且相當傑出耀眼的創立了地質學，改變了我們對地球的瞭解。

赫頓於 1726 年出生在蘇格蘭的一個富有家庭，享有舒適的物質生活，讓他一輩子過著很愉快的日子，工作也很輕鬆，可以把時間都花在增進自己的智能上面。他曾經一度學醫，稍後發現志趣不合，於是轉而學農。

之後他就在柏韋克郡（Berwickshire）境內，自家的大莊園土地上務農，他的務農法很悠閒，一切講究科學化。十四年後，他對田園跟羊群終於看得膩煩了，便在 1768 年搬到愛丁堡，創辦了一個很成功的事業，從煤灰製造滷砂（氯化銨），並忙於各式各樣的科學研究。

那時，愛丁堡是知識份子聚集的中心，赫頓如魚得水，沉溺於各種可充實自己的機會之中。他變成一個名叫牡蠣俱樂部（Oyster Club）的學會裡面帶頭領導的成員之一。晚間經常與他一同在該俱樂部消磨時間的當代著名人物，有經濟學家亞當．斯密（A. Smith, 1723-1790）、化學家布萊克（J. Black, 1728-1799）、哲學家休謨（D. Hume, 1711-1776）。偶爾也會來俱樂部串門子的稀客，則有富蘭克林跟瓦特（J. Watt, 1736-1819）。

那個時代的潮流是大家都講究博學多能。從礦物學到形上學，赫頓幾乎樣樣都有興趣。他用各種化合物去做實驗，調查開採煤礦跟開鑿運河的方法，實地參觀鹽礦，思索遺傳機制，蒐集化石，以及提出各種理論，分別去解釋下雨、空氣成分、運動定律、以及其他種種現象。但赫頓特別有興趣的是地質學。

那個狂熱於追究學問的年代裡，在許多吸引人的問題中，有一個疑問困惑了人們非常久，那就是為何遠古蛤殼跟其他海洋生物的化石，經常會出現在高山頂上？它們究竟是如何「跑」上去的？

那些自以為知道答案的人，分屬於兩個對立的陣營。一邊叫做「水成論者」（Neptunist），他們認為地球上所有生物，包括那些高地上的貝殼，都可用海水平面升降來解釋。他們相信地球上的山脈丘陵，自地球成形以來並沒有發生變化，山上之所以會出現貝殼，表示地球以前曾有數次洪水期，那時海水漫過了山頂。

畫家馬丁（John Martin）在 1834 年所畫的「大洪水」（The Deluge），描繪的是想像中天啟的洪水景象。馬丁的觀點正好呼應了水成論者關於海平面劇烈抬升與下降的解釋。

另一個團體是「火成論者」（Plutonist），他們注意到火山跟地震，以及其他一些活躍的動力，不斷在改變地球的面貌，而認為地貌的改變，顯然跟反覆無常的海水無關。

這些火成論者還提出了一個很難讓對方答覆的問題，那就是海水在非洪水期間到哪裡去了？如果水曾經多到可以漫過阿爾卑斯山的山頂，那麼請問，在諸如現在的平靜年代，那些水都藏到哪兒去了？他們相信地球外貌除了受到一些外在因素的影響，還有各種強大的內部力量在運作。然而火成論者仍然說不清楚，貝殼是如何跑到山上去的。

板塊構造說的誕生

就是在這種莫衷一是的情況下，赫頓有了一系列的過人見解。他觀察自家的農地，發現岩石受侵蝕後，分解成土壤，而這些土壤中的顆粒，不斷遭沖刷到溪河裡給帶走，然後重新堆積到其他地方。他瞭解到，如果這樣的運作一直繼續，地球表面應該愈來愈平滑才是，但他看到的四周卻全是山丘。顯然，另外還有某種運作在進行，某種形式的更新與提升，不斷在製造新的山丘跟高山，才能維持消耗跟增長的循環。

所以赫頓判定山頂上的海洋生物化石，並非洪水時期的沉積物，而是隨地面從低處升了上來變成了山頂。他也推論出，地球內部有熱能，這個地熱一直在製造新的岩石跟大陸，並推擠出山脈。一點也不誇張的是，在他提出了這些見解後，其他的地質學家竟然琢磨了兩百年，才終於全盤認同他的思想，採納了所謂

「板塊構造學說」（plate tectonics）。

最重要的是，赫頓理論所透露出來的另一個訊息，是地球的這些運作需要非常長的時間，遠比以往任何人曾經夢想得到的還要久遠。光是他在這一點的卓越見解，就足以完全改變我們對地球的認知。

1785 年，赫頓把自己的觀念跟想法寫成了一篇很長的論文，然後在愛丁堡皇家學會（Royal Society of Edinburgh）的幾次會議上宣讀，結果幾乎完全不受注意。要解釋為什麼倒也不難，你且看看下面這段，摘錄自他當時的講稿，心裡就會有個譜啦：

> 在一種情況下，形成的原因是在主體裡面，而它是分開的。因為在該主體被熱激化之後，而它又是由於該主體的某種合適物質反應，以致於促使構成崖脈的深坑形成。在另一種情況下，只是原因對主體說來是外來的，再次的，深坑在主體內被形成。一直有的是最激烈的斷裂與撕扯，但是原因目前還在尋找。而且它看起來似乎不在崖脈內，因為它不是我們地球實心主體的每一個斷裂與位移，其中各種礦物質或是礦脈的合適物質，被人發現。

不用說，當時聽眾裡幾乎沒人聽懂赫頓在說啥，遑論能引起共鳴。他的一些朋友不忍苛責，反而鼓勵他把這個觀念擴大，其中用意也是朋友心存一絲希望，認為他在較大的篇幅裡自由發揮，或許能把話說得明白些。他老兄此後花了十年時間，完成了一生中最偉大的著作，分為兩冊在 1795 年出版。

這兩冊書加起來幾乎長達一千頁，叫人不可思議的是，看起來比他最悲觀的朋友所害怕的情況還更糟糕。譬如說，書裡有將近一半的內容是引述法文資料，他居然就直截了當抄下原文，而沒想到該把它譯成英文。

此書的第三冊由於實在太過乏味，出版界因而延遲到 1899 年才印行，斯時赫頓已經作古了一個多世紀。另外還有最後的第四冊，則始終沒有出版。

如果要舉辦「最少人閱讀的重要科學書籍冠軍賽」，赫頓的這部《地球理論》（*Theory of the Earth*）絕對是勝算很大的候選者之一（我之所以相當客氣保守，不便說它就是冠軍，原因是其他像這樣的「爛」書還真不少）。甚至在接下來的一個世紀（十九世紀），當代最偉大的地質學家萊伊爾（Charles Lyell, 1797-1875）號稱博覽群籍，但也公開承認無法把《地球理論》讀完。

幸而赫頓有自己的鮑斯威爾＊，也就是前述的布雷費爾。布雷費爾是愛丁堡大學的數學教授，也是赫頓的多年好朋友，不但文筆極佳，寫得一手暢達的散文，而且由於多年來與赫頓長相左右，在大多數情況下，真的懂得赫頓想說的是啥。

1802 年，也就是赫頓死後的第五年，布雷費爾寫了一本書，把赫頓的原理簡化並加以說明，書名就叫《赫頓地球理論的例證》

＊　鮑斯威爾（James Boswell, 1740-1795）曾為辭典編纂家約翰遜（Samuel Johnson, 1709-1784）寫傳記。此處是比擬「為知心朋友作傳者」。

布雷費爾教授是極少數能夠理解赫頓那不知所云的文章在說些什麼的人。他在 1802 年，將赫頓的偉大但高深莫測的著作簡化，重新出書。

（*Illustrations of the Huttonian Theory of the Earth*）。這本書在那些對地質學真正有興趣的人士間大受歡迎，而這種人在 1802 年時還為數不多，不過情況馬上就有所改變，怎麼個改變呢？

地質研究蔚為風潮

1807 年冬天，有十三位志同道合的人來到倫敦的柯芬園，聚集在長畝路上的共濟會酒店，成立了一個餐會俱樂部，後來該俱樂部取名為地質學會（Geological Society）。

起先的構想很單純，大家每個月聚會一次，喝一兩杯馬德拉葡萄酒，吃一頓歡樂的晚餐。餐會的價格故意訂得非常昂貴，十五先令一餐，用意是要嚇阻那些缺乏參加誠意的人。

他們很快發現，與會人士都企望學會制度化，而且要有一個永久的總部，可供大家聚會，分享跟討論新發現。僅在十年內，地質學會的會員人數增長到了四百人，當然仍舊全數都為紳士，而該學會幾乎要凌駕於英國的皇家學會之上，成為英國國內科學學會的龍頭老大。

地質學會從每年的十一月到翌年六月，每個月開兩次會員會；六月間，會員幾乎全部離城去度假，利用整個夏天到各處做田野調查。你得瞭解，這些人可不是為了錢的緣故而對各種礦物有興趣，甚至連學術都不是最大的推動力量，他們純粹是一群有錢有閒的紳士，縱情於一己之嗜好，並且要求技能水準能與職業人士在伯仲之間。在 1830 年之前，他們的人數已經達到 745 人，盛況空前絕後。

如今已很難想像，但是地質學的確以在科學上前所未有、也無法再現的方式，激盪了十九世紀，徹底抓住了當代人的注意力。

一個例子是在 1839 年間，莫契森（Roderick Murchison, 1792-1871）發表了《志留系》（*The Silurian System*）這本研究雜砂岩（greywacke）的厚重大書後，居然立即成了暢銷書，轉眼之間發行了四版。該書售價高達八基尼（guineas，當時通行英國的金幣），而且內容真正是繼承了赫頓的傳統，無人看得懂！（甚至有位莫契森的支持者，也承認此書「全然缺乏文學的吸引力」。）

另一個例子是兩年後（1841 年），偉大的萊伊爾飄洋過海來到美國波士頓，在羅爾學會（Lowell Institute）發表了一系列演講，每個場次的三千張入場券，場場賣個精光。人們爭先恐後前往聆聽他就海洋沸石、坎佩尼亞（Campania，義大利西南部的一個地區）的地震擾動等議題，所發表的震懾人心講述。

在整個近代思想界，知識份子都喜歡冒險前往鄉間野地，去

地質學會在 1807 年成立時，僅有十三位成員，後來會員人數迅速增長為數百人，地質學也成了當時最熱門的一門科學。這張速寫圖很可能是由地質學家帝拉比謝爵士（Sir Henry Thomas de la Beche, 1796-1855）所繪，1830 年地質學會全盛時期在倫敦聚會的情景。

做些所謂的「破石」（stone breaking）研究，這種情形在英國尤其為甚。他們在做這類研究時態度嚴謹，連身上的穿戴都有講究，一般是身著暗色套裝，頭戴禮帽。只有牛津大學的巴克蘭（William Buckland）牧師是個例外，他在野外工作時，習慣穿一件學術長袍。

這種野外調查工作吸引了許多不平凡的人物，特別是前面提到的地質學暢銷書作家莫契森，他在三十歲左右以前，把時光全浪費在騎快馬追狐狸，或用獵槍把空中表現空氣動力學的鳥兒打個稀爛；平日裡除了看看《泰晤士報》、與人玩幾手紙牌之外，從沒表現過他腦袋裡有啥像樣的貨色。誰知陡然之間，他發現自己對石頭有了興趣，而且不可思議的是，幾乎僅僅一夕之間，他就變成了地質學思想上的巨人。

再來就是帕金森（James Parkinson, 1755-1824）醫生，他以前除了行醫外，也是一名早期的社會主義者，寫過許多煽動性的小冊子，題目諸如「不流血革命」之類的。1794 年，他牽扯到一起聽起來有點瘋狂的政治陰謀案。此項陰謀歷史上稱為「玩具空氣槍計畫」（the Pop-gun Plot），據說極端份子要趁英王喬治三世坐在戲院包廂看表演時，用這種槍把毒鏢射到他的頸子裡。

帕金森因此遭拘捕，給拉到樞密院審問，差一點就要戴上腳鐐手銬，發配到澳洲。幸好後來對他的指控悄悄的撤銷了。自此，帕金森的人生態度變得保守了些，同時也開始對地質學有了興趣，成為上述地質學會的發起會員之一，以及一本重要地質學教科書的作者。這本書名為《先前世界的有機殘餘》（*Organic Remains of a Former World*），印行長達半個世紀。他也從此不再有麻煩上身。

不過今天我們之所以懷念帕金森，卻是因為他對一種當時叫「顫癱」（shaking palsy）的疾病所做的劃時代研究，該疾病後來就稱為帕金森氏症。

帕金森還有一樁小有名氣的事蹟。1785 年，他成了很可能是歷史上獨一無二、在抽獎活動裡抽中一座自然史博物館的人！這座博物館原先是坐落在倫敦市的列斯特廣場上，由李維爵士（Sir Ashton Lever）創立，不過李維由於無限制蒐購自然界珍品，走上了破產之路。帕金森當了這座博物館的老闆二十年，到了 1805 年，他無法繼續支撐下去，只得讓博物館關門大吉，把其中收藏化整為零，脫手變現。

近代地質學之父——萊伊爾

還有一個人，雖然個性不如上述兩位那麼突出醒目，但是一生所造成的影響，卻大過所有其他人加起來的總和，這個人就是萊伊爾。

萊伊爾正巧是出生在赫頓去世的那年，而兩家只相隔十一公里，出生地是一個叫金諾地（Kinnordy）的小村莊。萊伊爾雖然出生在蘇格蘭，卻是在英國很南端的罕布夏新森林地區長大，原因是他的母親認為，蘇格蘭人都是不負責任的醉鬼。

正如同一般十九世紀的紳士科學家一樣，萊伊爾的家庭也是相當富有的書香世家，他的父親有一些不平凡的傑出成就，是當時公認的研究義大利詩人但丁（Dante Alighieri, 1265-1321）跟蘚類植物的頂級權威（曾到英國鄉下遊歷的人，大部分都曾坐在一種學名叫 *Orthotricium lyelli* 的蘚苔上，而這個名字就是為了紀念老萊伊爾而取的）。

萊伊爾雖然從小受到父親的薰陶，對自然史早有興趣，但還

牛津大學的巴克蘭牧師最為人津津樂道的怪癖，包括他對飼養野生動物的嗜好，還有對研究糞化石的熱中。這幅 1875 年的畫像，十分忠實的呈現巴克蘭前往冰河探索的裝扮。

是在上了牛津大學後，中了老師巴克蘭牧師的魔咒，才開始把一生奉獻給地質學，這個巴克蘭牧師也就是在野外穿著飄逸長袍的那位先生。

巴克蘭是滿討人喜歡的怪傑，他有一些實際上的傑出學術成就，但在人們心目中，也對他的一些奇異行徑有很深的印象。其中特別著名的是，他喜歡養各種動物當寵物，有一些還很大、很危險，他讓這些寵物在屋子內外自由活動。

另一件怪癖是他希望嚐盡世界上所有的動物，到巴克蘭家作客的人也許能吃到烤天竺鼠、裹著麵粉油炸的小老鼠、焗刺蝟、或水煮海參。會吃到什麼，全以他當時的心情跟取得難易而定。巴克蘭對所有家裡烹調過的「野味」都讚不絕口，只有一般的菜園鼴鼠例外，他認為這東西味道令人作嘔。

由於他有這方面的癖好，使他成為糞化石（coprolite）權威。他有一張桌子就是用他採集來的糞化石標本製成的。

甚至在進行嚴肅的科學研究時，他的態度也經常不同於常人。

有一次，巴克蘭太太在半夜三更裡突然給搖醒，她先生很興奮的叫道：「老婆呀，我相信那個『手野獸』* 的腳印無疑是龜屬動物的！」於是他們倆還穿著睡衣，就趕緊起身跑進廚房裡分工合作。巴克蘭太太立即調製麵糊，再抹在餐桌上，同時巴克蘭牧師去把家裡養的大烏龜捉來，放到麵糊上，驅趕牠往前走。他們很高興的發現，桌子上的烏龜腳印，的確跟此前巴克蘭研究的化石上腳印很吻合。

達爾文（Charles Darwin, 1809-1882）認為巴克蘭只是一名「丑角」，這的確是達爾文當時使用的字眼。但是萊伊爾顯然認為巴克蘭對後學具有啟發力量，所以非常喜歡他，因此萊伊爾願意在 1824 年，隨著巴克蘭遊歷蘇格蘭做田野調查。就在這次旅行結束後不久，萊伊爾下定決心放棄法律事業，把精力全部奉獻給地質學研究。

萊伊爾有非常嚴重的近視，一輩子幾乎都痛苦的瞇著眼看東西，所以看起來總是一副憂慮的模樣（最後他也完全喪失視力）。他還另有一個小小獨特之處，他在分心想事情時，習慣用奇怪的姿勢靠在家具上，例如同時橫躺在兩張椅子上，或如同他

* 手野獸（*Cheirotherium*）為1830年間在英國採石場發現的恐龍腳印，由於很像肥胖的手印，故名。希臘字CHIR為手，THERIUM為野獸。

在萊伊爾爵士的有生之年，他所寫的《地質學原理》共發行了十二版，這本書讓地質學往前邁進了一大步。此外，萊伊爾所設計的地質年代系統（中新世、更新世等分野），現今仍然廣為使用。

的朋友達爾文說的：「下半身直立站著，卻把腦袋擱在椅子上。」當他思考到忘我的境界時，會在椅子上悄悄的扭來扭去，最後屁股幾乎貼到地板上。

萊伊爾一生中唯一一次的真正工作，是在 1831 年到 1833 年間，倫敦大學國王學院聘請他擔任該院的地質學教授。也大概就是這幾年前後，他撰寫了《地質學原理》（*The Principles of Geology*）一書，此書分做三冊，在 1830 年到 1833 年間陸續出版。書中用各種方式統合強化跟詳盡說明，那些由赫頓在上一個世代裡首先提出來的觀念跟見解。（雖然萊伊爾從未讀過赫頓的原著，但他無疑是布雷費爾重寫版的最傑出學生。）

年代之爭

駕駛：我聽說這附近，出土了幾個年代有四、五百年之久的硬幣呢。

乘客：這有什麼！大英博物館裡有些硬幣，歷史還超過 2,000 年呢。

駕駛（停頓一會兒）：少來，不可能！今年才 1869 年哩！

1869 年在《噴趣》（*Punch*）雜誌刊登的一則漫畫，充分反映了諸如地球的年齡之類的問題，在當時引發了無止境的論戰；當時爭辯的許多問題到了二十世紀仍無定論。

在赫頓跟萊伊爾的兩個時代之間，發生了新的地質學論戰。這個論戰取代了舊有的「水成說」與「火成說」之爭，但前後兩次爭論也經常有人弄混。

災變說 vs. 均變說

這個新論戰的雙方分別是「災變說」（catastrophism）跟「均變說」（uniformitarianism）。別以為這兩個不起眼的字眼沒啥了不起，這可是一場重要且非常長久的辯論。

你也許可從字面上猜到，主張災變說的人相信，地球表面的形狀是由突發的災難事件造成的，這種突發事件主要是洪水。所以常有人誤把災變說跟水成說弄混。災變說特別合巴克蘭等傳教士的口味，因為這讓他們把《聖經》上的挪亞洪水跟嚴肅的科學討論結合。

相照之下，主張均變說的人相信，地球表面的改變是漸進的，而地球上的各種進展過程幾乎都非常緩慢，跨越的時間極長遠。赫頓事實上是這種見解的初創者，但由於大多數人只讀得懂萊伊爾的書，所以在當時、甚至現代人心目中，都認為萊伊爾才是近代地質學之父。萊伊爾相信地球上各種變遷都是一致跟穩定的，以前發生過的每一件事情，都可以在目前正在發生的事件中找到解釋。

萊伊爾與他的擁護者對於災變說不僅鄙視，簡直是深惡痛絕。主張災變說的人相信，物種滅絕是自然發展系列中的部分過程，在此系列中，動物反覆遭淘汰，而以全新組合取代的情況不斷重演。

對於這種信念，博物學家湯瑪士・赫胥黎（T. H. Huxley, 1825-1895）嘲弄的把它比喻成「一連三打兩勝的牌局，玩牌者最後玩膩時，不高興的把桌子給掀翻，要求另拿一副新的紙牌來」。意思是說，用這樣的學說來解釋不知道的事情，未免也太方便了一點。萊伊爾則嗤之以鼻的說：「從來沒有比這個教條更適合用來助長懶惰的劣根性，並削弱敏銳的好奇心了。」

不過，萊伊爾的一些疏忽也並非小到可以不必計較的地步。譬如說，他無法解釋山脈是如何形成的。他也沒有注意到，冰河是改變自然景觀的作用力。

萊伊爾拒絕接受哈佛大學教授阿格西（Louis Agassiz, 1807-1873）的冰河時期觀念，還很瞧不起的稱這個觀念為「地球的冷藏」，且很有自信的認為，哺乳動物「會在最古老的化石岩床上發現」。他也駁斥主張動植物都會遭毀滅的想法，他相信所有主要動物類群：哺乳類、爬蟲類、魚類等等，從開天闢地以來就一直共存共榮。他的這些信念跟堅持，後來都證明是錯誤的。

萊伊爾的影響非常大，這樣說並不誇張。《地質學原理》在萊伊爾的有生之年連續發行了十二版，而其中包含的各種見解，一直到二十世紀後期，仍為地質學思想的主流。當年達爾文坐小獵犬號出航時，就攜帶了一部初版在船上閱讀。回來後達爾文寫道：「這部《原理》最偉大的優點，是它改變了讀者內心的氣質跟格調，以致於後來當讀者去審視某樣萊伊爾從未見過的東西時，有一部分是經由萊伊爾的眼光來看的。」

簡而言之，達爾文跟他同時代的許多人一樣，幾乎把萊伊爾當成了神。另外尚有一事可以看出萊伊爾影響力之深遠。在 1980 年代中期，當地質學家不得不把這部書中的一部分內容放棄，以適應物種滅絕理論的衝擊時，簡直痛苦得要死。但是那個故事的細節，咱們以後再討論了。

當時，地質學正需要大肆整頓，但這項工作進行得並不是都很順利。自從有地質學開始，地質學家都試圖按照岩石當初堆積形成的時期，來為它們分類。可是這些時期上的劃分，經常會因為不同的意見而發生爭吵。其中人們最耳熟能詳，且辯論得最久的一例，後來稱為「泥盆紀大論爭」（Great Devonian Controversy）。

這件事的肇端是，劍橋大學的塞吉威克（Adam Sedgwick, 1785-1873）牧師公開宣布有一層岩石應該是寒武紀形成的，然而在此之前，這同一層岩石經過莫契森（稍早提到的暢銷書作者）的鑑定，認為是志留紀時期的東西。

爭端一觸即發後不可收拾，拖延了許多年且愈演愈烈。典型的火爆例子是，莫契森有次在給朋友的信中寫道：「帝拉比謝是隻骯髒的狗！」當然囉，帝拉比謝是對方陣營的一位地質學家。

我們只要翻閱由盧德威克（Martin J. S. Rudwick）執筆，精采描述這次嚴肅辯論的《泥盆紀大論爭》的各章章名，就可以嗅到其中的火藥味。一開始的標題還滿溫和的，諸如「紳士型辯論的競技場」、「解開雜砂岩之謎」，但接下來就有些不一樣了，如「雜砂岩議題之防禦與攻擊」、「指責與反控」、「散播惡毒謠言」、「魏佛撤回邪說」、「讓鄉巴佬認清現實」、及（如果到此你還看不出戰爭跡象的話）「莫契森掀開萊茵蘭戰役」。

這場論戰終於在 1879 年結束，解決方法很簡單，就是在兩者之間塞進一個新的時期——「奧陶紀」。

地質年代是這樣「喬」出來的

由於在早期，地質學界最活躍的學者都是英國人，所以在地質學字典裡，英文名稱占了絕大多數。上述的泥盆紀（Devonian）一詞，任何人都可以看得出來，它是源自英國的德文郡（Devon）。寒武紀是威爾斯的古羅馬名稱，奧陶紀（Ordovician）跟志留紀（Silurian）則讓人想起威爾斯的兩個古代部落：奧陶懷希斯人（Ordovices）與志留爾斯人（Silures）。

但隨著地質發掘熱潮在世界各處陸續興起，名稱來源也多元化了起來。譬如侏羅紀指的是法國與瑞士邊界上的侏羅山，而二疊紀（Permian）則是紀念烏拉山脈中，一個叫做培姆（Perm）的前俄國省份。至於白堊紀（Cretaceous，此字源出拉丁文，意即白堊或粉筆）的名稱，我們得感謝一位比利時的地質學家，他有個傲人的長姓氏，叫陀馬力亞斯 · 帝哈洛怡（J. J. d'Omalius d'Halloy）。

最原始的地質史分成四個非常長的時段：按先後次序，稱為第一紀、第二紀、第三紀、第四紀。只是如此簡潔的分法當然不會持久，很快就有地質學家站出來，因應實際情形加了些新的區隔，同時也把用不到的部分去掉。結果原先有的第一紀跟第二紀就這樣整個廢除掉，而第四紀也同樣遭一些地質學家拋棄，但另一些地質學家則把它保留下來。如今只有第三紀仍為全世界共同

這幅在萊伊爾的《地質學原理》書中的插圖，畫的是始新世（Eocene）的貝類。

認定的地質名稱，即使它已不再代表「第三」這個意念了。

萊伊爾在他的《地質學原理》中，介紹了幾個叫做「世」的附加時間單元，用來代表恐龍時代以後的時期，其中從近而遠有所謂的更新世（Pleistocene，意指「最近」）、上新世（Pliocene，意思是「較近」）、中新世（Miocene，指的是「頗近」）、以及聽起來相當可愛但時間上含糊不清的漸新世（Oligocene，指「有一點近」）。萊伊爾原本想用「-synchronous」做為這幾個新創字的字尾，卻遭當時甚具影響力的惠衛耳（William Whewell, 1794-1866）牧師，基於字根學上的理由反對，他建議改用「-eous」當字尾，最後使用的「-cene」算是折衷的辦法。

目前概括而論，整個地質時間的最早期區分為四個代表大段時期的「代」：即所謂的前寒武紀、古生代、中生代、及新生代。這四個代又劃分為一打到二十個次群，稱為「紀」，不過有時也稱為「系」。這些時間單元的名字，對一般老百姓說來都不會陌生，諸如白堊紀、侏羅紀、三疊紀、志留紀等。*

然後接下來的是萊伊爾的「世」，如更新世、中新世等，指的是最近（但也是古生物學上最忙碌）的六千五百萬年。最後我們還有一大堆更進一步細分成的所謂「階」或「期」。這些

* 讀者諸君不要慌，我保證以後不會拿它們當題目考你們。不過你如果需要把它們背起來，威爾福特（John Wilford）有個滿有幫助的建議。那就是把四個代（即前寒武紀代、古生代、中生代、新生代）想像成是一年的四季，然後再把那些紀或系（即二疊紀、三疊紀、侏羅紀等等）想成是月份就得啦。

小時間段落的名稱，幾乎都很拗口，而且難以記憶，這一些名稱大多數是來自於地名：例如伊利諾階（Illinoian）、得梅因階（Desmoinesian）、庫拉安（Croixian）、啟莫里統（Kimmeridgian）等等之類。

據作家米克菲（John McPhee）的統計，這些階全部加起來，總數達「數十打」之多。幸好，除非你打算要靠地質學吃飯，否則以後大概再也聽不到它們的名字啦。

讓事情變得更複雜的是，北美洲的階或期，名稱又跟歐洲的不一樣，而且這兩個系統在時間上，經常只是粗略相同。譬如說，北美的辛辛納提階（Cincinnatian stage）雖跟歐洲的阿西極階（Ashgillian stage）大致對應，但還需加上一丁點喀拉多克階（Caradocian stage）的起頭部分，兩者才相等。

還有，每本教科書上所說的地質時期劃分方式並不統一；每個專家講的又各不相同，以致於有些地質學權威認為，應有七個近代的世，而其他分量相仿的專家，則對萊伊爾的四個世表示滿意。

在有些書本中，你會發現作者壓根就不提第三紀跟第四紀，而代以長度不同的古第三紀跟新第三紀。而其他的人又把前寒武紀分成兩個代，其中較古老的叫太古代，較近代的叫原生代。有時候，你也會看到有人用顯生代來代表古生代、中生代與新生代這三段的全部時間。

還有，這些只是純以時間來劃分的單位，岩石分類所用的單位又全然不同，它們包括系、統、階。不僅如此，比較岩石時除

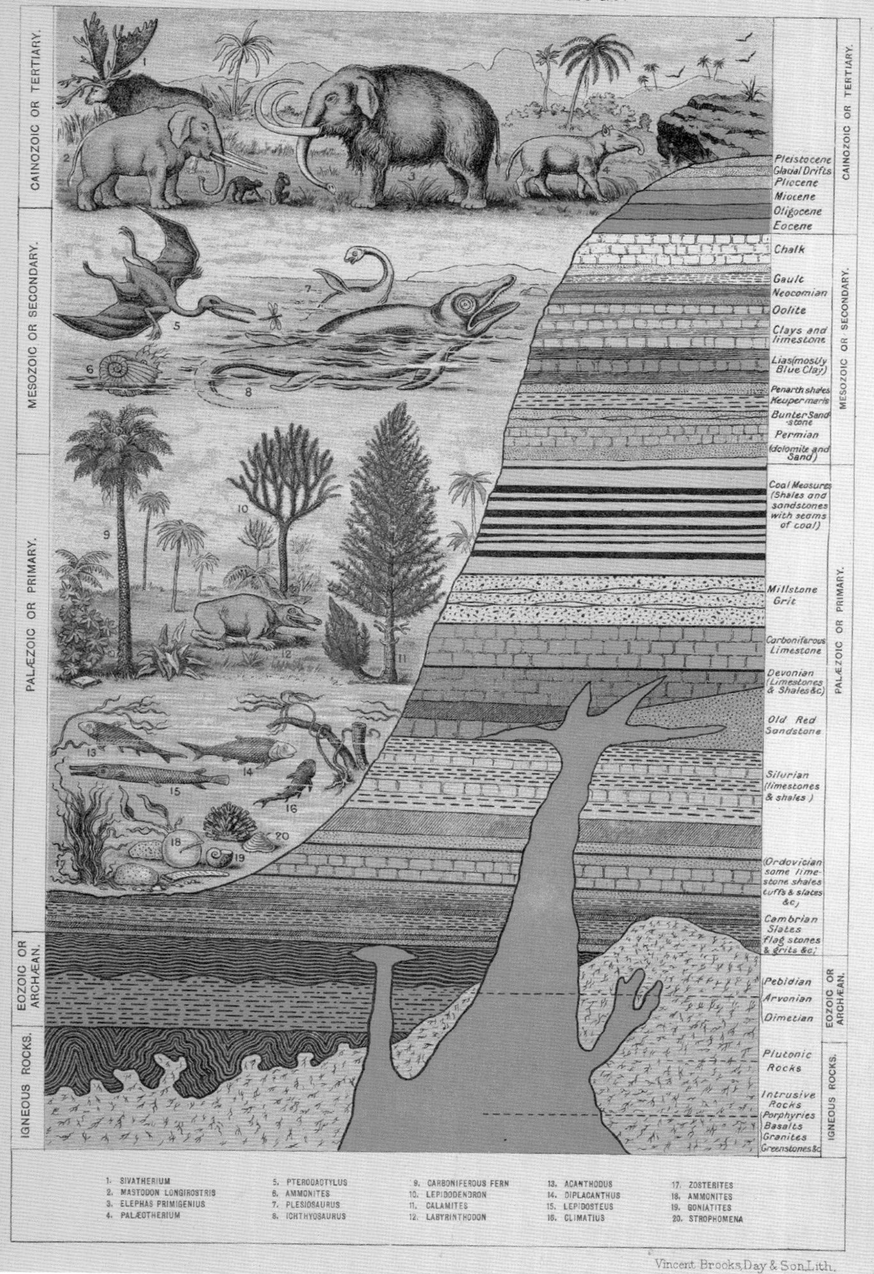

這幅十九世紀繪製的圖中，包含了出現在不同地質年代的岩層、動物與植物的分布情形。

了要講究遲早（指時間）外，還得兼顧到孰高孰低（指岩層）。對外行人說來非常複雜，但卻可能是地質學家熱情之所繫。

英國古生物學家福提（Richard Fortey）曾著文敘述發生在二十世紀，關於寒武紀與奧陶紀的分界線何在的長久爭論。文章中寫道：「我曾見到年紀一把的成年人，為了這種相當於人的一生中千分之一秒的差異，爭得面紅耳赤。」

地球幾歲了？

今天我們至少可以拿些精良的定年技術上辯論桌，然而在十九世紀末期以前，地質學家對岩石年齡的判定只能純靠猜測。那時候地質學中最讓人有挫折感的部分也就在此，雖然地質學家能把各種不同的岩石與化石，依年齡次序排列，但完全無法知曉它們的年齡。譬如說，當巴克蘭估計一副魚龍骨骼已經埋了多少年時，他最多只能說：「這條魚龍大概是活在一萬年前到一億多年前之間。」

雖然那時候還沒有任何靠得住的方法，可以測定各個時期的實際年齡，但是願意試著去測定的人還真不少。最著名的早期試探是在 1650 年，愛爾蘭教會的總主教尤薛爾（James Ussher, 1581-1656）仔細研究了基督教《聖經》跟其他歷史資料後，出版了一本極厚重的大書《舊約之紀錄》（*Annals of the Old Testament*）做出結論說，地球是在西元前 4004 年 10 月 23 日中午創造出來的。這項沒有事實根據的主張，從此成了歷史學家與教科書作者的笑柄。*

值得附帶一提的是，還有一個與此有關的神話，而且許多正經八百的書都提到了這件事情。那就是尤薛爾的見解成了科學信仰中的主導，其遺毒一直流傳到了十九世紀中葉後，幸虧萊伊爾著書立說，才把觀念改正過來。

古爾德（Stephen Jay Gould, 1941-2002）在 1987 年出版的《歲月如箭，天道好還》（*Time's Arrow, Time's Cycle*）一書中，從一本 1980 年代的暢銷書裡引述了下面這個句子：「在萊伊爾發表他的書之前，大多數有思想的人們都接受地球還很年輕的觀念。」

但事實並非如此。就像盧德威克所寫的：「不管是哪國的地質學家，只要膽敢主張完全依照《聖經》〈創世記〉的說法，來限定地質學的時間表的話，他的研究成果就不會受其他同行認真看待了。」即使是巴克蘭牧師這位十九世紀的虔誠教徒，也注意到《聖經》裡並沒有說，上帝在第一天內就創造了天跟地，而只說「在開始的時候」。他認為那個「開始的時候」，也許就持續了「數百萬年」。所以即使在那個時代，專家學者都已同意地球很古老，但問題是到底有多古老。

在想法子判讀地球年齡的早期嘗試中，有一個比起查《聖經》高明一些的辦法，是來自那位讓人覺得永遠靠得住的哈雷。

* 雖然幾乎所有這方面的書都少不了消遣尤薛爾一番，但是各書的內容在細節上卻有驚人的差別。有些書上說他發布這個結論的時間是在1650年，有的則說是1654年，還有的則認為是1664年。地球創造出來的日子也有不同的轉述，許多書抄成了10月26日。至少有一本書把當事人尤薛爾的大名拼錯，變成了「招待」（usher）。古爾德把這些有趣的花邊軼事，都蒐集在《八隻小豬》（*Eight Little Piggies*）一書內。

他在 1715 年建議：如果把世界上所有海洋裡的現有總鹽量，除以每年加進去的量，就得到海洋從出現到現在的總年數，這個數字可以告訴我們地球大概的年齡！他這個建議聽起來滿符合邏輯的，但是很不幸的是，沒人知道海裡究竟有多少鹽，或海鹽每年的增加率是多少，而且這兩個數字也無法以可行的實驗方法求證。

後來在 1770 年代，法國博物學家布方伯爵（Georges-Louis Leclerc, Comte de Buffon, 1707-1788）首先動手嘗試一個比較科學的量測法。

人們早已知道，地球一直在向外輻射可察覺的熱能，這一點只要下過煤礦坑裡的人都清楚，但並沒有辦法估算它的散熱速度。布方伯爵的實驗是把鐵球加熱到白熱化，然後用觸碰的方式（當然開始時得非常輕快才行）估計它冷卻下來時的散熱速率，然後應用到地球上。

布方伯爵由實驗得到的數據，猜想地球的年齡在七萬五千年到十六萬八千年之間。當然他是大大低估了地球的年齡，但當時這可是非常激進的觀念，布方伯爵發現若繼續向人表達這個實驗結果，會面臨遭到逐出教會的厄

這是在十八世紀時繪製的水彩畫，畫中的博物學家布方伯爵，是首次嘗試以科學方法量測地球年齡的人。

運。他是非常識時務的人，一發覺情勢不利，立即為自己的「不小心亂說話」，向教會正式聲明道歉，而且在他以後所有著作裡，一再很讓人開心的重申這項聲明。

十九世紀中葉之前，大部分知識份子都認為，地球的年齡至少有數百萬歲，甚至數千萬歲也說不定，但大概不會比這更老。所以 1859 年，當達爾文在他的《物種原始論》中宣稱：依照他的計算，創造威爾德地區（在英國南部，橫跨肯特、索立、與索塞克斯三郡）的地質變化過程，前後長達三億零六百六十六萬二千四百年時，大家都大吃一驚。

這個聲明之所以不平凡，部分原因是這個數字讓人覺得太過明確 *，但更重要的是因為達爾文居然大膽違抗之前大家對地球年齡的共識。達爾文發現這個問題太容易引起爭論，在出第三版時，悄悄的把它刪除了，但問題並沒有因此解決。達爾文跟支持他的地質學家友人亟需證明，地球的確年齡老大，但可惜一直沒人能想出辦法來。

不僅達爾文運氣不好，這方面的進展也耽擱了下來。後來偉大的凱文勳爵注意到了這個問題。〔雖然凱文勳爵的偉大無庸置疑，但那時他還只是平民湯姆生（William Thomson）。要等到 1892 年，英王才冊封他為凱文勳爵，是時他已六十八歲，事業也即將畫下句點。不過我仍用凱文勳爵做為他一生的名字。〕

* 達爾文一生喜愛確切的數字，他在後來發表的一份研究報告裡，宣稱自己發現英國鄉下土壤中，每一英畝地平均有 53,767 條蠕蟲。

凱文勳爵與熱力學

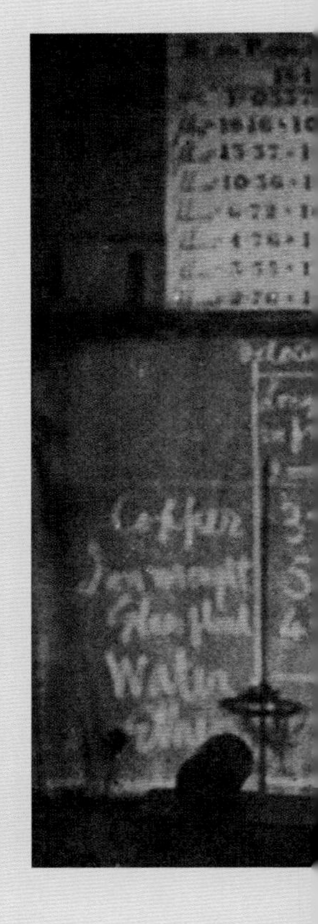

蘇格蘭的數學家及物理學家凱文勳爵，終其一生創造了許多革命性的科學理論，同時可說是第一位因擁有多項專利而致富的科學家。儘管他是如此才智過人，但仍為沒能計算出地球的正確年齡抱憾不已。

他的科學研究中有一項很特別，就是他精心發展出熱力學第二定律。單單討論熱力學的三大定律就足以寫成一本書，但我決定把化學家艾金斯（P. W. Atkins）所寫的簡介錄在這兒，讓讀者對此議題有些認知。

艾金斯說：「這裡面有四條定律，其中第三條叫第二定律，卻是第一個讓人發現的。而第一條也叫第零定律，卻是最後才寫出來的。第一定律位居第二，而第三定律若是在意義上比照其他定律的話，或許根本不成為一條定律。」

簡單的說，熱力學第二定律告訴我們，永遠會有一些能量浪費掉。你不可能擁有永遠持續運動的機器，因為無論機器的效率多好，還是會損耗能量，最後一定會停下來。第一定律說

你不能創造能量，第三定律說你不可能把溫度降低到絕對零度，永遠會有一些熱保留下來。另外，如同奧弗拜（Dennis Overbye）的名言，這三個重要定律有時會詼諧的給形容成（1）你贏不了，（2）你不能保本，（3）你也不能放棄！

凱文勳爵的遺憾

凱文勳爵是十九世紀最不平凡的人物，他即使出生在其他任何世紀裡，無疑也同樣如此。與凱文勳爵同時代的德國科學家亥姆霍茲（Hermann von Helmholtz, 1821-1894），本身的聰明才智亦非泛泛，就曾白紙黑字的說，凱文勳爵有超乎常人的蓋世「智慧、洞察力、跟靈活思想」。他接下來有點沮喪的說：「跟他一比，我有時覺得自己相當愚鈍。」

亥姆霍茲的感嘆並不讓人意外，因為凱文勳爵的確是維多利亞時代的超人。他於 1824 年在伯發斯特（Belfast，今北愛爾蘭首府）出生，父親當時是伯發斯特皇家學術研究院（Royal Belfast Academical Institution）的數學教授，隨後不久調職到北方的格拉斯哥。

凱文勳爵從小就是天才兒童，年僅十歲即破例獲准進入格拉斯哥大學就讀，二十歲之前，就在倫敦跟巴黎的學府讀過書，最後畢業於劍橋大學。

在劍橋修業期間，他非但不只一次獲得大學的划船跟數學首獎，且居然還能撥出時間，創辦了一個音樂學會。他也獲選為彼得學院（Peterhouse，劍橋大學裡最古老的學院）的院士，而且（用英文跟法文）寫了一打純數學及應用數學的論文。這些論文具有令人目眩的高品質，為了不讓師長相形見絀，他以不具名的方式發表論文。他在二十二歲那年回到格拉斯哥大學，成為該校的自然哲學教授，自此一待就是五十三年。

凱文勳爵在漫長的事業過程中（他死於 1907 年，享壽八十三歲），一共寫了 661 篇論文，累積了 69 項專利（從這些專利權益所得，他變得非常富有），而且幾乎在自然科學的每一個學門裡，都建立了高知名度。

他曾提出過許多方法，其中一個直接導致了冷藏的發明。他設計了絕對溫度溫標，而該溫標到現在仍冠以他的姓氏（凱氏溫標）。他發明了增強裝置，使越洋發送電報變得可行。他替航海運輸做了無數改進，從發明廣受歡迎的航海指南針，到創造了第一具深度發聲器。而以上的例子，只是他在應用上的成就而已。

凱文勳爵在電磁學、熱力學、及光的波動理論研究上，同樣具有革命性的創見。說實在的，他唯一的缺憾就是終其一生，沒能計算出地球的正確年齡。

這個問題困擾了他事業生涯的後半段，他花費了許多時間跟精力在上面，但連正確的方向都沒有抓到。他對這個問題的初次努力成果，是 1862 年發表在一本當時的流行雜誌《麥克米倫》（*Macmillan's*）上的一篇文章。

在文中，他認為地球的年齡是九千八百萬年，但隨即小心的聲明，這個數字最小可能是二千萬年，最大可能高達四億年。他以不尋常的謹慎口吻承認，如果「創世的偉大倉庫裡，正在製備一些我們目前尚不知曉的資料」，那麼他的計算就很可能有誤。但顯然當時他認為這個可能性不大。

隨著時間的流逝，凱文勳爵對地球年齡的猜測愈來愈直率，卻離正確答案愈來愈遠。他不斷把最初的估計值向下調整，從最早的最多四億年修改成一億年，再改成五千萬年，最後在 1897 年變成了只有二千四百萬年。凱文動爵這樣一錯再錯也不是毫無理由，只能怪當時的物理知識範圍裡，還沒有辦法解釋，太陽這麼大的物體，怎能繼續燃燒數千萬年而不把燃料用光？從此「端倪」上看，聰明過人的凱文動爵就只得認定，太陽跟它的行星們非得年輕不可！

但問題是，幾乎一切的化石證據都跟凱文動爵「認定」的地球年齡牴觸，而且突然間，在十九世紀發現的化石證據還真是多不勝數。

冰箱是現代生活中最基本的用品，現今的家用電冰箱發明者威爾斯（Nathaniel B. Wales）承認，這項發明得歸功於凱文勳爵在十九世紀時，提出了可行的冷藏理論。圖中的電冰箱是在 1923 年，由凱文內特（Kelvinator）公司出品的，占有當時 80% 的市場。

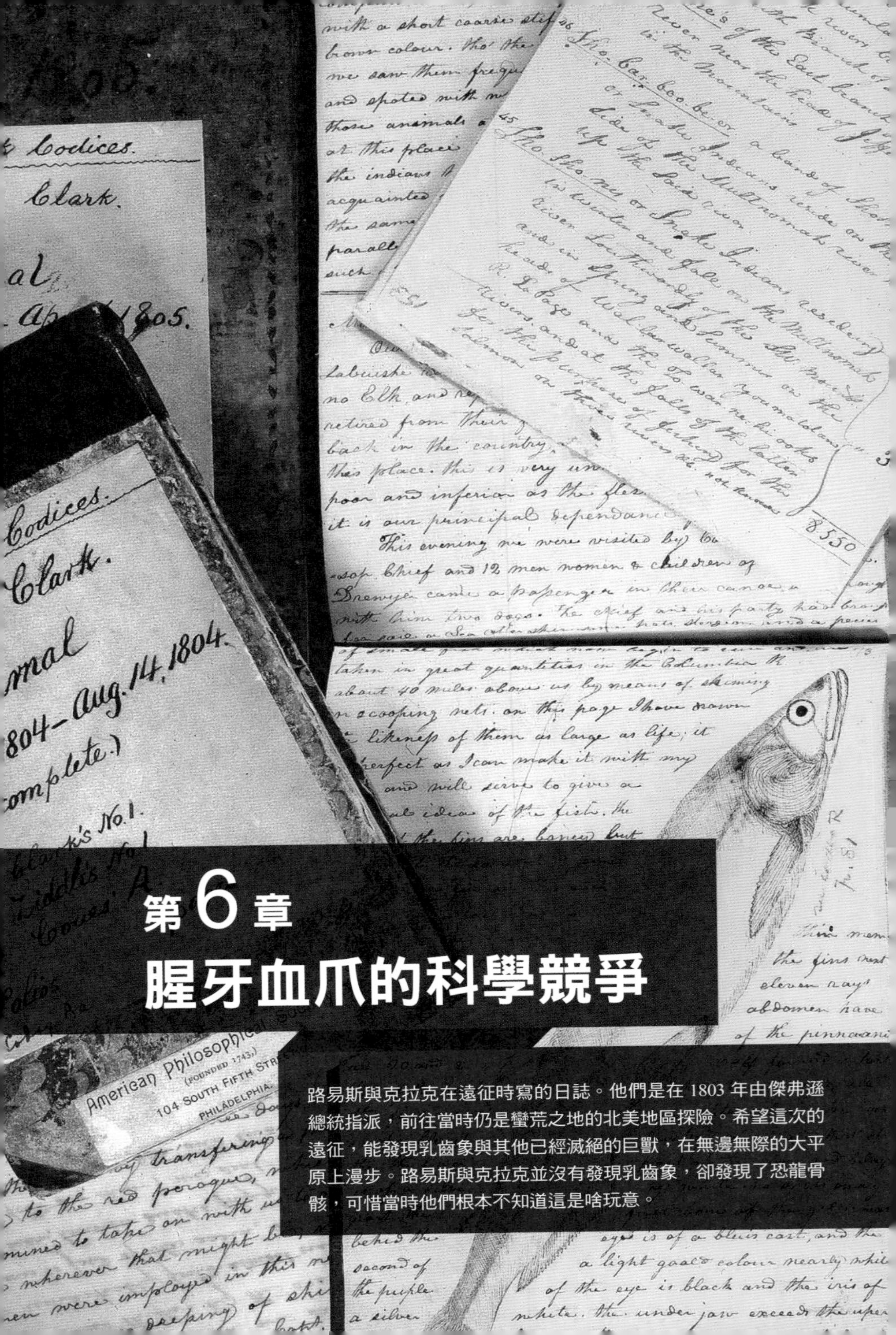

第 6 章 腥牙血爪的科學競爭

路易斯與克拉克在遠征時寫的日誌。他們是在 1803 年由傑弗遜總統指派，前往當時仍是蠻荒之地的北美地區探險。希望這次的遠征，能發現乳齒象與其他已經滅絕的巨獸，在無邊無際的大平原上漫步。路易斯與克拉克並沒有發現乳齒象，卻發現了恐龍骨骸，可惜當時他們根本不知道這是啥玩意。

早在 1787 年就有人（這人究竟是誰現已不可考）在美國紐澤西州境內一處叫做塢柏立溪（Woodbury Creek）的河岸邊，發現一節非常巨大的大腿骨。

這根骨頭顯然不屬於仍生存在世界上的動物，當然也不可能是紐澤西的動物所有。現在從當時留下的有限記載來看，專家認為那根骨頭有可能屬於鴨嘴龍（hadrosaur），這是一種長著鴨嘴的大恐龍。不過發現骨頭時，人們還完全不知道這世界上有恐龍呢！

這根骨頭隨即給送到魏斯塔（Caspar Wistar, 1761-1818）醫師那兒去鑑定，魏斯塔是當時美國解剖學的權威。同年秋天，他在費城參加由美國哲學會召開的會議，在會中描述了這根骨頭。不幸的是，魏斯塔完全沒有察覺這根骨頭的重要性，他只是小心且平淡的宣稱，的確從沒人見過這麼大的骨頭。就這樣，他錯失了比別人早半個世紀發現恐龍的機會。

這根骨頭沒激起眾人的興趣，就這樣悄悄收藏在儲藏室裡，不久後就失蹤了。所以這根歷史上首先發現的恐龍骨頭，也是最早搞丟的。

這根骨頭沒能引起更大的注意，實在很讓人納悶，因為當時全美國正熱中於大型古代動物的遺骸。這得歸功於偉大的法國博物學家布方伯爵，也就是上一章提到的加熱鐵球的老兄。他發布了一項奇怪的言論，主張新世界的一切生物，在幾乎各方面，都比不上舊世界的生物。他寫了一本《自然史》（*Histoire naturelle*），在這本厚重且評價很高的書中說：美洲這塊鬼地方，水不流動、土壤種不出東西，當地的動物個頭既小且無活力，因為動物的體質，全讓瘴氣給搞壞了，而瘴氣是從腐爛的沼澤、沒有陽光的森林裡升起的。

在如此惡劣的環境裡，連印第安土著也缺乏大丈夫氣概。布方伯爵嚴正的表示：「他們沒有鬍鬚或體毛，對女人也沒有熱情」，而且他們的生殖器「既小隻，功能也不佳」。

布方伯爵成見極深的觀察報告，出奇的受到其他作家熱烈支持，尤其那些因為不瞭解美洲，所以做出的結論不太確實的人。例如一個名叫做得寶（Corneille de Pauw）的荷蘭人，在他寫的暢銷書《美洲哲學研究》裡說，美洲原住民男子非但不怎麼有生殖力，而且「缺乏男人氣概，以致於他們的胸部居然會分泌乳汁」。此類偏頗論調長期的在歐洲「文壇」上一再迴響，幾乎延續到十九世紀末。

我們可以想見，這樣的誹謗論調傳到了美洲人耳裡，能不在乎才怪。傑弗遜（Thomas Jefferson, 1743-1826，美國第三任總統）在他的《維吉尼亞州筆記》中，加進了一段憤怒的反駁故事。他說服自己在新罕布夏州的朋友蘇利文（John Sullivan）將軍，派遣二十名士兵到北方森林獵取一頭公的北美麋鹿，然後送給布方伯爵，除了讓伯爵見識見識美洲四足動物的高大壯碩外，也有「弦外之音」*。

結果士兵花了兩個星期才追蹤到一頭夠雄偉的公麋鹿，但把

* 譯注：公鹿（bull）通bullshit，同為英美人士罵人胡說八道的常用俚語。

牠射死後才發現，這頭公麋鹿頭上缺少了傑弗遜指定要的大扁角。若重新再找一隻，只怕時間會拖太久，於是會動腦筋的蘇利文想辦法，把不知是長角鹿的還是其他雄鹿的一對大鹿角，跟麋鹿屍體包在一塊兒，暗示它們本來是一體的，想矇混過關。他打的如意算盤是：那些從出娘胎就沒見過這兩種美洲鹿的法國土包子，哪裡搞得清楚？

同時在魏斯塔的家鄉費城，博物學家已經著手在把一種像是巨象的動物骨骼拼湊起來。這種動物首先稱為「偉大的美洲身分不明者」，後來一度鑑定為長毛象，但也不太正確。這類骨頭最先發現的地點是在美國肯塔基州，一個叫大骨舔（Big Bone

這張動物解剖圖出自布方伯爵的大作《自然史》，布方伯爵在本書中，公開他那充滿爭議的理論：新世界的動物與人類，在生理結構上都不如舊世界的動物與人類。

Lick）的地方，但是隨後不久，其他各處也有同樣發現的消息紛至沓來，看來整個美洲大陸在過去曾經一度是巨大動物的家鄉。這剛好可以證明，布方伯爵所言簡直無稽之至，純粹只是愚蠢的高盧人逞口舌之快而已。

他們一廂情願的希望，這個身分不明的動物既高大又兇猛，這使得那些美國博物學家稍微熱心過頭。他們把牠的大小高估了六倍，而且給牠一對嚇人的爪子。其實這對爪子是屬於附近發現

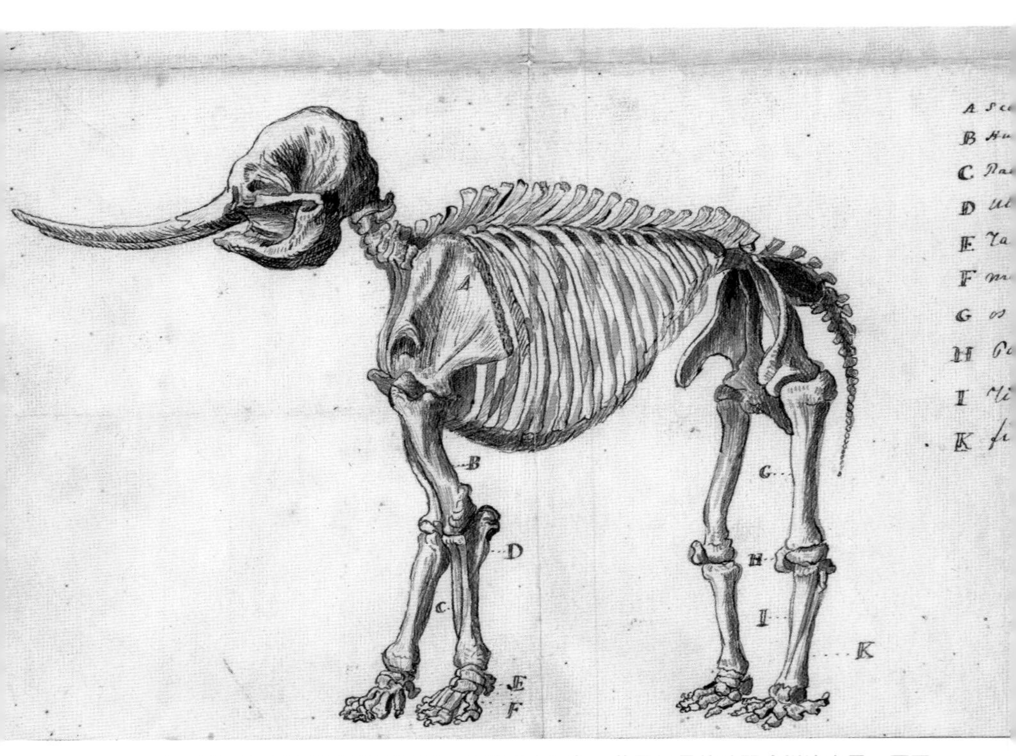

這副動物骨骼在美洲首度發現，體積龐大如象，花了好長的時間才拼湊完畢，原因是博物學家在剛開始時，一心想反駁布方伯爵那惡毒的理論，而高估了牠的體積。

的巨爪地懶（Megalonyx）的。

令人訝異的是，他們自說自話的認為，這種動物具有「老虎的敏捷與兇殘」，而且描繪出牠如何以貓科動物的輕盈體態，從巨石上躍下，一舉捕獲獵物！當他們發現這種動物的長牙時，又拚命找位置把它們強裝到這個動物頭上。有人把這個動物的兩根長牙上下倒置，就像劍齒虎（saber-toothed cat）的兩根獠牙，看起來很有攻擊性；還有人讓它們向後彎曲，用以切合一個猜想：這種動物原是水生，得用這副長牙把自己固定在樹上，免得打瞌睡時給水沖走。

不過有關這個不明動物的諸多意見中，最中肯的顯然是：它已經絕種。這個事實讓布方伯爵很高興的逮到了一個反撲的口實，說這正是（美洲）衰敗的一大證明。布方伯爵死於 1788 年，這項爭議卻仍繼續下去。

1795 年，一些經過篩選的骨頭送到了巴黎，交給當時古生物學界正在竄升的明日之星、年輕的貴族居維葉（Georges Cuvier, 1769-1832）檢視。

居維葉有著一項驚人的天才本領，能把一堆零碎骨頭迅速的拼湊成有模有樣的骨架子。據說他的本事還不止於此，他能從一顆牙齒或一片顎骨，看出動物的長相跟習性，而且還能一併告訴你，這隻動物在分類學上應該屬於什麼屬跟什麼種。當他瞭解美洲同儕尚無人想到該為這種笨重的野獸做一個正式描述時，他一揮而就，因此變成了牠的正式發現人。居維葉為牠取的名字為乳齒象（mastodon）。

貴族古生物學家居維葉有一項驚人的本領，能把一堆零碎的骨頭迅速拼湊成有模有樣的骨架子，他也是首位把化石分門別類的人。

受到上述爭論的激勵，居維葉在 1796 年寫了一篇劃時代的論文〈論現有象跟化石象間的物種問題〉，他率先提出了物種滅絕的正式理論。他相信每過一段時期，地球會遭遇全球大災難，是時各種生物全遭滅絕。

對於信教的人，包括居維葉自己在內，這個觀念讓人不舒服，因為它暗示上帝的旨意難以捉摸且漫不經心。易言之，信教的人會問，上帝既然要把那些物種完全毀滅，為何當初要創造牠們？這個想法與「眾生序列」（Great Chain of Being）的信仰相反，這個信仰主張世界是經過小心安排的，其中每一個生命都各自有位置跟目的，且永遠如此。

傑弗遜就無法容忍上帝准許整個物種消失不見（或者，以後我們會講到的物種演化）的看法。所以當有人向他建議，說也許在科學跟政治利益考量上，有需要派遣人馬渡過密西西比河，探勘美國內陸的情形時，他高興得跳了起來，衷心希望這些勇猛的冒險者，能發現成群結隊的健康乳齒象與其他各種巨獸，在無邊無際的大平原上漫步吃草。

傑弗遜選派他的私人祕書兼摯友路易斯（M. Lewis）與克拉克（W. Clark）做為遠征隊的共同隊長，路易斯並且身兼隊上的首席博物學家。受命去輔佐和提醒路易斯，活的動物要留意哪些，死的動物要注意什麼的，不是別人，正是魏斯塔醫師。

有眼不識恐龍

在同一年，事實上是同一個月，那位名氣響亮的貴族居維葉，正在巴黎提出他的物種滅絕理論；而在英吉利海峽的彼岸，一位比較不為人注意的英國人也正對化石的價值有新見解，而他的見解對後世有長遠的影響。

史密斯（William Smith）是索美塞特煤礦運河（Somerset Coal Canal）的年輕建築監督。在 1796 年 1 月 5 日晚間，他坐在索美塞特一家驛館內，寫下了突然想到的竅門，這個竅門後來使他成了名。

史密斯想，要解釋各種岩石的差異，必須有方法找出它們之間的關聯。也就是你要有某種根據，可以用來判定德文郡挖來的泥盆紀古生物化石，比從威爾斯來的寒武紀石頭年輕。史密斯的竅門就是他想到，答案其實就在化石本身，因為每遇到岩石層有變化，就會有某些物種的化石消失不見，但其他物種的化石則繼續出現在較晚的岩石層裡。所以只要記錄哪層岩石裡有哪些化石物種，不管岩石出現在哪裡，都可以算計出所有岩石彼此間的相對年齡。

史密斯利用身為土地調查測量員的專業知識，馬上開始繪製全英國的岩石層地圖。這張地圖經過許多次的審核校訂後，在1815年出版，成為現代地質學的基石。這段歷史的始末跟經過，在溫契斯特（Simon Winchester）所寫的暢銷書《改變世界的地圖》（*The Map That Changed the World*，中文版由時報出版）中，敘述得非常詳盡。

可惜的是，史密斯雖然有獨到的見解，但很奇怪，他對於瞭解為何岩石會形成這樣層次分明的事實並不感興趣。他寫道：「我放棄了對地層來源的好奇，而滿足於知道它的現況，因為那些為什麼跟所以如何等等，不在我這個礦物調查員的能力範圍內。」

史密斯透露出的地層訊息，更提高了物種滅絕在道德上的難堪。首先，它確定了上帝滅絕生物的行為不是偶一為之，而是不斷重複上演，這使得上帝看起來不小心的成分少，有奇特敵意的成分多。其次，它也讓研究者多了一項麻煩，就是必須解釋為什麼在世代交替時，有些物種會滅絕，其他的物種卻能存活？

而且很明顯的，地球上的物種滅絕，並不是像《聖經》記載的那樣，只有挪亞大洪水一件而已。居維葉找了一個自己很滿意的台階，他認為〈創世記〉裡講的只是最近的一次洪水而已，上帝顯然是不願意，也沒必要讓摩西分心或警覺到更早以前發生過的不相干滅絕事件。

所以在十九世紀剛開始的那幾年，古生物化石已經有重要的地位了。魏斯塔沒能及早從他手上的恐龍骨頭看出其中玄機，這件事益發叫人扼腕。無論如何，在他錯失良機後，類似的骨頭在北美洲各處陡然間陸續發現，又給了美洲學者許多個發現恐龍的機會，但不幸的是，就是缺乏那位獨具慧眼的人。

1806 年路易斯與克拉克的遠征之行，經過了蒙大拿州的地獄溪地層（Hell Creek formation）。據說後來到此尋找化石的人，走路都會常給恐龍骨頭絆倒。路易斯與克拉克甚至還檢視過一塊岩石，顯然裡面埋有恐龍骨頭，卻沒看出任何名堂。

在美國麻州的南哈德利（South Hadley），有一個名叫做姆弟（Plinus Moody）的農村男孩，首先察覺到一塊突出地面的岩石上，印著明顯的古老野獸足跡。隨後有人在新英格蘭的康乃迪克河谷發現了其他的骨頭與化石足跡。

這些發現至少有部分仍保存至今，特別是一隻槽齒龍（Anchisaurus），目前為耶魯大學皮柏第博物館（Peabody Museum）所珍藏。這些骨頭是 1818 年發現的，為第一批經檢視保存的恐龍骨頭，可惜的是，牠們的真正身分要等到 1855 年才受認定。

1818 年魏斯塔去世，但他倒是意料之外的名垂不朽。有一位名叫納托爾（Thomas Nuttall, 1786-1859）的植物學家，選用了魏斯塔的姓氏，訂為可愛的紫藤的學名，植物學界中的純粹主義者，現在仍堅持要把它拼成 *wistaria*。

不過在此之前，古生物學的研究重心已經移轉到了英國。1812 年間，在英國南部多塞特（Dorset）海岸邊的來姆利吉

（Lyme Regis），有一位不平凡的小女孩名叫安寧（Mary Anning, 1799-1847），她當時的年紀有十一歲、十二歲或十三歲的各種說法，得看你閱讀的是哪本書。

她發現了一隻奇怪大海怪的化石，全長達 5.1 公尺，埋在沿著英吉利海峽的陡峭艱險懸崖內。現在我們知道這個海怪是魚龍。

這是不平凡事業的開始，安寧在此後三十五年內，找尋化石賣給訪客〔據說她公認是著名英語繞口令「她在海邊賣海貝殼」（She sells seashells on the seashore.）中的那個她。〕她也是另一種海怪蛇頸龍的發現者，並且是少數幾個最早發現最完整翼手龍的人。

雖然上述三種海怪在專業層次上都不算是恐龍，但在那個沒人知道恐龍是啥的年代，這樣的錯誤也沒啥了不起。發現這些化石足以讓我們瞭解到，這世界以前曾經有體型跟今天完全不同的

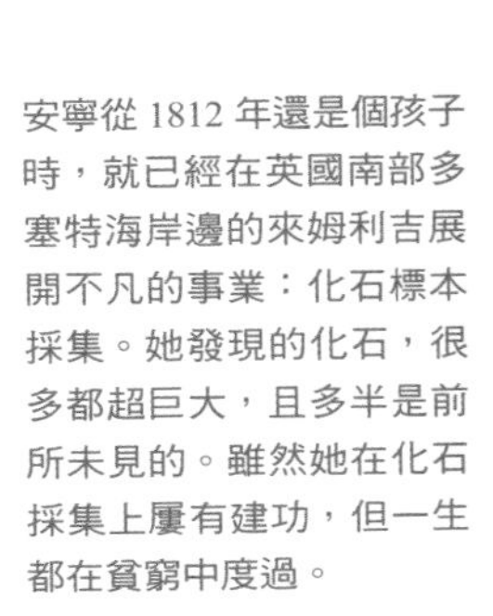

安寧從 1812 年還是個孩子時，就已經在英國南部多塞特海岸邊的來姆利吉展開不凡的事業：化石標本採集。她發現的化石，很多都超巨大，且多半是前所未見的。雖然她在化石採集上屢有建功，但一生都在貧窮中度過。

動物繁衍過。

安寧找到的化石，數量無人能及，而且她不僅特別會尋找化石，還具有細心跟巧手，能把化石從岩石裡完整無傷的剝製出來。如果將來你有機會去參觀倫敦的自然史博物館，我勸你無論如何一定得去，因為這是唯一的機會，可瞻仰安寧的化石之宏大與精美。

這些化石是當年這位年輕女子利用最起碼的基本工具，在幾乎不可能的環境下完成的。單那隻蛇頸龍就花費了她十年的耐心挖掘。安寧雖然從未受過專業訓練，但她能提供相當夠水準的圖畫跟說明給內行學者。然而即使她有高人一等的技巧，重要的發現還是極為稀少，以致於她的一輩子都在貧窮中度過。

倒楣的古生物學家

在古生物學史上，很難找出比安寧更遭漠視的人物了，不過事實上還真的有一位，境遇之堪憐跟安寧所差無幾。他的大名是孟泰爾（Gideon Algernon Mantell, 1790-1852），當時是英國索塞克斯郡的一位鄉下醫師。

孟泰爾的身形瘦長，而且集許多缺點於一身，包括：自負、自我中心、道貌岸然、不照顧家人。但他也是最盡心盡力的業餘古生物學家，而且也很幸運的有一個摯愛他的順從老婆。

1822 年，孟泰爾太太到附近的小徑散步，發現了一個骨頭。孟泰爾研究後，確信它是草食性爬蟲動物的大牙，最後並把這種動物命名為禽龍。

英國索塞克斯郡的鄉下醫師孟泰爾，是最盡心盡力的業餘古生物學家。他的老婆（右圖）不僅摯愛他，且為他的化石事業助益不少。

1822 年，當他到索塞克斯鄉間出診時，孟泰爾太太也出門到附近的小徑散步，在一堆用來修補路上破洞的碎石子裡，她看到一塊很奇怪的東西：一塊弧狀的棕色石頭，大小跟小核桃差不多。她因為知道自己的先生對化石有興趣，猜想這塊石頭也許就是化石，於是撿起來帶回家。

孟泰爾一看就知道這是一顆牙齒化石，而且經過了一番研究後，確信它是草食性爬蟲動物的大牙，這種動物應該極為巨大，達數十公尺長，而且是屬於白堊紀。他的猜想全部正確，但是這些都只是大膽的結論而已，因為此前從沒有人見過，或甚至想像過這樣的動物。

孟泰爾意識到這個發現將全面顛覆人們對過去的認知。此外他的朋友巴克蘭牧師（就是那位愛穿長袍且嗜做實驗的人），鼓勵他謹慎從事。於是孟泰爾奉獻了三年的時光不辭勞累，尋找支持上述結論的證據。他把那顆牙送到巴黎的居維葉那兒請教高見，但給那位偉大的法國人澆了一盆冷水，說它只是一顆河馬的牙齒（居維葉稍後大方的為自己犯的這件不尋常錯誤道歉）。

有一天，孟泰爾在倫敦的漢特博物館（Hunterian Museum）做研究，跟另一位研究員聊了起來。後者告訴他，那顆牙看起來很像自己一直在研究的南美洲鬣蜥（iguana）。孟泰爾稍加比較後，證實牠們果真有些相似，所以孟泰爾的動物就此變成了禽龍（Iguanodon，譯注：字面翻譯應為鬣蜥龍），這個英文名字是取自與牠毫無瓜葛、喜歡曬太陽的熱帶蜥蜴。

孟泰爾終於準備好一篇論文，要到皇家學會的會議上發表。很不幸的是，在此前不久，牛津郡的採石場裡發現了另一種恐龍，這時候剛正式發表，發表人居然就是三年前勸孟泰爾不要性急、應當謹慎從事研究工作的巴克蘭牧師。那種恐龍命名為斑龍（Megalosaurus），巴克蘭為這個恐龍取這樣的英文名字，實際上是採納了朋友帕金森醫師的建議。帕金森就是前述幾乎遭定罪為反動份子，後來又成了帕金森氏症名祖的那位先生。

你大概還記得，巴克蘭是當時頂尖的地質學家，而從他所著關於斑龍的文獻，就可以看出他不是浪得虛名。在他交給《倫敦地質學會會刊》（*Transactions of the Geological Society of London*）發表的報告裡面，提到了這種動物的牙齒，不是像蜥蜴那樣直接連接在顎骨上，而是跟鱷魚的情形相類似，一顆顆牙齒插在牙槽

孟泰爾經由牙齒化石的繪圖，
正確判斷出禽龍的重要特徵。

裡。但是巴克蘭即使知道了這麼多細節，仍然沒能瞭解到它的真義：斑龍是全新類型的動物。

雖然這篇報告並不敏銳，也無洞察力，但它的確是最早出版的恐龍報告。因而依據事實，首先發現這類古生物的美譽，只得歸諸巴克蘭，而不是更有資格的孟泰爾。

孟泰爾不知道他的霉運還沒走完，仍繼續他的化石搜尋。1833 年，他發現了另一個巨型恐龍「森林龍」，並且從各處採石場主人跟農人那兒收購化石，最後他擁有了大概是全英國最大宗的化石收藏。

孟泰爾是極優秀的醫師，也是有天分的骨頭獵人，但是卻無法兩邊兼顧，當他的收藏狂熱增長時，就忽略了 1827 年出版的《索塞克斯地質學圖例》總共只賣了五十本，讓他損失了 300 英鎊。在那個時代，這可是一筆大數目。

有點走投無路的孟泰爾想到了一個點子，就是把自己的家改變成收費博物館。但在一切就緒時，他突然發覺到，這種以賺錢為目的的行為會毀掉他的紳士身分，更用不著說科學家的形象啦，所以他臨時又改變主意，讓人免費參觀。這下可好，人潮成百上千的湧入，且日復一日，沒完沒了，徹底破壞了他的醫療業

這張岩層插圖，出自孟泰爾自掏腰包出版的《索塞克斯地質學圖例》。
這本書的滯銷，對孟泰爾的事業造成致命的一擊。

務跟家庭生活。最後他不得不變賣掉大部分化石收藏，清償債務。不久以後，他老婆帶著他們的四名孩子離開了。

他的問題就到此為止了嗎？這還只是起頭呢！

腹黑的歐文

在倫敦南邊的席登漢（Sydenham）區內，有個水晶宮公園，裡面矗立著一個鮮為人知的奇怪造景，那是世界上第一群依照原寸塑造的恐龍模型。如今專程去那兒的旅客已經不多，但曾幾何時，它一度是倫敦最熱門的觀光景點之一。

事實上，根據記載，它是世界上第一座主題公園。那些模型，嚴格說來有許多細節都不正確，譬如說，禽龍的拇指錯誤的裝置在牠的鼻子上，成了一根尖角，而且禽龍模型四腳著地，看起來像一隻肥胖的大笨狗（現在我們知道，禽龍活著的時候，不是以四條腿蹲伏著，而是以兩隻後腿站立）。

現在看著牠們，你很難想到這些樣子古怪、步伐沉重的野獸，會造成什麼深仇大恨。但是想不到的事的確發生了，在自然史上也許從沒有這種先例，這種叫做恐龍的遠古生物，居然成了人們最劇烈跟最持久的仇恨中心！

當初建造這些恐龍模型時，席登漢尚屬倫敦市郊，它遼闊的公園，公認是重建著名水晶宮的理想地點。水晶宮是 1851 年英國為了向世界展現國力，舉辦的倫敦「大博覽會」中，最主要的展示項目，由於它是由玻璃跟鑄鐵建成的，因而稱為水晶宮。在有了它之後，該公園就當然改名為水晶宮公園，那些水泥建造的恐龍模型算是吸引訪客的附加景點。

1853 年除夕，園方在尚未完成的禽龍肚子裡，舉辦了一場著名的晚宴，邀請了二十一位名重一時的科學家與會，但當初發現、鑑定禽龍的孟泰爾卻不在受邀之列。坐在首席的主客，名叫歐文（Richard Owen, 1804-1892），在當時仍年輕的古生物學界中，他是最亮眼的明星。歐文在此之前，已經積極努力了數年，成果無數，這讓孟泰爾的日子很難過。

歐文從小在英國北方的蘭卡斯特長大，也在那裡接受醫師訓練。他是天生的解剖學家，也對這方面的學習非常專注，甚至有時候擅自違法從死屍「借用」四肢、器官及其他部分，拿回家解剖著玩。

有一次他提了一個袋子走在路上，裡面裝著一個才剛卸下的非洲黑人水手的頭。他不小心一腳踩在潮濕的鵝卵石上滑了一跤，眼睜睜看著那顆腦袋從袋子裡掉了出來，連蹦帶跳的沿著小徑滾進了一個前門敞開的小木屋，最後終於停止在起居室裡。你可以想見，屋主一定給這顆滾進門來停在腳前的腦袋給驚呆了。他們還來不及做出任何反應之前，一個驚慌失措的年輕人飛奔了進來，一言不發的抓起了腦袋，又再奪門而出。

1825 年，歐文在年僅二十一歲時搬來倫敦。不久就受皇家外科學院雇用，去幫忙整理他們規模浩大、但零亂不堪的醫學跟解剖學標本收藏室。其中標本大部分都是亨特（John Hunter, 1728-1793）留給學校的，亨特在生前是傑出的外科醫生，也是孜孜不倦的醫學珍奇收藏者。亨特所留下的標本從未有人進行整理跟分類，因為他去世後不久，那些解釋每個項目特點的紀錄，就宣告失蹤。

由於歐文卓越的組織跟推理能力，他迅速的在同儕中竄升出名，也表現出他是具有重建天才的解剖學家，當代無與倫比，能力幾乎跟巴黎的偉大居維葉等量齊觀。歐文變成了權威的動物解剖專家，甚至倫敦動物園在有動物死掉時，還給他優先檢驗權。而他一向要求園方把動物屍體送到家裡。有一次，他的妻子從外頭回家，發現屋前的走道被一隻剛死掉的犀牛給占滿了！

歐文很快變成了領先群倫的全能動物專家，世上現存的跟已滅絕的動物，從鴨嘴獸、針鼴蝟以及其他新發現的有袋動物，到不幸的度度鳥跟已絕種的巨大恐鳥。恐鳥曾經一度在紐西蘭到處遊走，後來被毛利人吃光而絕種。1861 年始祖鳥在巴伐利亞經人發現後，歐文是首先描述牠的學者，歐文也是第一個為度度鳥寫

這隻雙尾蜥蜴是外科醫生亨特的收藏之一。十八世紀時，亨特收藏了大量的自然界奇珍異寶，以及解剖學標本。亨特於 1793 年過世，死後把所有收藏品都捐給了皇家外科學院。

正式墓誌銘的人。他總共發表了六百篇左右的解剖學論文，產量著實驚人。

但是歐文之所以能青史留名，是由於對恐龍的研究。他在 1841 年創造了「dinosauria」這個字，意義是「可怕的蜥蜴」，其實這是個極其不恰當的名稱。

我們知道，並不是所有的恐龍都很可怕。有些恐龍不比兔子大，而且也許極端害羞退縮。而最需要強調的是，恐龍絕對不是蜥蜴。相反的，蜥蜴在物種出現的排序上，比恐龍還早了很久（領先大約三千萬年）。歐文應該非常清楚，這些動物是屬於爬蟲類，在他手邊有個完美的希臘字「herpeton」可用，但不知為何他卻捨棄不用。另外還有一個比較能原諒的錯誤（看在當時人們所知物種不多的情分下），就是恐龍並不都只屬於爬蟲綱下的一個目、而是分屬於兩個目：一個是長著鳥屁股的鳥臀目，及長著蜥蜴屁股的蜥臀目。

歐文在外表跟氣質上都不是討人喜歡的人物，他的一張中年後期照片顯示出骨瘦如柴的面貌跟陰險兇惡的氣質，活像是維多利亞時代鬧劇裡的壞蛋角色。他有平直的長髮，突出的雙眼，是嬰兒一看就會嚇哭的臉。態度上他很冷酷跟專橫，在擴張野心時一點也不猶豫。據我們所知，他是達爾文生平唯一痛恨的人。歐文的兒子（不久之後自殺身亡）甚至曾向人提及他父親「心胸冷酷得可悲」。

歐文無疑是有天分的解剖學家，也因此讓他在使出一些最無恥的欺詐伎倆後仍能逃過懲罰。1857 年的某一天，博物學家湯瑪士・赫胥黎隨手翻閱一本剛更新的《邱吉爾醫界名人錄》時，赫然發現歐文列為政府礦業學校的比較解剖與生理學教授，這正是湯瑪士・赫胥黎當時的職位。於是他去詢問邱吉爾出版社，怎麼會搞出這樣的烏龍？哪曉得出版社回覆說，那是按照歐文醫師提供的資料登錄的。

另一位名叫費爾康納（Hugh Falconer）的博物學家，逮到歐文把他的一些發現歸功到自己頭上。其他一些人則指控歐文向他們借了各種標本，事後卻一概否認曾有這等事情。他甚至為了爭奪一項有關牙齒生理理論的功勞，激烈的槓上了女王的御用牙醫。

歐文迫害自己不喜歡的人絕不手軟。在他事業剛開始不久時，歐文利用他在動物學會的影響力，去排擠一位名叫格蘭特（Robert Grant）的年輕人，格蘭特所犯的唯一錯誤，是他在解剖方面表現傑出且有潛力。格蘭特領取不到研究時需要的標本，無法繼續研究，陷入可以想見的頹廢，斷送了原本美好的前程。

但是受到歐文壞心眼「照顧」的人群中，沒有一人受到的傷害大過於那位慘遭不幸跟每下愈況的悲劇角色孟泰爾。

在失去了老婆、孩子、醫師業務、以及大部分的化石收藏後，孟泰爾搬遷到倫敦，1841 年在那兒，也就是這個命定的一年，歐文達到了他從命名跟鑑定各種恐龍所得盛名的巔峰。孟泰爾出了一次可怕的車禍，當時他坐在馬車上駛過克拉彭廣場，不知道什麼原因，他突然從座位上摔了下來，而手給韁繩愈纏愈緊，受驚的馬也快跑了起來，把他在粗糙的路面上拖行了好一段距離。這次意外使他背也彎了、腿也瘸了、而且長期的全身痠痛，脊骨受到了無法補救的傷害。

歐文利用孟泰爾身體變衰弱時，開始有系統的從紀錄中刪除孟泰爾以往的貢獻，重新命名一些孟泰爾在數年前就已經命名過的物種，然後宣稱是歐文本人首先發現這些物種。這時孟泰爾仍繼續試圖做些開創性的研究，但是歐文使用他在皇家學會的影響力，促使學會把大部分孟泰爾交上來的論文打回票。

1852 年，孟泰爾無法繼續承受身心雙重的痛苦，以自殺解脫殘生。他變了形的脊骨讓人從屍體上取下，送到皇家外科學院，在那兒交給了歐文處理，因為他當時是該學院的亨特博物館主任。你瞧，夠不夠諷刺！

孟泰爾給逼死了，但是他受到的侮辱卻尚未結束。孟泰爾死後不久，在《文藝公報》（*Literary Gazette*）出現一篇令人側目的不厚道訃聞，其中把孟泰爾說成是才能普通的解剖學者，他之所

歐文是成功且有影響力的古生物學家，是十九世紀初時古生物學界的明日之星。但是他卻把大部分的精力用來迫害命運已經夠悲慘的孟泰爾。

以對古生物學沒有出色的貢獻，原因是「欠缺確切的知識」。

這篇訃聞甚至把孟泰爾發現禽龍的事實都給抹殺，而把功勞歸諸於包括居維葉跟歐文在內的其他人士。雖然這篇訃聞沒有具名，但文筆格調顯然屬於歐文，整個自然科學界都相信歐文就是捉刀人。

不過在這個時期之前，歐文諸多惡劣罪行的報應已經開始迎頭趕上他了。

正當皇家學會屬下的一個委員會（歐文「正巧」是該委員會的主席）決定頒發學會的最高榮譽「皇家獎章」給歐文，以獎勵他寫的一篇有關已絕種軟體動物「箭石」的論文時，他的毀滅也開始倒數計時。正如同作家卡布里（Deborah Cadbury）在她描述那個時期歷史的極佳著作《可怕的蜥蜴》（*Terrible Lizard*）中所寫的：「然而，那篇論文並非如表面上所示的那樣具有獨創性。」

不久之後大家發現，箭石在四年前就已經由業餘自然學者皮爾斯（Chaning Pearce）發現了，而且皮爾斯曾經到地質學會的會議上做過正式報告，歐文甚至參加了那次會議，人就在會議現場。但是當歐文把報告呈送給皇家學會時，完全沒有提及這段往事，而且在報告裡還蓄意把這種動物重新命名為「歐文氏箭石」（*Belemnites owenii*），往自己臉上貼金。這件醜聞遭揭發後，雖然歐文仍能保留皇家獎章，但他在學界從此染上汙名，甚至他原有的少數幾個支持者也對他極不以為然。

最後，湯瑪士．赫胥黎以其人之道還治其人之身，安排用投票的方式，把歐文從動物學會跟皇家學會的評議會中分別趕了出去。至於對於歐文的最後的一項羞辱，則是湯瑪士・赫胥黎變成了皇家外科學院新的亨特教授（Hunterian Professor）。

從那時開始，歐文就再也沒有做過重要的研究，但是他後半輩子的事業，倒是專注於一項頗出他人意料，但你我現在卻都由衷感激的追求。

1856 年，他當上英國博物館的自然史組組長。在那個職位上，他成為倫敦自然史博物館成立的主要推動力量。博物館於 1880 年開幕，這個坐落在倫敦南肯辛頓區的哥德式建築群，莊嚴宏大，極為世人所喜愛，幾乎是歐文遠大眼光的見證。

在歐文之前，博物館主要是設計來供菁英份子的使用跟陶冶的，然而即使當時博物館只為少數人服務，有資格的人要使用仍相當困難。在早期，希望參訪英國博物館的人必須先以書面提出申請，還得經過簡短的口試，好讓館方決定是否批准。如果有幸口試通過，申請者得再去領取准許證，最後去第三趟時，才能進去看博物館的寶藏。在經過了這麼多麻煩手續後，參觀者還是得跟著一群人快速通過，不許在任何一地逗留不走。

歐文的計畫則是歡迎每一個人，甚至鼓勵白天沒空的工人在晚間來參觀，而且把博物館的大部分空間提供給公開展示之用。他甚至非常急進的提議，要把有教育價值的標示放在每一件展示品旁邊，讓民眾能瞭解眼睛所看到的東西。有點讓人出乎意料的是，在這方面他遭到了湯瑪士・赫胥黎的反對，因為後者相信，博物館應該以做為研究機構為最主要目的。歐文主張把自然史博物館對大眾開放，全然改變了我們對博物館用途的觀念跟想法。

即使如此，歐文對民眾表現的博愛與利他信念，並沒有使他不再製造更多的敵人。他最後的官方正式樹敵行動之一，是遊說館方反對塑像紀念達爾文。

那次歐文沒有成功，但他還是達成了某種遲來的意外勝利。今天我們看到，歐文的塑像擺在自然史博物館大廳中央樓梯間的頂端，威風凜凜俯瞰整個大廳，氣勢不凡。同時，達爾文跟湯瑪士・赫胥黎的塑像則有些不明不白的，給移送到了博物館附設的咖啡廳內。在那兒，他們整天睜大了眼睛，嚴肅的望著小老百姓興高采烈的喝著咖啡、大吃果醬甜甜圈。

化石獵人的戰爭

你大概會合理的猜想，歐文那些沒啥器量的爭強好勝故事，應該是十九世紀古生物學史上最卑鄙齷齪的時刻了吧？然而事實上更糟糕的還沒發生呢。

下一件敵對競爭不是在歐洲，地點是美洲，時間則是十九世紀的最後十年。跟前述的歐文事件比較起來，其破壞性或許有所不及，但手段絕對更為惡劣。它是發生在兩個奇怪且殘忍無情的男士之間，這兩人的名字分別是柯普（E. D. Cope, 1840-1897）跟馬許（O. C. Marsh, 1831-1899）。

其實他們兩人有許多相同之處。兩人都是從小給父母寵壞了，對想要的東西都志在必得，而且自我中心、愛爭吵、見不得別人好、猜疑多心、也從來沒有快樂過。然而他們兩個卻重大的改變了古生物學的世界。

開始時他們兩個彼此友善、互相景仰，甚至還用對方的名字為化石物種命名，而且在 1868 年間，曾共度過愉快的一星期。然後他們之間突然出了問題，沒有人知道究竟是啥原因，就在一年內，他們從朋友變成了敵人，而且這份敵意在以後的三十年內愈演愈烈，增長成能讓他們情緒隨時失控的仇恨。我們至少可以說，在自然科學界，沒有人像他們那樣彼此看不順眼。

馬許的年紀比柯普大八歲，是不擅交際的書呆子型人物，蓄著仔細修剪過的鬍鬚，穿著整潔漂亮。他很少花時間到野外做調查，即使偶爾出去，也不善於發現任何東西。有回他去到懷俄明州境內，著名的恐龍棲息地柯木峭壁（Como Bluff），居然完全沒有見到恐龍骨頭。根據一位歷史學家的說法，那時候在那兒的恐龍骨頭「就像伐木場裡到處躺著的木頭一般多」。

但馬許能花錢買到任何想要的東西。雖然他本人的出身背景並不怎樣，父親生前只是在紐約州北部種地的農人，但是他的金融家舅舅畢保德（George Peabody）卻很富有，且對外甥極其縱容。當年輕的馬許表示對自然科學有了興趣後，畢保德特地為這位寶貝外甥在耶魯大學建了一座博物館，並提供充足的經費，把博物館裝滿了能讓馬許心動的東西。

比較起來，柯普本就出生於富貴之家，父親是有錢的費城商人，而且柯普生性遠比馬許膽大而肯冒險。

1876 年夏天，在美國西北的蒙大拿州，卡斯特（George Armstrong Custer）跟他的軍隊在小巨角（Little Big Horn）遭印第安人全軍殲滅時，柯普正在附近尋找恐龍骨頭。

當時有人對他說，這時在印第安人的地盤上挖掘人家的寶物只怕很危險。柯普停下來想了一會兒，然後加緊腳步繼續工作，因為那個夏天，他的收穫實在是太好啦！其間有一回，他突然遇見了一群對他起疑的印第安烏鴉族，柯普無法用言語溝通，但急中生智，把他的假牙重複的取出又裝回去，居然贏得讚許，安然逃過一劫。

在將近十年左右的時間裡，馬許跟柯普兩人之間的互相不喜歡，表面上尚不動聲色，主要是暗地裡放冷箭中傷對方。但是到了 1877 年，突然爆發成不可收拾的局面。

美國西部地區找到的各種恐龍足跡化石。美國西部的化石雖然已經開採了一個多世紀，但是到目前為止，這個地方還是全世界恐龍化石產量最大的地區。

導火線是這樣的：那年有一位名叫雷克斯（Arthur Lakes）的科羅拉多州小學老師，跟友人到野外健行，在摩里遜（Morrison）附近發現了好些骨頭。雷克斯認出這些骨頭是來自「巨大的蜥蜴類動物」，於是很好心的拿了一些樣品分送給馬許跟柯普。柯普收到後非常高興，即刻送給雷克斯一百塊美元做為酬勞，並要求他不要把這個發現告訴別人，尤其是馬許。雷克斯覺得很疑惑，但仍寫信要求馬許，請他把收到的樣品轉交給柯普。馬許遵其所囑，但是此事成了他永遠不能忘懷的羞辱。

這件事也成了他們之間公開戰爭的開端，這個戰爭很激烈、很不光明正大、而且經常是荒謬可笑的。他們有時甚至自貶道德水準，叫手下的挖掘工人向對方丟石塊。柯普有一次還給當場逮到用短鐵棍撬開馬許的板條箱。他們在文章中侮辱對方，嘲笑、侮蔑對方的研究結果。不過一個歷史上少有的，也許是從未有過的奇怪現象發生了，那就是科學竟然意外的受仇恨驅趕得突飛猛進！

就在他們宣戰後的短短數年裡，他們兩位「合力」把美洲已知恐龍種類的總數，從原先的 9 種，快速增加到接近 150 種。如今一般老百姓跟小學生都隨口能叫出名字的那幾種恐龍，諸如劍龍、雷龍、梁龍、三角龍等等，幾乎全都是由他們發現的 *。

但很不幸的是，由於太過於躁進，他們常會因疏忽而沒有

* 著名的例外是霸王龍，牠是1902 年間由布朗（Barnum Brown）發現的。

看出，一些所謂新發現其實是已知的物種。有一種叫 *Uintatheres anceps* 的恐龍，光是由他們兩人重複「發現」的次數，加起來不少於 22 次。他們所造成分類上的爛攤子，每一個都得由後人花許多年的工夫才能釐清，有些到現在還有待整理。

拿他們兩人來相比，柯普在科學上留下來的遺產遠比馬許的多。柯普在叫人目不暇給的勤奮事業中，一共寫了 1,400 多篇學術論文，描述了將近 1,300 種新的化石物種（包括所有生物種類，不只是恐龍），這兩個數字各自都超過了馬許的兩倍。

柯普非常可能還可以做得更多，但是可惜在他的事業後期，研究速度突然大幅減慢了下來。1875 年他繼承了一大筆財富，但他把這筆錢很不聰明的投資在銀的生意上，以致於虧損精光。最後他只能住在費城一家提供膳食的宿舍單人房裡，房間裡塞滿了書籍、文稿跟骨頭標本。馬許則在紐哈芬市的豪宅內，安享餘年。柯普死於 1897 年，比馬許早走了兩年。

柯普在人生的最後幾年培養出另一個有趣的念頭。他變得非常熱切希望，自己被宣告為智人（*Homo sapiens*）的模式標本（type specimen）。意思是，他死後的骨骸成為人類的正式定型（official set）。通常物種的模式標本是指在發現的骨骸中，生存時間上最早的那副，但是由於智人的無數骨骸中，找不到最早的那一副，以致於智人的模式標本一直從缺。

當時，柯普有鑒於此，有意毛遂自薦，希望自己死後能提供骨頭去占這空缺。這是一個非常不尋常、也是極端自負的願望，但卻沒人能想到任何反對的理由。於是，柯普立了遺囑把自己的

美國古生物學家柯普，在他漫長且多產的研究生涯裡，發現了將近 1,300 種的化石物種，但他因為投資銀的生意虧了大錢，死時景況淒涼。

骨頭交給魏斯塔研究所（Wistar Institute），這是由咱們似乎老是躲不掉的那位魏斯塔先生的後人，捐錢在費城成立的學術機構。

然而非常不幸的是，柯普死亡後，骨頭經人處理妥當且組裝了起來，但竟然顯現出初期梅毒的跡象。我們可以想見，任何人都絕對難以同意，也根本不希望在代表自己物種的模式標本上，有這種見不得人的東西。於是柯普的骨頭架子跟他的請願書，就給靜悄悄的收藏起來啦。而讀者諸君可要記住，直到現在，現代人的模式標本仍然從缺。

至於這齣戲裡的其他角色，歐文死於 1892 年，比柯普或馬許早了幾年。巴克蘭最後發了瘋，整天喋喋不休，給關在克來彭區的一座瘋人院中直到去世，而這所瘋人院就在當年孟泰爾發生車禍的地點附近。

馬許是柯普的死對頭，兩人起先是朋友，後來卻變成不共戴天的仇敵。他們倆之間的仇恨，意外的使已知的恐龍數目迅速增加，像劍龍、雷龍、梁龍、三角龍這些家喻戶曉的恐龍，都是他們發現的。

孟泰爾扭曲變形的脊骨，繼續在亨特博物館展示了幾近一個世紀，最後終於在 1940 年，希特勒對英國發動的毀滅性空襲中，遭德國炸彈命中，給「仁慈的」摧毀掉了。孟泰爾剩下的化石收藏後來都移交給他的子女。他的兒子瓦特早在 1840 年就移民紐西蘭，且取走了其中的一大部分。瓦特之後成了傑出的紐西蘭人，最後官拜原住民事務部的部長。

1865 年，瓦特把父親收藏中的主要標本，包括了那顆著名的禽龍牙齒，捐贈給了在威靈頓的殖民地博物館（現在的紐西蘭博物館），這些標本從此再也沒有轉手，一直在那兒保存至今。不過那顆掀開序幕的禽龍牙齒，有人認為它是古生物學裡最重要的牙齒，但有人並不同意，現在已不在公開展示之列。

當然，尋找恐龍的風潮並未隨十九世紀化石獵人的凋謝而終結，頗讓人驚奇的是，這股風潮才剛開始，柯普跟馬許不過是先頭部隊而已。

1898 年，就是柯普跟馬許相繼死亡的中間那一年，有人在距離馬許的主要獵場，懷俄明州柯木峭壁僅僅數公里之遙，一個叫做骨頭屋採石場（Bone Cabin Quarry）的地方，發現了一大批骨頭。這批骨頭的數量遠比以往任何發現都要多得多，成百上千的骨頭化石，從飽受風吹雨打侵蝕的山坡邊暴露了出來。由於數量太多，有人用骨頭搭建了一間小屋遮風避雨，所以取了骨頭屋這樣的地名。在這個發現後的頭兩年，十萬磅遠古的骨頭從這個地點讓人挖走，然後接下來的六年，每年挖走的量也都達數萬磅之多。

最後的結果是，在二十世紀剛開始那幾年，古生物學家有了成噸的古老骨頭供他們挑選。然而問題是，這些骨頭究竟有多古老，他們仍然毫無概念。更糟糕的是，他們大夥兒同意的地球年齡，實在很難包括那麼多個又是代、又是紀、又是世等等。如果地球真的像偉大的凱文勳爵所認定的，只有二千萬年左右的歷史，那麼整個古代生物時序上的各種生物，必須像走馬燈似的，依序迅速的出現跟消失，或是全部生存在同一個地質時期裡，同時出現又同時消失，兩種假想都非常的不合理。

除了凱文勳爵之外，其他把心思放到這個問題上的科學家，各自得到不同的結果，徒令人眼花撩亂、無所適從。例如愛爾蘭都柏林三一學院裡，頗受尊敬的地質學家霍頓（Samuel Haughton）對外宣布，根據某個實驗結果計算下來，他估計地球年齡為二十三億年，遠比當時其他人的估計值要高。

後來有人問他，為何他的估計值比別人的高出了那麼多？他於是回去重新計算了一次，用的仍然是同樣的實驗結果，但是他這次「計算出來的」估計值縮短成為一億五千三百萬年，正好只有前一個數值的十五分之一而已。

三一學院的另一位先生賈里（John Joly），決定要把從前哈雷提出的，用海洋鹽分估計地球年齡的想法實驗一番，但是由於他的方法在設計上採用了許多錯誤的假設，以致於根本抓不到理論的重點。結果算出來的是八千九百萬年，跟凱文勳爵的差不多，但是跟事實就差遠了！

在十九世紀進入尾聲的時候，專家對這個問題的看法非常混亂。看你參考的是哪本書，你會發現從有複雜生物的寒武紀到現在，中間隔著三百萬年、一千八百萬年、六億年、七億九千四百萬年、或二十四億年，或差不多在上述例子同樣範圍中的一些數字。那麼當時的人們究竟比較相信哪一個呢？在 1910 年左右，其中一個最受重視的估計值是美國人貝克爾（George Becker）所提出的，他認為地球的年齡只有五千五百萬年。

正當大家各說各話，眼看毫無頭緒跟指望之際，突然出現了一位非凡人物跟嶄新方法。此人名為拉塞福（Ernest Rutherford, 1871-1937），是紐西蘭農家子弟，為人豪爽且聰明，他發現了一個別人極難反駁的證據，顯示地球年齡至少有許多許多億年，而且恐怕還更長。

叫人吃驚的是，他的證據是基於鍊金術，是天然的、自發的、合乎科學的、完全非玄祕性的，但的確是鍊金術沒錯。所以我們由此才恍然大悟，原來牛頓當年花時間研究鍊金術是有道理的。至於地球年齡跟鍊金術有啥關係？當然又是另外一段故事囉！

美國佛羅里達的一個加油站，蓋成了恐龍的樣子，雖然有點古怪，
但完全顯現出現代人對恐龍的迷戀。

第 7 章
化學鍊金術

在十九世紀時，科學實驗示範是很受歡迎的娛樂項目。
這張圖顯示的是 1810 年時，
倫敦索立學院（Surrey Institute）開辦的化學實驗示範課的場景。

我們常聽說，自從 1661 年牛津大學的波以耳（Robert Boyle, 1627-1691）出版了《懷疑派的化學家》(*The Sceptical Chymist*)，這史上第一本分辨化學家跟鍊金術士的書之後，化學就變成了一門嚴肅且受人尊重的科學。

但是事實上並沒那麼簡單，它是緩慢而且過程中狀況百出的轉變。甚至到了十八世紀中葉，學者仍然常腳踏「化學」與「鍊金術」這兩條船，且認為理所當然。就像德國人貝赫（Johann Becher, 1635-1682）寫了一本關於礦物學的好書，書名為《理化探祕》(*Physica Subterranea*)，但他同時也認為只要能找到適當的物質，就能夠把自己變成隱形人，並對此深信不疑。

最能表現出早期化學的古怪跟難以預測特性的例子，也許是另外一位德國人布蘭德（Hennig Brand）在 1675 年的發現。布蘭德不知為何突發奇想，認為用某種未知的特殊蒸餾步驟，可以從人尿中得到黃金（也許是因為兩者的顏色相近的緣故吧）。

他蒐集了五十桶小便，儲藏在他家的地窖內好多個月，其間他試過各種複雜難解的步驟，首先把小便轉變成一種氣味難聞的糊狀物，然後進一步變成透明的蠟狀物質。所有試過的步驟當然都沒有蒸餾出黃金，但是一件很奇怪且有趣的事情發生了。過了一段時間後，這種蠟狀物質會自動開始發光發熱；更離奇的是，如果暴露在空氣中，它經常會自己著火燃燒起來。

這種有商業潛力的物質很快的給取名為「磷」(phosphorus)，裡面包含希臘跟拉丁字根，意義是「具有光的」東西。渴望賺錢的生意人當然不會放過這個新物質可能帶來的商業潛力，不過由

十七世紀時，德國人布蘭德不知為何突發奇想，認為可以從人尿裡提煉出黃金。最後，黃金當然沒有煉成，但他卻因此意外發現了磷。

於製作困難，成本太高而不太好賺。當時28公克磷的零售價格是六個基尼，相當於今天的三百英鎊，比黃金還貴。

一開始，他們請求士兵提供原料，但是這樣的安排很難升級到工業化規模的製造。到了1750年代，有位名叫謝勒（Karl Scheele, 1742-1786）的瑞典化學家，設計出一個不用跟尿的髒臭打交道，而可以大量製造磷的方法。這項高人一等的工藝技術，就是為什麼瑞典在火柴製造業上，當年躍居第一而且後來一直保持領先世界各國的主要原因。

與功名無緣的謝勒

謝勒是非常不平凡但運氣非常糟糕的傢伙，他是貧窮的藥劑師，買不起精密儀器。他發現了八種元素：氯、氟、錳、鋇、鉬、鎢、氮、氧，然而沒有一件發現的功勞記在他的名下。每一次要不是他的發現遭人忽略，要不就是發表時才發現，恰巧慢了另一位發現者一步。

他也發現了許多有用的化合物，其中包括氨、甘油，跟丹寧酸（鞣酸），也首先看出氯做為漂白劑的可能性。所有這些科學上重大的突破，都讓其他的人變得極其富有。

謝勒的著名缺點是他有一個怪癖，也就是他一定要嚐一點自己正在研究的東西，包括水銀與氫氰酸這類毒性非常強的物質。氫氰酸的毒性是有名的強，甚至使一百五十年後，物理學家薛丁格（Erwin Schrödinger, 1887-1961）在他著名的想像實驗裡，特地選用它來進行（請看第 9 章）。謝勒這種魯莽的習慣最後終於要了他的命。

1786 年，他年僅四十三歲，有一天經人發現死在工作檯旁，檯面上跟檯子四周都是整排的各種有毒化合物，其中任何一種都有可能造成他死時留下的一臉驚恐。

如果這個世界上真有公理正義，而且大家都說瑞典話的話，謝勒無疑就會受到普世的讚揚。事實上在化學界，功名一向都傾向歸功於較聞名的化學家，而這些人之中的大多數，都是來自英語系國家。

謝勒在 1772 年發現了氧，但因為各種叫人心碎的複雜原因，一拖再拖沒能把他的論文發表。結果發現氧的功勞就判給了英國化學家普利斯特理（Joseph Priestley, 1733-1804），後者雖然在不知情下也獨立發現了同一元素，但時間是在 1774 年的夏天，比謝勒晚了兩年。

更讓人驚訝的是，謝勒也沒得到發現氯的功績，直到現在，幾乎所有教科書仍把發現氯的功勞給了英國化學家戴維（Humphry Davy, 1778-1829）。戴維的確是發現了氯，只是比謝勒晚了三十六年！

雖然化學從十七世紀的牛頓、波以耳，到十八世紀的謝勒、普利斯特理、卡文迪西，其間一百年的變化跟進步很大，但它還有漫長的行程得走。一直到十八世紀的最後幾年（對普利斯特理來說，還拖得更久一些），各地的科學家都在想盡辦法找尋一樣實際上並不存在的東西，而且還有人相信自己已經找到了。

這種東西有很多不同的名稱，例如汙濁空氣、去燃素之海酸氣、火焰氣、金屬灰氣、水陸形成蒸發氣，以及使用得最普遍的「燃素」。燃素是大家認為造成燃燒的東西，它又以某種方式跟另一種神祕的所謂「原創生命力」有關。後者能把不會動的東西變活。

沒有人知道這種靈妙素（ethereal essence）在哪兒，但是有兩件事看起來滿有可能：第一是你可以用電擊的方式把它活化、增強（瑪麗・雪萊在她的名著《科學怪人》中，把這個想法發揮得淋漓盡致），第二則是這玩意兒只在某些物質裡面才有，其他的物質裡則付之闕如。那就是為什麼化學到後來一分為二：成了有機化學（研討具有原創生命力的物質）跟無機化學（研討其他缺乏該力的物質）。

當時化學的現代化亟需具有洞察力的人物推動才行，而就在此時，法國人裡面出現了如此一位人物，他的大名是拉瓦謝（Antoine-Laurent Lavoisier, 1743-1794）。

拉瓦謝與質量守恆

拉瓦謝出生在一個小貴族家庭（他的父親花錢買了一個爵位）。1768 年，拉瓦謝買進一家名聲非常惡劣的公司當股東，這家公司取名通用租稅（Ferme Générale），實際的業務是代表政府向人民徵收各種稅捐跟費用。雖然根據所有記載，拉瓦謝本人性情溫和、思想公正，但那家公司既不溫和也不公正。譬如，通用租稅只向窮人強行徵稅而放過有錢人，而且經常是漫無定則的胡作非為。

不過對拉瓦謝說來，這家公司吸引人之處，是能替他賺到充足的財富，支持他追逐自己的最愛，也就是科學研究。在這一行，他的個人年所得最高曾經達十五萬里弗爾（livre），相當今天的一千兩百萬英鎊之譜。

拉瓦謝在開始有如此豐厚收入的三年後，跟公司裡一位大股東的十四歲女兒結了婚。這樁婚姻不但情投意合，且靈犀相通。拉瓦謝夫人具有過人的智慧，很快就變成了先生的得力助手。

雖然拉瓦謝的工作繁重、加上兩人的社交活動頻繁，然而在大多數日子裡，他們夫婦仍能每天安排出五個小時研究科學：清晨兩個小時跟晚間三個小時，以及星期天一整天。他們戲稱星期天為他們的「幸福日」。

妙的是在如此緊湊的生活中，拉瓦謝仍有時間兼任火藥司司長、負責監督修建一道防止走私的巴黎城牆、參與協助創立度量衡公制、並與人合寫了一本名為《化學命名法》的書，這本書後來變成了化學界統一元素名稱的聖經。

身為法國皇家科學院的首席院士，他還要對流行的議題，諸如催眠術、監獄革新、昆蟲的呼吸、巴黎的供水系統等等，都得掌握訊息並積極參與討論。

拉瓦謝就是以這個重要的身分在 1780 年，於公開場合批評了一個新的燃燒理論，得罪了把該理論呈送科學院的年輕科學新秀。平心而論，拉瓦謝當時的批評很正確，那篇「理論」的確是錯得離譜，但是那位年輕科學家從此懷恨在心，不肯原諒拉瓦謝。這位科學家的名字叫做馬拉（Jean-Paul Marat）。

有件事情拉瓦謝一輩子都沒做過，那就是發現元素。在那個年代，似乎任何人只要手裡拿一個燒杯，點一盞火焰燈、再加上一些有趣的粉末，就可以發現新東西；而且說實在的，那時候差不多還有三分之二的元素在等著人發現。

拉瓦謝居然一個元素也沒碰上，真是有點說不過去。此中原因絕對不是他缺少燒杯，當時拉瓦謝擁有舉世最完善的私人實驗室，裡面的燒杯總數到達了一萬三千個的荒謬地步。

拉瓦謝的長處是能把別人的發現拿來，研究出其中合理的意義。他把氧氣跟氫氣的燃素跟惡臭氣等不實假說給排除掉，把它們的真實身分鑑定清楚後，給了現代的名稱。簡言之，拉瓦謝在化學逐漸走上規範嚴格、條理分明跟講究研究方法的改革上，幫了許多忙。

而他的精良儀器設備也的確發揮了功用，在許多歲月裡，他與拉瓦謝夫人所做的實驗都極其講究精準。比方說，長久以來，學者都以為東西生鏽時不會增加重量，但經過他們夫婦仔細量過後，才發覺重量會增加，這是了不起的發現。

物體生鏽時，顯然從空氣中吸收了某些元素粒子。這是人類第一次理解到，物質可以轉變成別種形式，但是不能被消滅。如果你現在把這本書點火燒掉，它會變成灰燼跟煙，但整個宇宙中的物質總量依舊沒有發生變化。這個認知後來就稱做「質量守恆」，是革命性的觀念。

但不幸的是，它跟另一個形式的革命——「法國大革命」，在時間上湊到了一塊，而這一次拉瓦謝完全站錯了邊。

拉瓦謝不只隸屬於人們痛恨的通用租稅公司，他還曾熱心於修建環繞巴黎的城牆，這個建築普遍遭民眾嫌惡，甚至成了造反市民選擇攻擊的第一個目標。

馬拉此時已經搖身一變，成了國民大會的意見領袖，1791 年他公開指責拉瓦謝，並倡言拉瓦謝早該被吊死才對。不久後，通用租稅公司被迫關門大吉。再過了不一會兒，馬拉就在澡盆裡遭一位名叫做柯黛（Charlotte Corday）的年輕女子刺殺，因為柯黛曾受馬拉迫害。但此時，拉瓦謝的命運已經無法挽回了。

拉瓦謝與妻子。他們倆雖然公務繁忙，社交生活多采多姿，
但仍設法每天抽出五個小時來進行科學研究，
拉瓦謝就在這每天短短幾小時的研究中，奠定了現代化學的基礎。

1793 年法國的恐怖時代開始，原先已夠緊張的局勢更加緊繃。同年 10 月，瑪麗皇后（Marie Antoinette, 1755-1793，法王路易十六之后）上了斷頭台。

次月，正當拉瓦謝夫婦還慢吞吞的計劃要如何偷渡到蘇格蘭，拉瓦謝就被捕了。翌年 5 月，他跟另外三十一名通用租稅公司合夥人給帶到革命法庭受審（法庭裡主審座位上供著馬拉的半身塑像）。其中有八名犯人無罪開釋，拉瓦謝則跟其餘的人直接給帶到革命廣場（今天的協和廣場），當時法國最忙碌的斷頭台就放在那兒。拉瓦謝在親眼看到老丈人遭砍頭後，步上高台接受了命運。

此後不到三個月，在 7 月 27 日那天，羅伯斯比（Maximilien Robespierre, 1758-1794，處死法王跟推行恐怖政策的革命頭目）在同一個地點、用同一種方式丟掉了自己的腦袋，恐怖時代也隨之結束。

化學研究迷了路

拉瓦謝死後一百年，巴黎市為他豎立了一座全身銅像，完工後很受稱讚，直到後來有人指出，這座雕像完全不像拉瓦謝本人。經過詢問，負責雕塑工作的藝術家承認，他是照著數學家兼哲學家康道塞侯爵（Marquis de Condorcet, 1743-1794）的頭來塑像的。

藝術家認為，第一，已隔了這麼久，哪會有人看得出來？第二，即使給人看出來，也不會有人追究。他的第一點想法錯了，但第二點倒是給他料個正著。這座拉瓦謝兼康道塞的雕像，果然保留了半個世紀，直到第二次世界大戰中的一個早上，才給人拆走，熔成廢五金。

十九世紀的頭幾年，英國開始了吸食一氧化二氮的流行風，因為有人發現吸食了一氧化二氮，會「獲得得愉快的刺激感」。其後約有半個世紀，它成了年輕人最愛的藥物。

當時倫敦的學術團體阿斯克仙學會（Askesian Society，其名

這幅圖畫顯示十九世紀初，人們在派對上吸食笑氣狂歡的景況。大概還要過半個多世紀，科學家才發現笑氣的實際用途，進而把狂歡用的助興劑轉變成醫療上有用的麻醉劑。

稱源自希臘文，為訓練之意），有一陣子專心在搞這個玩意兒。各戲院也紛紛推出「笑氣之夜」，讓自告奮勇的觀眾吸滿一大口笑氣後，上台表演搞笑節目。

這種情形一直要持續到 1846 年，才有人終於找到一氧化二氮的實際用途——當麻醉劑。一氧化二氮的用處這麼明顯，卻沒人早點想到，害得不知多少萬人在外科醫生的利刃下，遭受了不必要的痛苦。

我提這件事是要突出一個重點，那就是化學在經過了十八世紀的突飛猛進後，在十九世紀的第一個十年內，似乎迷失了方向，與地質學在二十世紀初所發生的情形有點像。

其中的部分原因是受限於設備。例如一直要到後半個世紀，才有人發明離心機，之前由於沒有離心機，許多種實驗都難以進行；另一部分原因則屬於社會因素。一般說來，化學是生意人的科學，屬於那些成天跟煤炭、鹼水、染料等打交道的人，而不屬於紳士，紳士的興趣比較傾向於地質學、自然史跟物理學（這個區分在歐洲大陸稍不明顯，但也只是「稍」不明顯）。

它也許告訴了我們，為什麼十九世紀最重要的觀察，確定分子活動性質的布朗運動，不是化學家發現的，而是由蘇格蘭植物學家布朗（Robert Brown, 1773-1858）觀察到的。（他在 1827 年注意到，懸浮在水中的微小花粉，無論預先靜置多久，都會永無止息的活動。造成這種永遠運動的原因，也就是不可見分子的推動作用，長久以來一直是沒人知道的祕密。）

多產的湯普森

若不是此時出了一位極其反常的人物，也許情況還會更糟。此人名叫巴伐利亞之冉福得伯爵（Count von Rumford of Bavaria, 1753-1814），雖然他後來有了這響亮的頭銜，但是出生時只是美國麻州窩本（Woburn）的平民，名為湯普生（Benjamin Thompson）。

湯普生從小精力充沛有企圖心、「面貌英俊瀟灑」、偶爾勇氣十足而且腦筋絕頂聰明，凡事只從大局著眼，不太受道德小節拘束。湯普生十九歲時跟一位比他年長十四歲的富有寡婦結婚。

在美洲殖民地開始鬧革命的時候，他沒看清楚局勢而選擇了親英的效忠派那邊，並且一度為他們打探消息。最後到了決定命

美裔英籍物理學家冉福得伯爵，1776 年驚險逃過麻州反效忠派的私刑折磨，才能在 1799 年前往倫敦，創立了孕育無數化學家的英國皇家科學研究院。

運的 1776 年（英軍投降，美國獨立革命成功），他「因為不夠熱中於自由理想」而面臨逮捕。就在一群反效忠派份子挾帶幾桶燒熔的瀝青跟幾袋羽毛，趕到他家「改造」的前一刻，他倉促的拋妻棄子，逃之夭夭。

他最先逃到英國，然後轉去德國，變成了巴伐利亞政府的軍事顧問。由於一直表現極為優異，1791 年當局冊封他為神聖羅馬帝國的冉福得伯爵。當他在慕尼黑工作時，還替當地設計及配置了一座名為英國花園的著名公園。

在完成上述這些不平凡事業的同時，他還找出了時間從事大量真才實學的科學研究。他變成了頂尖的熱力學權威，而且是第一位闡明了各種流體的對流原理及各處洋流的循環。他還發明了好幾樣很有用的東西，包括一種滴漏式咖啡機、保暖內衣、以及一種至今仍然稱為冉福得壁爐的火爐。

1805 年間，他客居法國，居然向孀居的拉瓦謝夫人求婚得逞，但是婚姻並未成功，兩人很快又分道揚鑣。離婚之後他留在法國，一直到 1814 年去世。蓋棺後，舉世除了他的兩位前任老婆之外，無人不給予他至高的評價跟推崇。

我們之所以提起冉福得伯爵，目的是要告訴讀者，在 1799 年發生了一段跟他有關的插曲，那年他曾經短期逗留倫敦，利用這段時日創辦了英國皇家科學研究院。

在十八世紀末葉跟十九世紀初葉，全英國各處紛紛成立的學術團體不知凡幾，它只是其中之一，不過它在性質上跟其他的團體有些區別，有一段時間，它幾乎是唯一在實際推動化學這個年輕學門的學術機構。

而這個研究院之所以有這樣的堅持，完全是當時一位才華洋溢的年輕人戴維的功勞。戴維在皇家科學研究院剛成立不久時，奉派為該院的化學教授，在很短時期內就為自己打響了名聲，成為遠近知名的傑出講師以及有成就的實驗化學家。

戴維在接受此職位後不久，就一個接一個的發現新元素：鉀、鈉、鎂、鈣、鍶、鋁＊。他能發現這麼多元素，倒不是因為比別人機伶，知道如何解決困境，而是他建立了一套設計精妙的技術，可以把電流通過熔化的物質，這種方式現在稱為電解。

＊　鋁的英文拼法有aluminum跟aluminium兩種。這個混亂是該元素的發現人戴維因為優柔寡斷而造成的。1808年，他首次把這種元素分離了出來，當時他取的名稱是alumium，但是不知道究竟為了啥原因，4年後他決定改成aluminum。美國人乖乖的採用了這個新字，但是許多英國人不喜歡，指出它破壞了許多其他新發現元素都採用「-ium」的字尾模式。於是他們自作主張，給它再加上了一個「i」，以便向其他元素看齊。

他一共發現了整整一打的元素，占當時已知元素的五分之一。以他的聰明才智，戴維顯然可以做到遠比實際完成的要多。但是非常不幸的，他年輕時就已經對笑氣造成的虛浮快感產生依賴，後來癮頭愈來愈大，變得每天都要吸食三到四次。最後在 1829 年，才剛滿五十歲就一命嗚呼，據推斷致命原因就是笑氣。

幸好別的地方還有很多不嗑藥的人在做研究。個性冷峻倔強的教友派信徒道耳吞（John Dalton, 1766-1844），成為了間接指出原子性質的第一人（其中故事待第 9 章時，咱們再討論）。

而在 1811 年，一位名字取得像歌劇角色似的義大利人亞佛加厥（Lorenzo Romano Amadeo Carlo Avogadro, 1776-1856）發現了一條對後世影響極深遠的原理，那就是：相同體積的任何兩種不同形式氣體，在同樣的壓力跟溫度之下，包含的分子數目完全相等。

後人所稱的「亞佛加厥原理」，有兩點值得我們注意。第一，它提供了一個能夠更精確測量原子大小跟重量的基礎。比方說，化學家採用了亞佛加厥的數學方法，終於能夠計算出一個典型原子的直徑僅僅只有 0.00000008 公分，的確是非常小。第二，亞佛加厥發現了這個漂亮簡單的原理之後，這個原理沉寂了將近五十年，其間幾乎無人知曉！

部分原因在於亞佛加厥很靦腆。他單獨打拚，很少跟科學家同儕通訊往來，不發表論文，也不參加會議，當然也因為那個年代沒有什麼會議可以參加，也沒有什麼化學期刊可供他發表論文。這個事實相當不尋常。工業革命的主要推動力量來自化學各方面的發展，而化學本身做為一門有組織的科學，不過才數十年歷史而已。

亞佛加厥原理與亞佛加厥數

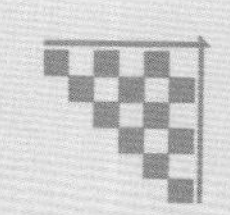

義大利物理學家亞佛加厥，發現了用來計算分子數目的重要原理，這個原理後來就稱為亞佛加厥原理。這個原理在很久以後衍生出亞佛加厥數。

亞佛加厥數是化學測量上的基本單位，而當該數字冠以亞佛加厥之名時，亞佛加厥早就死去多時。亞佛加厥數是 2.016 克氫氣（或是跟它同體積的任何其他氣體）裡的分子數目，近似值是 6.0221367×10^{23}，是極為巨大的數值。長久以來，修習化學的學生無聊時，常喜歡計算這個數值在應用時究竟有多大。

我在這兒向讀者報告他們計算出來的幾個結果：這個數量的爆玉米花，能把整個美國國土掩埋，且厚度達 14.5 公里。它也是太平洋的海水總量的杯數。換以飲料鋁罐當單位，則這麼多個罐子足可掩蓋整個地球表面，高度達 322 公里。如果把這麼多個一美分硬幣，平均發給世界上的每個人，則人人都成了擁有一兆美元的富翁！亞佛加厥數真的是很大的數。

分子式的整合

倫敦化學學會到 1841 年才成立，而且還要等到 1848 年才開始按時出版期刊。那時大部分英國的學會，包括地質學會、地理學會、動物學會、園藝學會、以及林奈學會（屬於博物學家跟植物學家的組織），都比化學學會至少早個二十來年；有些學會的歷史還更久。

後來，化學學會的主要競爭對手皇家化學研究院比它又晚了三十多年，遲至 1877 年才成立，比美國化學學會的創立還晚了一年。由於化學界組織起來的速度異常緩慢，亞佛加厥的這項重要突破雖然發生在 1811 年，但消息要散布開來，還得等到 1860 年，在德國的喀斯魯（Karlsruhe）召開的第一次國際化學會議之後。

也由於化學家長久以來都慣於孤軍奮鬥，以致於會議遲遲才召開。在如此缺乏溝通的情況下，甚至在十九世紀的下半葉已經開始了一陣子時，仍有許多人雖然知道分子式 H_2O_2 代表的是過氧化氫，但還是有化學家會把它誤認為水，而 C_2H_4 有人知道是乙烯，有人以為是沼氣。總而言之，幾乎還沒有任何分子的表示法是全球一致的。

化學家還使用各式各樣讓人眼花撩亂的符號跟縮寫，且常是自創的。瑞典的貝采利烏斯（J. J. Berzelius, 1779-1848）引進了非常需要的維持秩序法：他倡議，元素的縮寫一定得根據它們的希臘或拉丁文名稱。那就是為何鐵的縮寫是 Fe（來自拉丁名稱

ferrum），而銀是 Ag（拉丁名稱 *argentum*）。

我們看到其他非常多的元素縮寫跟英文名稱似乎相符（如氮的縮寫為 N，而它的英文是 nitrogen；氧的縮寫為 O，英文是 oxygen；氫的縮寫是 H，而英文是 hydrogen 等等），這只是反映出許多英文字是源自拉丁文的事實，而不是因為英文受到了特殊眷顧。

貝采利烏斯採用了上標的方式，來表示一個分子裡同一種原子的數目，諸如把水寫成 H^2O。後來，沒有特別原因，大家又流行把上標改成下標：H_2O。

即使經過有心人偶爾的整理統合，大體說來，化學在十九世紀中葉之前仍是一團糟。所以每一個人都非常樂意見到，俄國聖彼得堡大學的一位不修邊幅的古怪教授，在 1869 年創出了卓越的名聲，這位教授的大名是門得列夫（Dmitri Ivanovich Mendeleyev, 1834-1907）。

週期表的發明

1834 年，門得列夫出生在西伯利亞極西部的托波斯克（Tobolsk），父母都受過良好教育，家境還算富裕，只是兄弟姊妹眾多，多到歷史上都搞不太清楚他家究竟有多少孩子。有些資料來源說是十四個，有些則說有十七個。不過大家都同意他是老么。

門得列夫一家的時運並非一路平順，父親本是當地一所學校的校長，在門得列夫年紀尚幼時，父親忽然眼睛失明。於是母親為了養家，必須出外工作。顯然她是非常不平凡的女子，最後升任為經理，管理一家生意很好的玻璃工廠，一切順利美好。

到了 1848 年，工廠不幸失火燒毀，全家生活頓時陷入困境。然而為了堅持要讓小兒子受教育，這位不屈不撓的門得列夫太太帶著年僅十四歲的兒子，用搭便車的方式跋涉了數千公里，終於把兒子送進了當地的師範學院。此時她已為此行而心力交瘁，不久後就去世了。

門得列夫遵照母親的遺願，規規矩矩的完成了學業，並在聖彼得堡大學謀得了一份教職。他在這個教授職位上很稱職，但並不是非常傑出的化學家，他並非以實驗能力為人所知，而是以一頭既長且亂的頭髮跟一嘴大鬍子（這些他每年只修剪一次）在學校裡聞名。

然而到了 1869 年，是年他三十五歲，開始把玩安排元素順序的方式。當時的人們通常以兩種不同的方法為元素分類，一是依據它們的原子量（利用亞佛加厥原理），另一個分類是依據它們相同的性質（諸如它們是金屬或氣體），兩個分類法各自獨立。門得列夫的突破是看出這兩種方法可以合而為一，得出一張表來。

就像科學上常見的故事那樣，他發現的原理實際上在三年前，就已經由一位英國業餘化學家預期到了。這位先生的名字是紐蘭茲（John Newlands），他指出當元素按照重量排列時，似乎每隔八個位置就會重複某些性質，在某種意義上顯然有著調和的意味。紐蘭茲把這個現象逕自稱為「八音律」（Law of Octaves），想用鋼琴琴鍵的排列方式來說明他的想法。

週期表的發明人門得列夫。門得列夫晚年時脾氣暴躁，這張照片難得捕捉到了他平靜的一刻。

不過此舉有些欠妥，因為大眾接受的時機尚未成熟。再則，或許紐蘭茲的表達態度上也出現了些問題，反正他的這個觀念給人認定是壓根兒荒腔走板，因而處處受嘲笑。在一些集會上，聽眾中喜愛搞笑的人士有時會站起來問他，可否請他的元素為大家演奏一小段曲子。幾次取笑後，紐蘭茲灰了心，放棄推銷他的新觀念，而且很快就銷聲匿跡，不知所終。

門得列夫的方法跟紐蘭茲的稍有不同，他把元素每七個編成一組，但基本原理完全相同。陡然間，他這個觀念看起來出色極了，完全可以理解。由於這些性質周而復始的重複，他的這項新發明就以「週期表」為人所知。

據說門得列夫發明週期表是受到一種撲克牌遊戲的啟發，這種遊戲在北美洲叫做接龍，其他地方則叫做忍耐工夫。

遊戲的目的是要把不同花色的牌安排到不同行內，而每行中則按牌面點數順序編排。利用大致相同的概念，他把元素排好了後，稱橫向的「列」為「週期」，直向的「行」為「族」。這樣一來就可以同時表現出元素間的同列跟同行的兩種關係。

更明確的說，同一行中的元素，具有相似的化學性質，譬如表中銅擺在銀的正上方，銀又在金的正上方，它們因為同為金屬，化學性質非常接近。而氦、氖、氬三種元素則同屬於全是氣體的另一行。（其實真正決定元素屬性的「正式」因素，是它的電子價。你若是想知道電子價究竟是怎麼回事，最好的辦法是去上夜校，選修普通化學，我在這兒只點到為止，恕不進一步解釋了。）而同一橫列的元素間又是啥關係呢？它們從左到右，按照原子核中遞增的質子數排列，而元素的質子數就是它的原子序。

我們即將在下一章討論原子的結構跟質子的重要性，所以此處我們只需要瞭解一下週期表的組織原則：氫只有一個質子，所以原子序為 1，占據了週期表第一個位置。鈾有九十二個質子，所以原子序為 92，擺在表上接近尾巴的位置。從這個角度看，難怪科學作家鮑爾（Philip Ball）會指出，化學實際上只不過是數數而已。（在此順便提醒各位，不要把原子序跟原子量搞混了。原子序是元素的質子數，原子量則是一莫耳原子的重量。）

不過在門得列夫發明週期表的年代，人們對元素所知有限。譬如那時完全不知道，氫是宇宙間最普遍的元素，要在三十年後

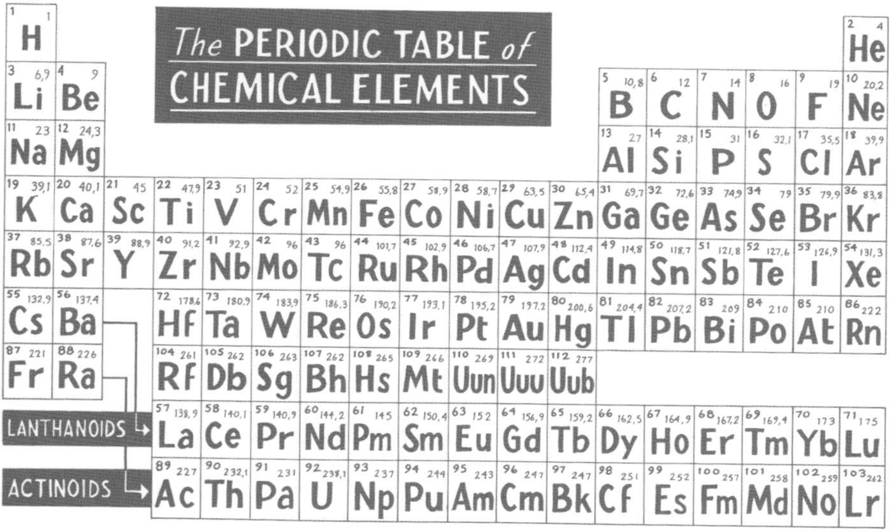

門得列夫在 1869 年發明的週期表，到今天仍然是化學研究的重要利器。聽說，當初門得列夫會發明週期表，還是從撲克牌接龍遊戲中得到的靈感。

才有人開始朝這個方向猜想。

又如氦，它是含量第二豐富的元素，卻在週期表發明的前一年才有人發現。之前人們甚至連想都沒想過氦的存在，而且它的發現地並不在地球上，而是在太陽上。有人在觀察日食時，透過光譜儀發現氦躲在太陽裡，所以氦取名為「helium」，以尊崇希臘太陽神 Helios。地球上的氦得等到 1895 年才首次分離出來。即使是這樣，由於門得列夫的發明，化學終於能夠穩穩的站了起來。

對多數人說來，週期表只是理論上一件美好的東西，但是對化學家，週期表當即建立了一種不可言喻的了不起秩序跟明晰度。克利伯斯（Robert E. Krebs）在他 1998 年出版的《地球上化學元素之歷史及用途》（*The History and Use of Our Earth's Chemical Elements*）一書中寫道：「毫無疑問的，化學元素週期表是有史以來，組織圖表中最優美的一張。」而你可以發現，在幾乎所有的化學史料裡，對週期表都異口同聲表示推崇。

今天我們有「一百二十個左右」的已知元素，九十二個自然存在的元素，跟兩打左右由實驗室內創造出來的。實際上的數目有一點爭議，原因是一些很重的人造元素，壽命僅只數百萬分之一秒，以致於化學家之間，有時會為了是否的確能偵測到它們而爭辯不休。

在門得列夫的時代，已知的元素僅六十三種，門得列夫的聰明之處在於，他當時就看出來，那時的已知元素並不足以填滿整個週期表，也就是還有許多元素尚未發現。因此他的週期表上仍空著一些位置，有原子序、化學性質，卻無元素。後來當這些元素陸續發現時，性質都跟他的預測吻合。

順便再提一件與此有關的事，那就是沒人知道，元素的總數究竟會到達多少。雖然大多數人認為，原子量超過 168 的元素都是「純推測」而已。但很確定的是，將來發現的任何元素，都逃不出門得列夫設下的偉大方案範圍。

發現放射性元素

十九世紀對化學家最後還有一大驚喜。它開始於 1896 年，那年某天，住在巴黎的貝克勒教授（Henri Becquerel, 1852-1908）

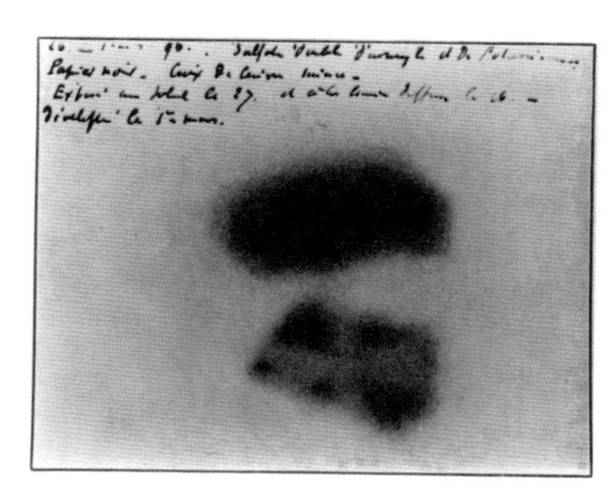

貝克勒教授收在抽屜裡，保護得好好的照相底片上，竟出現了陰影。這個意外導致了放射性的發現。

把一小包鈾鹽收進抽屜時，恰巧放在一片包起來的照相底片上。過了一些時日，貝克勒驚奇的發現，那包鈾鹽在照相底片上燒出了一個影像，就像曝了光似的，這表示這種鹽能發放出某種射線來。

以這項發現的重要性而論，貝克勒做了一件非常奇怪的事：把這件事交給一位研究生去做檢驗，看看原因何在。幸好這位學生是最近才從波蘭移民到法國的居禮夫人（Marie Curie, 1867-1934）。她那時剛新婚，跟法國夫婿居禮（Pierre Curie, 1859-1906）一塊兒工作。

居禮夫人發現某些種類的岩石不斷發放出非常大的能量，然而無論用什麼方法去量，岩石的大小跟重量都維持不變。她跟她先生當時不可能知道（事實上在下一個世紀，由愛因斯坦做出解釋前，壓根兒就沒有人知道），那些岩石正在以極有效率的

週期表也可以用山川風景的方法來表現，
圖中的高峰與斜坡分別表示元素的各種性質，
例如：原子序與原子量等等。這張圖描繪的景致，
是從東北部往過渡金屬方向看過去，遠眺鋨與鉉的頂點。

居禮夫婦在巴黎的合影。
他們夫妻倆與恩師貝克勒，
因為放射性研究，
在 1903 年共同獲得了諾貝爾物理獎。

方式，把質量轉變成能量。居禮夫人稱這種效果為「放射性」（radioactivity）。

居禮夫婦在研究這項問題的過程中，發現了兩種新的元素：釙與鐳。釙（polonium）的命名是為了紀念她的祖國波蘭（Poland）。1903 年，居禮夫婦跟她的老師貝克勒共同獲得了諾貝爾物理獎。（到了 1911 年，居禮夫人又得到一次諾貝爾獎，不過這次是化學獎。她是歷史上唯一一位得過諾貝爾物理獎與化學獎的人。）

拉塞福登場

還記得上一章結束時，我提到紐西蘭出生的農村孩子拉塞福吧，現在終於輪到他上場了。年輕的拉塞福受聘到加拿大蒙特婁的麥基爾大學任教，在那兒他對新的放射性物質發生了興趣，跟同事索迪（Frederick Soddy, 1877-1956）合作，他們發現一小塊放射性物質就綁住了極巨量的儲備能量，這種儲備能量藉著放射衰變（radioactive decay）向外發放，可能就是保持地球溫暖的主要能源。

他們還發現，放射性元素衰變後，成了另外不同的元素，譬如某天它明明是鈾原子，但第二天卻已經變成了鉛原子。這件事的確是不同凡響，這不是鍊金術，又是什麼呢？既真純又簡單，只是從來沒有人做夢想得到，它竟然會自動發生！

由於拉塞福是實用主義者，因此他在學者中第一位認真想到，放射性物質跟現象能有什麼有價值的用途。他注意到任何放射性物質都有一個共同性質，那就是它永遠要經過同樣長的衰變時間後，放射性物質的量才會減半，這即是有名的半衰期＊，而這個穩定可靠的衰變率，也許可以用來當作有用的時鐘。

理論上，我們從一個放射性物質樣品的現有放射性強度跟衰變率，可以很容易倒算出此放射性物質的年齡。他拿了一塊瀝青鈾礦做了一次實驗，計算下來發現這種礦石的年齡高達七億年，遠比當時絕大多數人所以為的地球年齡要長。

1904年春天，拉塞福旅行到倫敦，在英國皇家科學研究院發表了一場演講。皇家科學研究院是一百零五年前由美國出生的冉福得伯爵創辦的，現已成為極其莊嚴的學術會館，創始初期那個紳士臉上抹粉、頭戴假髮的世代似乎早已遠去，取而代之的是維多利亞後期，人人捲起袖子的健壯形象。

拉塞福講的內容是他對放射性的整體理論，其中他也解釋了自己的瀝青鈾礦石實驗結果。由於他注意到年老的凱文勳爵當時在座，滿面疲憊，不復當年之精明強幹，拉塞福於是圓滑的指出，說凱文勳爵以前曾經表示過，他發現地球有其他不明熱源，很可能會使得他的地球年齡計算出現大幅偏差。如今拉塞福已經

＊ 如果你曾質疑，到底原子如何決定哪一半會消失，哪一半會留到下一時期。這個問題的答案是，半衰期真的只是統計上的方便說法，它就像是基本物質的精算表。想像你有一些物質的樣品，它的半衰期是30秒。這並不是說樣品中的每一個原子將會存在剛好30秒、60秒、或90秒，或存在剛好一段規定的時間。事實上，每一個原子存在的時間長短是隨機的，與30的倍數無關；原子可能再存在個2秒鐘，或耗費幾年的時間來變化，或者花幾個世紀的時間衰變。這都很難說。但是我們可以說，整個樣品的消失率，是每30秒就有一半的原子消失。換句話說，這是平均的變化率，而且你可以把這種觀念應用於任何大型的樣品中。例如，曾經有人計算過，美金一角硬幣的半衰期大約是30年。

發現了那個熱源，而幸虧有放射性，地球才可能（且不證自明）比凱文勳爵計算出來的二千四百萬年要老得多。

凱文勳爵聽了拉塞福這番充滿敬意的說法，笑容滿面。但事實上，他並未讓拉塞福說動，他從沒接受任何別人發表的數字，直到去世為止，他一直相信自己對地球年齡的計算，是這輩子對科學最有智慧跟最重要的貢獻，甚至遠比他在研究熱力學上的成就要大。

就像大部分的科學改革一樣，拉塞福的新發現並不是到處為人接受。譬如愛爾蘭都柏林大學的喬利（John Joly,1857-1933），甚至到了 1930 年代中期，仍倔強的堅持，地球年齡絕不超過八千九百萬年。他的這項主張最後隨他的死亡才劃下句點。其他的人則開始憂慮，拉塞福發現的地球年齡是不是太長了一些。即使有了「放射性定年法」（radiometric dating）這種借重元素衰變來測量的工具，我們仍然要等上數十年之久，那時計算出的地球年齡，誤差才會在十億年以內。科學前進的方向正確無誤，但是誤差仍然極大。

凱文勳爵死於 1907 年；同年，門得列夫也離開了這個世界。就像凱文勳爵一樣，門得列夫在研究工作上早已是強弩之末，不再有任何突破性進展，而在事業開始走下坡的年代裡，他變得相當不平靜。門得列夫上了年紀後，變得愈來愈偏激，他拒絕接受放射性現象的存在，也不接受電子或任何新東西，而且愈來愈難相處。

他死前的最後數十年，經常怒氣沖沖的衝出歐洲各地的實驗室跟演講廳。1955 年，當元素 101 取名為鍆（mendelevium），以表示對門得列夫的推崇時，史查森（Paul Strathern，《門得列夫之夢》一書的作者）指出：「此舉非常恰當！因為它是極不穩定的元素。」

放射性以沒人想得到的方式持續發生。1900 年代初，居禮先生開始感受到明顯的放射性疾病症狀，最顯著的是骨頭隱隱作痛跟長期抑鬱不適，症狀愈來愈惡化，但對此我們卻永遠無法確知，因為 1906 年，他在巴黎過馬路時不幸遭馬車輾過而去世。

居禮夫人的後半生，在科學研究上仍表現得極為傑出，並在 1914 年協助巴黎大學創立了著名的鐳研究所（Radium Institute）。儘管她得到兩座諾貝爾獎，但卻從未入選法國科學院的院士。主要原因是在居禮先生死後，她跟一位已婚的物理學家發生了婚外情。她的行為過於輕率不莊重，連法國人都覺得震驚跟可恥，至少那些操控科學院的老男人是這樣覺得，不過這已經是題外話了。

有很長的時間，人們推論像放射性這樣奇蹟似有活力的東西，必然對人有某些益處。有許多年，製造牙膏跟通便劑的廠商，故意把有放射性的釷加在產品中。在美國紐約州的芬格湖（Finger Lakes）區，格蘭泉旅館（及其他同性質的旅館）至少到了 1920 年代末，還在大做廣告，鼓吹它的「放射性礦物泉」的治療效果。消費物品中的放射性成分，得等到 1938 年才受法律正式禁止，這對居禮夫人來說是太晚了，她在 1934 年死於白血病。

放射性事實上是非常有害且效力持久的東西，甚至到了現在，居禮夫人在 1890 年代寫的論文跟閱讀的書籍，甚至在家做飯用的食譜，都還具有危險性，不能去碰。她的實驗筆記都儲藏在裝有鉛質襯裡的箱子裡，任何人想一睹她的親筆紀錄，都必須先穿上防護衣。

多虧了這些早期的原子科學家，專注於研究工作而不知其高危險性。在時序剛進入二十世紀的那幾年，人們漸漸看清楚了，地球毫無疑問的是很值得尊敬的老大，但是要讓人人都能很有信心的說出地球真有多老，還需要再加上半個世紀的科學研究。在此同時，科學也步入了一個全新的時代：原子時代。

光亮肌膚人人愛，但是在二十世紀初，人們卻是用最不要命的方法：把放射性物質加入美容用品內，來讓肌膚發光。

居禮夫人晚年時與愛因斯坦的合照。由於他們卓越的科學貢獻，才得以開啟原子時代之門。

第三部
新時代的序幕

1941 年時，技術人員在調整原子撞擊機，
這套機器當時才剛裝設在美國印第安納州的聖母大學裡。
機器產生的 8 百萬伏特能量，
讓科學家得以對原子結構以及產生的放射性金屬進行實驗。

第 8 章
愛因斯坦的宇宙

物理學家是以原子的方式思考原子。

——無名氏

十九世紀落幕後，科學家可以滿意的回顧自己的成就。他們已經把物理世界裡絕大部分人們無法解釋的現象，都清楚的研究出了來龍去脈：諸如電、磁、氣體、光學、聲學、動力學、統計力學，這些也因為他們而變得有條理。

他們發現了 X 射線、陰極射線、電子及放射性，也發明了歐姆、瓦特、凱氏溫標、焦耳、安培、以及微小的耳格（功的單位，相當 10^{-7} 焦耳）。

任何東西只要是能共振、加速、微擾、蒸餾、聚合、秤重或氣化，他們全都試過。而且在做這些實驗的過程中，製造出一大群具有分量且氣勢磅礡的通用定律，直到現在，我們在文章裡寫到它們的英文名稱時，第一個字母還傾向於使用大寫。

諸如光的電磁場理論（Electromagnetic Field Theory of Light）、瑞奇特反比定律（Richter's Law of Reciprocal Proportions）、查理氣體定律（Charles's Law of Gases）、氣體化合體積定律（Law of Combining Volumes）、第零定律（Zeroth Law）、價概念（Valence Concept）、質量作用定律（Laws of Mass Actions），以及其他多不勝數的例子。

世界因此變了，世人都非常高興，能有科學家用智慧創造出來的機器跟儀器可供使用，許多自以為聰明的人相信，科學家已經沒啥工作可做啦。

1875 年中，在德國北部港口城市基爾（Kiel），有一位名叫普朗克（Max Planck, 1858-1947）的年輕人，要為自己的事業發展做個決定。

他的選擇是去學物理或數學，但是關心他的長輩都勸他不要去搞物理，因為過去一個世紀以來，一連串的突破都發生在物理學門，他們向這位年輕人保證，下一個世紀將會是以整合強化跟細部改良為主，不再可能有革命性的物理發現了。

但是普朗克沒聽進去，他還是跑去攻讀理論物理，並且把身心完全投入到熵的研究上，熵是熱力學的核心觀念。這位有企圖心的年輕人一眼就看了出來，熵很有開發的空間＊。

熱力學宗師——吉布斯

不過 1891 年當他花了很大工夫做出一些結果時，才很失望的發現，他認為跟熵有關的重要工作，有人早已經做過了。這個人就是美國耶魯大學一位靦腆怕羞，喜歡離群索居的學者，他的大名是吉布斯（J. Willard Gibbs, 1839-1903）。

吉布斯的腦筋聰明過人，但大部分人多半沒聽說過他。他為人審慎有節，讓人幾乎忘了他的存在。他一輩子除了有三年去歐

＊ 更正確的說法是，熵是一個系統中，無規性（randomness）或無序（disorder）的量度。額斌（Darrell Ebbing）在他寫的《普通化學》教科書裡給了一個非常有用的比喻來解釋熵。
他說我們可以想一副紙牌，剛開封的新牌四組花色互不相混，而且每組花色都是從么點到十三點，依序排列。我們可說紙牌是在有規律的狀態中。洗牌把這個次序破壞，變成雜亂的狀態。熵是量計這種狀態有多無序的方式，也是用來決定在繼續洗牌後，達到某一特殊結果的可能性。
要完全瞭解熵，你還需要懂得一些其他概念，諸如熱的非均勻性、晶格間距、以及化學計量關係。可別追問我這些專有名詞是啥意思，我只能點到此為止，告訴你有這樣子的門檻而已。

聰明過人但孤獨成性的吉布斯，是熱力學研究的宗師，科學界公認，他的熱力學經典之作《平衡論》是「熱力學的《原理》」，可與牛頓在力學上的成就相媲美。

洲留學，幾乎全都耗在美國康乃狄克州紐哈芬市內一小塊範圍裡，也就是從他的住屋到耶魯大學校園間的三條街方圓內。他在耶魯大學服務的頭十年，連薪水都懶得去領（他另有其他收入）。

從 1871 年受該大學聘為教授，到去世的那一年為止，選修他的課的學生，每個學期平均只有一名。他寫的論文除了文字艱澀外，還有一套自己專用的符號，愈發讓人難以看懂他的意思。但是在他那些神祕的表述裡，卻埋藏著最高明的洞察智慧。

在 1875 年到 1878 年間，吉布斯發表了一系列論文，合訂成名為《非勻相物質平衡論》（*On the Equilibrium of Heterogeneous Substances*）。套用紐約的化學家兼作家克羅伯（William H. Cropper）的說法：這本書出色的闡明了各種情況下的熱力學原理，內容幾乎無所不包，有「氣體、混合物、各種表面、固體、物相變化……化學變化、電化學電池、沉積，以及滲透作用等等」。

重要的是，吉布斯告訴了我們，熱力學不僅可以用來找出蒸汽機那種又大又吵的機器中熱能的互動關係，熱力學在化學反應中的原子層次上也存在，且有深遠的影響。

後人推崇吉布斯的這本《平衡論》為「熱力學的《原理》」（有點跟牛頓的力學《原理》相提並論的味道）。但是當時為了不明的原因，吉布斯把這些劃時代的觀察報告，在一本叫做《康乃狄克文理學會會刊》的期刊上發表，這本期刊連在康乃狄克州境內都不太為人所知，所以當普朗克終於聽到吉布斯的論文時，已經為時太晚了。

好在普朗克並沒有因此而失去了勇氣，好啦，也許他是失去了一些些勇氣，他後來轉到其他議題上努力了。我們待會兒再回來繼續討論普朗克的故事，現在必須先暫時停住，彎到美國俄亥俄州的克里夫蘭市打個轉（此行仍然跟這個議題有關），拜訪那兒的凱斯應用科學學校（Case School of Applied Science）。

1880 年代中期，那所學校有位即將邁進中年的物理學家，名叫邁克生（Albert Michelson, 1852-1931），得到化學家朋友毛立（Edward Morley, 1838-1923）的協助，從事了一系列的實驗，得到一些奇怪且讓人覺得困擾的結果，這些結果，造成了許多意想不到的發展。

邁克生與毛立到底做了什麼呢？他們推翻了一個長久以來人們心目中相信的一樣東西，這樣東西叫做「光以太」（luminiferous ether）或簡稱以太，據說是穩定、看不見、無重量、無摩擦力的介質。人們相信光以太充滿在咱們宇宙裡，只可惜它完全是想像出來的東西。這個想像的理論首先由笛卡兒（Rene Descartes, 1596-1650）提出，牛頓想想認為不錯，於是從那時開始，每個人都篤信不疑。

以太在十九世紀的物理學裡，對於解釋光為什麼可以在空空如也的太空中傳遞，居於重要的中心地位。而它在 1800 年代尤其不可或缺，因為那時候，光與電磁現象都給認為是波。波是一種振動，振動必須在某件東西裡發生，以太也就順理成章派上了用場。

甚至遲至 1909 年，偉大的英國物理學家約瑟夫・湯姆森（J. J. Thomson, 1856-1940，1906 年的諾貝爾物理獎得主）還堅持說：「以太並不是什麼投機哲學家的幻想產物，它如同我們呼吸的空氣一樣重要。」這是在已毫無疑問的證明以太不存在的四個多年頭後，他老兄所發表的言論。由此可見，人們對以太的依賴，還真是難以割捨呢！

實驗失敗，卻是最大的成功

如果你需要證明十九世紀的美國是充滿機會的地方，能舉的最好例子莫過於邁克生的一生。他出生在德國與波蘭邊境的一個貧窮猶太商人家庭，在襁褓中隨父母移民到美國，在加州淘金地帶的礦工營區長大，他父親也在那兒開設了一家乾貨店。

邁克生在中學畢業後，由於家裡供不起他上大學，他旅行到美國首府華盛頓特區，故意跑到白宮前門口溜達徘徊。他打聽得知，當時的美國總統格蘭特（Ulysses S. Grant, 1822-1885）習慣每天出門健行。邁克生要假裝不期而遇的跟總統一同散步聊天（顯然那是較單純的時代），結果真的如他所願。幾次散步下來，邁克生的逢迎工夫奏效，總統答應給他在美國海軍軍官學校安排一個推薦入學名額。而就是在這所學校裡，邁克生學習到了物理學。

十年之後，邁克生已經是克里夫蘭凱斯學校的教授了，他的研究興趣轉變到了試圖測量「以太飄移」（ether drift），這是物體穿過空間移動產生的逆風。

牛頓物理的預測是，光在以太中的速度，隨觀測者的角度不同而改變，當觀測者朝著光源或背著光源移動，看到的光速並不相同，但沒人想得出測量的方法。邁克生想到，地球有半年是朝太陽方向前進，有半年是遠離太陽的，如果運用良好的器材做精細的測量，記錄兩個相對季節的光速差別，並進行比較，就可以找到答案了。

邁克生特地跑去說服新近因為發明電話而發大財的貝爾（Alexander Graham Bell, 1847-1922）提供經費，按照邁克生自己的設計，建造了一部極其精巧靈敏的儀器，叫做干涉儀，這部儀器可以非常準確的測量光速。然後個性和藹但曝光不多的毛立跑來幫忙，他們兩個開始了長達數年幾近吹毛求疵的測量工作。

這個工作非常細緻且耗費精力，其間甚至曾經一度因邁克生積勞成疾、精神崩潰，而不得不短暫叫停。1887 年他們終於得到了結果，然而結果跟當初預期的完全不同。

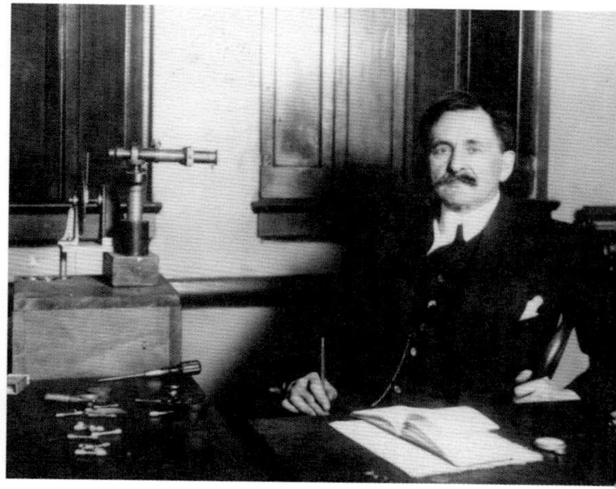

毛立（左）以及邁克生（右）兩人在長達數年幾近吹毛求疵的測量後，終於在 1887 年證明，根本沒有「以太」這個東西。從牛頓時代以來，每個人都深信以太充滿在咱們宇宙裡！

就像加州理工學院的天文物理學家索恩（Kip Thorne）寫的：「光速在任何方向跟任何季節裡，全都一模一樣。」這可是兩百年（不多不少恰好兩百年整）來，頭一遭顯示，牛頓定律也許並不能適用到所有時間跟地點。

作家克羅伯的說法是，這個邁克生—毛立的結果變成了「也許是物理學歷史上最著名的負面結果。」邁克生為此獲頒一座諾貝爾物理獎，是第一個獲此殊榮的美國人。但是他從發表結論到領獎，足足等了二十年。在此同時，這個邁克生—毛立實驗就像一股難聞的霉味，在科學思想的背後久聚不散。

叫人想像不到的是，邁克生雖然有了新發現，但是在二十世紀開始時，也跟其他科學家一樣，相信科學工作已接近尾聲。整個科學大廈「只剩下少許塔樓、尖頂以及屋頂的浮雕尚待完工罷了。」一位在《自然》上發表文章的作者如是說。

當然事實上，這世界才將進入新的科學世紀，在這世紀裡，許多人啥都不懂，也不再有人什麼都懂。科學家很快發現，自己漂流到了讓人迷惑的粒子與反粒子領域。而在此領域裡，各種東西在極短的時間內突然出現跟消失。這極短的時間有多短？跟它比起來，十億分之一（10^{-9}）秒緩慢得完全失去刺激感，而這兒的每樣東西都看起來奇異且不尋常。

科學正從其中物件看得見、抓得住、測量得到的宏觀物理學，轉變成了各種事件以不可思議的速度發生，規模遠比我們想像得到的最低限度還小的微觀物理學。易言之，我們正要進入量子時代，而第一位推開量子物理這扇大門的，就是一直運氣很壞的普朗克。

1900 年時，普朗克已經是柏林大學的理論物理學家，年齡已到了「不惑」的四十二歲，他發表了嶄新的「量子理論」，主張能量並非像流水一般連續不斷，而是可以分成許多個別的小包裝，而他把這些小包裝名之為「量子」。

量子在當時這是新奇的觀念，但也是很好的觀念。就短程影響上，它將有助於解決邁克生－毛立實驗造成的困惑——在這個實驗中顯示，光不必是波。而在長程影響上，它奠下了整個近代物理學的基礎，無論如何，它是這世界即將改變的第一個徵兆。

命運多舛的普朗克

普朗克的一生，運氣總是很糟。他所愛的第一任太太早死。1909 年，他兩個兒子中的老二，在第一次世界大戰中陣亡。他有一對雙胞胎女兒，從小是他捧在手心裡呵護的一對寶。其中一位不幸死於難產，剩下的那位去照顧那名出世就喪母的外甥，卻愛上了嬰兒的爸，因而共結連理，結婚才兩年，她也死於難產。

1944 年，普朗克高齡八十五，一顆盟軍的炸彈掉在他的屋子上，讓他損失了所有：文稿、日記、及一輩子的收藏。次年，他的大兒子在一宗刺殺希特勒的陰謀事件中被逮，隨後遭處以極刑。

在科學上，普朗克也是一路坎坷，他原先熱中於研究熱力學，但在發現吉布斯已經把這個領域的重要工作都完成了，只得頹喪的結束熱力學的研究。幸好，天無絕人之路，普朗克轉個彎、換個領域後，在量子理論上有了極大的成就。

但是劃時代的創舉，新時代的第一道曙光，到 1905 年才來臨。那年在德國物理學期刊《物理年鑑》（*Annalen der Physik*）上，出現了一系列的論文，作者是年輕的瑞士公務員，不屬於任何大學，也沒有實驗室可用，他經常去的圖書館，是當時的服務單位附設的圖書室。那時他在伯恩的國家專利局受聘的職級，僅僅是第三級技術檢驗員而已（而且他想升等到第二級技術檢驗員的申請書，剛剛被上級打了回票）。

他的大名就是愛因斯坦（Albert Einstein, 1879-1955）。在同一年裡，他送交《物理年鑑》五篇論文。根據科學作家斯諾（C. P. Snow, 1905-1980）的說法：裡面有三篇是「物理史上最偉大的論文」，其中一篇是利用普朗克剛發表的量子理論檢驗光電現象；一篇是關於懸浮液中微小粒子的行為（即所謂的布朗運動）；還有一篇則是狹義相對論。

上述的第一篇論文為它的作者贏得了一座諾貝爾獎，也解釋了光的性質（而且由於它的影響，衍生出許多新的科學發展，電視的發明即是其中一項）。第二篇提供了原子的確存在的證明，且很讓人驚訝的是，事實上，以往科學界對原子的存在，曾有過一些爭論。第三篇沒啥了不起，它只是改變了咱們這個世界。

愛因斯坦於 1879 年出生在德國南部的烏爾姆（Ulm），但是在慕尼黑成長。幼年時的表現平平，一點也看不出有朝一日會變成偉人，而且大家都知道，他三歲時才開始牙牙學語。1890 年代中期，他父親的電器生意失敗，全家搬到義大利北部的米蘭，只有他獨自負笈瑞士繼續學業。然而他頭一次參加大學入學考試時

長壽才能得諾貝爾獎

這是愛因斯坦在 1955 年去世之前不久留下的影像。愛因斯坦獲頒諾貝爾獎的正式原因一直是模模糊糊的，只說是「為了他對理論物理學的各種貢獻」。而且他是在 1905 年送出論文，等了十六年才在 1921 年獲得這個獎，真是滿久的了。

但若是跟諾貝爾獎歷史上其他望穿秋水的例子相比，還只是小巫見大巫。比方說，美國物理學家瑞那斯（Frederick Reines, 1918-1998）在 1957 年就發現了微中子（neutrino），但是到了 1995 年才得獎，中間相隔三十八年。或是德國的魯斯卡（Ernst Ruska, 1906-1988），他在 1932 年發明了電子顯微鏡，1986 年才得到諾貝爾獎，中間超過了半個世紀。

由於諾貝爾獎從未頒給過世的人，所以對得獎者而言，不但要有傑出的發明才能，長壽也是同樣重要的因素！

慘遭敗績。

1896 年，他為了避免受徵召入伍，放棄了德國公民的身分，同年他進入蘇黎世理工學院，讀那兒提供的一種為期四年的課程，那是設計來快速培育大批中學科學教師的。他在校的成績不錯，但並非最傑出的學生。

1900 年他從該學院畢業，幾個月後就開始著手寫論文，投到《物理年鑑》發表。他的第一篇論文，討論（在所有東西裡的）吸管中液體的物理現象，剛好跟普朗克的量子理論出現在同一期。從 1902 年到 1904 年，他寫了一系列關於統計力學的論文。但寫好後才赫然發現，那位住在美國康乃狄克州、不動聲色的多產作家吉布斯，早已把這些工作做過了，而且都寫在 1901 年發行的《統計力學基本原理》一書中。

同段時期裡，愛因斯坦跟一位名叫米列娃．馬瑞可（Mileva Maric）的匈牙利籍女同學墜入愛河。1901 年他們有了一名私生女，慎重考慮後送人領養，愛因斯坦再也沒見過這個女兒。兩年後，他跟米列娃．馬瑞可終於結婚。

就在這多事之秋的 1902 年，愛因斯坦在瑞士國家專利局找到工作，他在這份工作上待了七個年頭。他相當喜歡這份工作：覺得它有挑戰性，值得花心思，卻又不會妨礙他研究物理。在這樣的背景下，他在 1905 年構思出狹義相對論。這篇論文的原標題是〈論動體之電動力學〉（On the Electrodynamics of Moving Bodies），它可是發表過的科學論文中最不隨俗的一篇，不只是內容，呈現表達方式也跟絕大多數的論文大異其趣。

愛因斯坦跟米列娃．馬瑞可在 1905 那個「奇蹟之年」時的合影。那一年，愛因斯坦發表了三篇掀起物理革命的論文，但就在愛因斯坦發光於物理界的這年，他為了有個安穩生活，想謀個教師職位，卻慘遭拒絕。

論文裡既沒有任何注腳或引證，也幾乎沒有數學，更沒有提及對此篇論文有影響或導致它成形的研究文獻。它的誌謝部分只有一個人的名字，是愛因斯坦在專利局的同事，名叫貝索（Michele Besso, 1873-1955）。斯諾寫道：看來似乎他「純靠一己之尋思所得，沒受任何人幫助，也沒聽取別人的意見，就得到了這些結論。他這篇論文的絕大部分甚或全部，就是如此寫出來的。」

他著名的方程式，$E = mc^2$ 並未出現在這篇論文裡，而是在數月之後，他另外寫的一小段補充中才提及。你應該記得，學校一定教過這個方程式，裡面的 E 代表能量，m 是質量，而 c^2 為光速的平方。

以最簡單的字眼解釋，這個方程式表示質量跟能量間有對等關係。它們是同一樣東西的兩種形式，能量是解放了的質量，而質量則是蓄勢待發的能量。由於 c^2（光速的平方）是極龐大的數值，所以這個方程式告訴我們，在每一個實質的物體中，都包含巨大（真的是非常非常巨大）的能量。

你也許不覺得自己特別結實強壯，但只要你是體型中等的成年人，在你那不起眼的身體架構裡，就至少包含了 7×10^{18} 焦耳的潛在能量，爆炸威力相當於三十顆非常大的氫彈——只要你知道如何把它釋放出來，也願意如此做的話。

其實每樣實質東西裡面，都綁得有類似的能量，只是我們不知道如何把它取出來。即使現有的鈾原子彈，這個目前為止威力最大的人造物品之一，在引爆時也只放出了不到全部潛在能量的百分之一而已。所以要是人能變得更聰明，原子彈威力的改進空間還大得很呢！

愛因斯坦的理論還解釋了放射性是怎麼回事：一小塊鈾如何連續不斷釋放出大量的能量，本身卻不致於像冰塊似的，迅速熔化消失（由於它能依照 $E = mc^2$ 公式，極有效率的把質量轉變為能量）。這個公式也解釋了為什麼恆星可以持續燃燒數十億年，而不會把燃料用盡。愛因斯坦大筆一揮，用了一個簡單的公式，即刻就贈送給了地質學家與天文物理學家「數十億年時間」這件豪華禮物。

最重要的是，狹義相對論告訴我們，光速是恆定跟超然的，沒有事物能追上或克服它。這個公式把光變成讓我們瞭解宇宙的核心。它也很明白的告訴了我們，光以太壓根兒不存在，因為愛因斯坦描述的宇宙，根本不需要這個玩意兒。

當時的物理學家由於長久因襲的積習，對這位瑞士專利局小職員的倡議並不熱中，即使其中充滿了有用的訊息也一樣。因此愛因斯坦的論文發表時，並沒有引起什麼注意。

就在他剛解決了好幾個宇宙間最深奧的祕密後，愛因斯坦申請了一個大學講師的職位，卻遭拒絕。他退而求其次，去申請當中學教員，居然也給拒絕。他只有回到原單位，繼續當他的第三級檢驗員，仍然不停動腦思考。此時離他大功告成之時還遠著啦。

有一次，法國詩人瓦萊里（Paul Valéry, 1871-1945）問愛因斯坦，他是否隨身帶著筆記本，把想到的觀念隨時記錄下來？愛

史上最有名的方程式

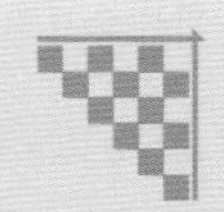

愛因斯坦親筆所寫的 $E = mc^2$ 公式的完整形成，寫於 1912 年。1996 年，蘇富比拍賣這份手稿，在喊價到三百三十萬美元後，買家縮手了。（據聞，賣家希望能賣到四百萬美元以上。）這份手稿後來私下賣給了以色列的一個博物館。

至於當初 *c* 如何變成光速的代表符號，是大家都搞不清楚的祕密。作家博丹尼斯（David Bodanis）在他的《 $E = mc^2$：天下最聞名公式的傳記》一書中說，它很有可能是源自拉丁文的 *celeritas* 一字，意思為快速。

比愛因斯坦理論面世早十年編寫成書的《牛津英文字典》的實用版裡面，列舉了滿多以 *c* 做為代表符號的東西，從碳（carbon）到板球（cricket）等不一而足，但並沒有提到用它做為代表光速或快速的符號。

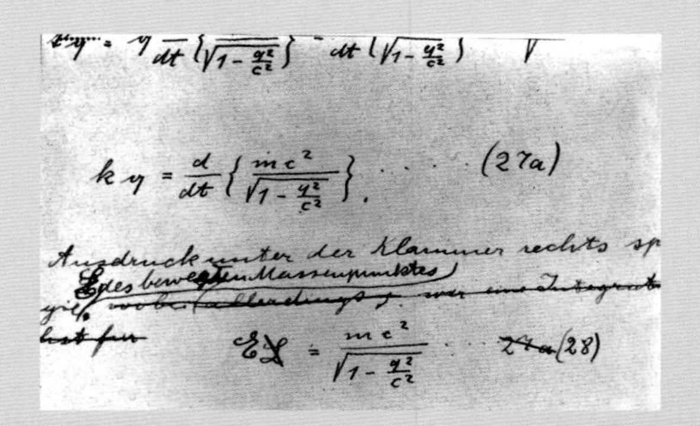

因斯坦有點驚訝的望著瓦萊里說：「啊！我倒沒有那個需要，我很難得有機會想到值得記下來的點子。」當然用不著我多嘴，任何人都看得出來，只要是愛因斯坦想到的點子，十之八九都不會糟糕。愛因斯坦的下一個點子可是所有想得到的點子之中，最偉大的一個。

的確，布爾斯（H. Boorse）、莫茲（L. Motz）跟衛維爾（J. Weaver）這三位作家合寫了一本原子科學史，書名是《原子科學家》（*The Atomic Scientists*）。其中說到愛因斯坦的點子：「以僅憑單獨一人的創造心思來說，這無疑是人類最高智慧的表現。」這當然是至高的讚美了！

關於愛因斯坦的穿鑿附會

真有人白紙黑字寫說，在 1907 年左右，有一天愛因斯坦看到一名工人從屋頂上摔了下來，才開始想到重力問題。得了吧！這就像許多乍聽起來滿動人的故事一樣，都是瞎掰的。愛因斯坦自己的說法是，有一天他沒事坐在椅子裡，重力問題就突然靈光一閃，出現在他的腦海裡了。

事實上，在愛因斯坦腦海裡出現的，比較像是重力問題的某個初步解答。因為顯然一開始，他就對狹義相對論裡面缺少了一樣東西而耿耿於懷，那東西就是重力。狹義相對論之所以狹義，是由於它只適合去解釋在大致上通行無阻的情況下，運動中物體之行為。但是當一樣東西，尤其是光，遇到了諸如重力之類的阻礙，又該如何？

在狹義相對論發表後接下來的十年裡，這問題一直在他腦海裡盤桓，導致他在 1917 年初，發表了一篇論文，題目是〈廣義相對論的宇宙學探討〉（Cosmological Considerations on the General Theory of Relativity）。

1905 年的狹義相對論當然是一篇深奧且重要的論文，但是就像斯諾曾說過的，如果當時愛因斯坦沒有發表狹義相對論的話，也許不用五年，也會有人發表出來，因為當時它的條件一切就緒，只等明眼人出現。然而廣義相對論完全是另一碼子事。斯諾在 1979 年寫道：若非愛因斯坦在六十二年前發表了廣義相對論，「咱們很可能到了今天，還在等待這個理論的產生呢！」

愛因斯坦憑著招牌煙斗、友善謙虛的態度跟叫人印象深刻的一頭亂髮，這種極佳的造型，很容易讓人注意。於是就在 1919 年底，第一次世界大戰剛剛結束，整個世界似乎在一夕之間，突然發現了愛因斯坦。然而也是幾乎頃刻之間，他的相對論也以一般人無法瞭解而出名。

作家博丹尼斯在他那本極佳的愛因斯坦傳記名著《$E = mc^2$》中，講了一個非常有趣的故事：《紐約時報》決定登載一篇關於愛因斯坦跟相對論的專題報導，但不知道出於什麼奇怪的理由，竟然派了一位專寫高爾夫球的記者克勞奇（Henry Crouch）先生去做專訪。結果當然不妙。

克勞奇是物理學門外漢，對相對論沒有任何概念，以致於寫出來的報導錯誤百出，幾乎把每件事都給弄擰了。其中最讓人印象深刻的是，他說愛因斯坦當時遍尋坊間，才找到了一家出版社，有足夠的勇氣出版愛因斯坦的這本書，而這本書呢，「整個世界上只有十二個學者看得懂。」

克勞奇說得活靈活現，似乎真有其事，但事實上從來沒這樣的一本書，也沒這個出版社，更沒有這麼一個懂得相對論的學術圈。但是克勞奇無中生有的說法卻在人們心目中生了根，更奇妙的是在一般人心目中，經過了加油添醋的幻想後，懂得相對論的人數居然還逐漸萎縮。我們必須嚴正指出，科學界對此烏龍報導保持緘默，實在讓人遺憾。

後來，有一位新聞記者詢問英國天文學家艾丁頓爵士（Sir Arthur Eddington, 1882-1944），他是否即為全世界懂得愛因斯坦相對論的「三位人士」中的一位？艾丁頓裝出了深思的模樣後回答道：「我剛才在想，這第三位人士究竟是誰呀？」

事實上，一般人之所以覺得相對論莫測高深，倒不是因為它包括了許多微分方程式、勞倫茲變換及其他種種複雜難搞的數學演算（據說有些地方，愛因斯坦也要請人幫忙），而是它完全不能靠直覺去揣摩。

本質上，相對論是說空間與時間並非絕對的東西，會因為誰是觀測者以及什麼東西受觀測而有所不同。而且當一個人移動的速度愈快時，效果愈明顯。它又說，我們永遠不能加速到光速，而當我們愈是戮力以赴（移動得愈快），在旁的觀測者看來，我們會愈來愈扭曲變形。

幾乎緊隨著相對論的名聲普遍上揚，科學推廣家也絞盡腦汁，想讓這些概念能較容易讓民眾瞭解。其中比較成功，至少

是表現在書本銷路上的一個例子，是英國數學家兼哲學家羅素（Bertrand Russell, 1872-1970）寫的一本《相對論 ABC》（*The ABC of Relativity*）。羅素用了一個後來常聽到的比喻，他叫讀者自己想像一列一百碼長的火車，以百分之六十的光速前進。一名站在月台上的人看它呼嘯而過時，這列火車的長度卻變得只有八十碼長，而火車上的一切也都給壓縮變短了。如果我們能聽到火車上乘客的談話，他們的聲音會變得含糊且緩慢，就像以慢速度播放唱片一樣。乘客的動作也變得慢吞吞的，甚至火車上的時鐘也慢了下來，速度只有平常的五分之四。

但請注意！這兒可是關鍵：在火車上的人卻完全沒有這種被扭曲的感覺。從他們的眼裡看來，火車上的每樣事物都很正常，倒是在月台上的我們看起來怪怪的，身形被壓縮變瘦、動作也遲緩了下來。你瞧，這一切都是因為你的位置跟運動物體之間相對的速度所造成的。

其實每次只要你一移動，這樣的效果就會發生。譬如你坐飛機橫跨美國大陸，當你走下飛機時，你會比沒有坐過這趟飛機的你，年輕了大概一百萬兆分之一秒（10^{-18} 秒）。即使你只是在房間裡來回踱步，你也會非常非常少量的改變自己對時間跟空間的感受。還有人認真計算過，時速 160 公里的棒球在通過本壘上方時，質量比靜止時多出了 0.000000000002 公克。

所以相對論的效果經過實際測試，證明真實無誤，一點也不假。問題是對我們日常經驗來說，這些改變微乎其微，幾乎無法察覺。但是對宇宙中其他東西：光、重力、宇宙自己，結果就影響很大了。

所以如果相對論的觀念讓人覺得奇怪，那只是因為我們在日常生活中，沒有機會經歷這種交互作用。不過依照博丹尼斯的說法，這話並不盡然。

他說我們其實經常會遇到一些另類的相對論效應，以聲音來說好了，如果你到公園散步，有人在那兒大聲播放很吵人的音樂，你知道只要離開他遠一些，聽到的聲音就會比較能忍受。這不是因為他播放的樂音變小聲了，而是你跟他之間的相對位置改變了。如果觀測者個子太小或行動太慢，以蝸牛來說好了，便無法有這種感受，一個喇叭發出的聲音，對兩個不同的觀測者來說大小不一樣的觀念，實在不可思議！

在廣義相對論所包含的許多概念中，最具挑戰性以及最不能跟直覺相符的是，時間是空間的一部分。直覺告訴我們，時間是永恆、絕對、不受影響的東西。易言之，沒有其他東西能夠擾亂它四平八穩的流逝。

但是事實上，愛因斯坦告訴我們，時間不但可以變化，而且還一直在變化。它甚至還有形狀，引用現代最著名的英國物理學家霍金（Stephen Hawking, 1942-2018）的話來說，時間以及空間的三個維度彼此間「完全無法脫身，互相牽絆連接」，合攏起來形成一個奇怪的單一維度，稱為「時空」（spacetime）。

那麼要如何解釋時空呢？通常的辦法，是叫你想像某樣容易彎曲的東西，譬如一張床墊，或一大片繃緊的橡皮，上面再放一個很重的球狀物，諸如一個大鐵球。

受鐵球的重量壓著的表面，會有些拉長跟下陷。這樣大致上就很像是一個質量巨大的物體，諸如太陽（由鐵球代表）對時空（就是布料或橡皮薄片）所產生的影響。前者使後者發生了延伸、轉彎跟扭曲。

在這時候，你若是讓一個小一些的球，打橫滾過布面，它會依照牛頓的運動定律直線前進。但是當它滾到大鐵球附近時，由於鐵球在布料上造成下陷的斜坡，小球會因為往下的分力而轉彎，不可避免的給拉向質量巨大的物體。這就是重力——時空發生彎曲後的結果。

其實每一件具有質量的物體，都各自在布料上或多或少的造成了一點下陷。是以奧弗拜（Dennis Overbye，著有《宇宙的寂寞心靈》）把宇宙形容為「終極的下陷床墊」。

從此觀點看，重力已不再是一樣東西，而是一種後果。用物理學家加來道雄（Michio Kaku）的口吻來說，重力「不是一種『力』，而是一種時空彎曲的副產品」。他繼續說：「在某種意義上，重力並不存在。促使行星跟恆星運行的，就是空間與時間的扭曲。」

當然，這個下陷床墊的類比只能把我們帶到這兒，因為它還沒有把時間的效應併合進來。但話說回來，咱們的腦筋也無法把我們帶得更遠，因為很難用腦袋去想像，如何由三份空間跟一份時間，混合編織成格子布料似的時空。無論如何，我想我們應該能同意，這一切對當年那位坐在瑞士首都專利局，向窗外凝視的年輕人來說，實在是非常難得的「點子」。

愛因斯坦最大的錯誤

另外非常值得一提的是，愛因斯坦的廣義相對論暗示，咱們的宇宙必須是動態的東西，它不是在擴張，就是在收縮。但是愛因斯坦不是宇宙學家，因此他接受了當時學界流行的想法，認為宇宙是固定跟永遠不變的。

為了要將就這個先入為主的條件，他多少是有點便宜行事的在自己的方程式裡，另外加上了一項所謂的「宇宙常數」（cosmological constant），藉此隨意抵銷重力的作用，功用有點像是數學方式的「暫停」按鈕。

所有講科學歷史的書籍都很厚道，從未為了這個小錯誤苛責愛因斯坦，但是它實在是一個相當讓人震驚的科學失誤。而愛因

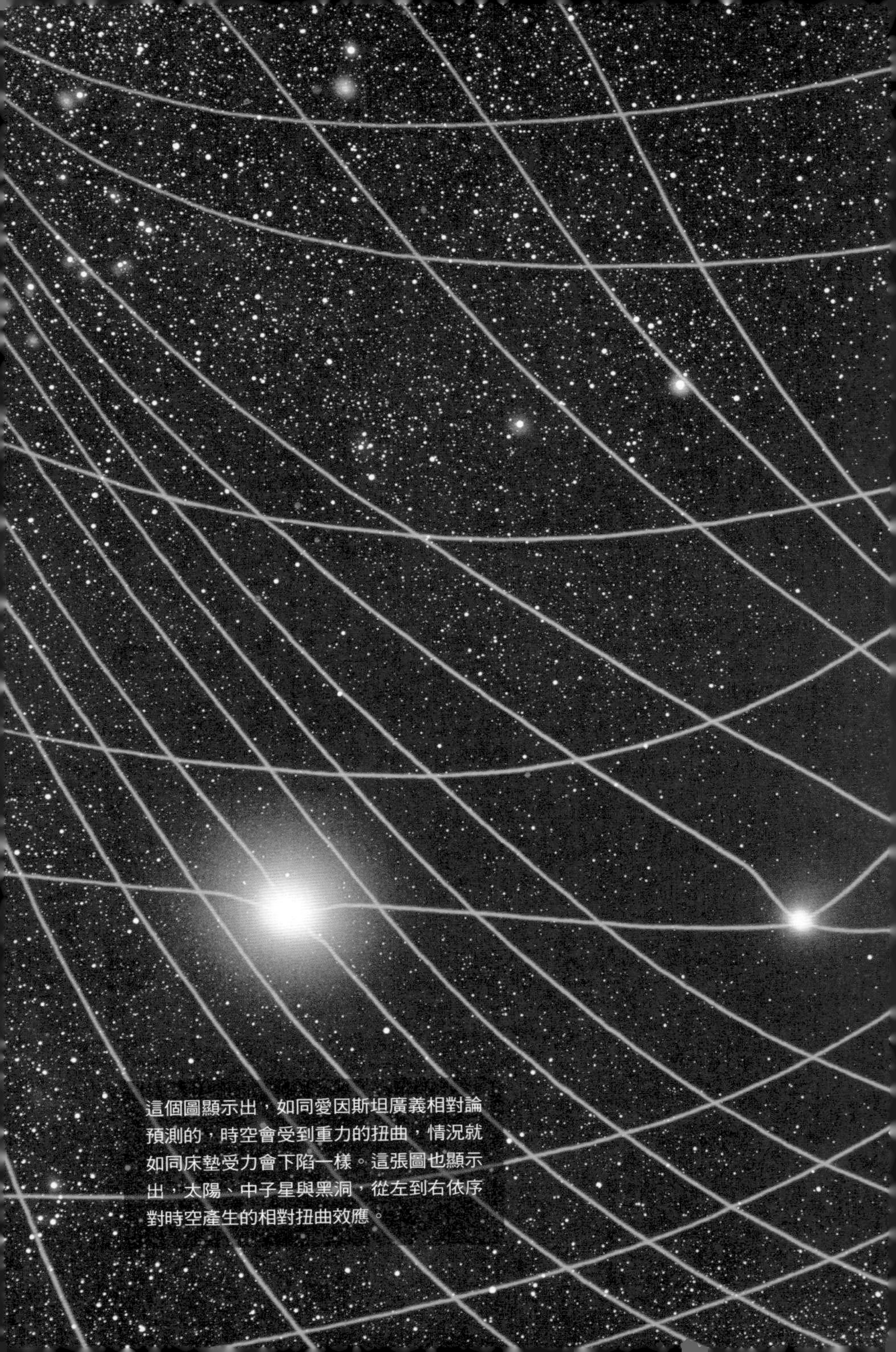

這個圖顯示出，如同愛因斯坦廣義相對論預測的，時空會受到重力的扭曲，情況就如同床墊受力會下陷一樣。這張圖也顯示出，太陽、中子星與黑洞，從左到右依序對時空產生的相對扭曲效應。

斯坦自己也心知肚明，坦白承認錯誤，他把它稱之為「我一生中最大的謬誤」。

無巧不巧的，就在愛因斯坦「錯」把宇宙常數附加到理論中時，差不多同時在美國亞利桑納州的羅爾天文台，有位名字相當具有「星際」味道的美國天文學家斯里弗（Vesto Slipher, 1875-1969。他不是外星人，事實上他出生在美國印第安納州），在攝取遙遠恆星的光譜讀數時，發現恆星正在離我們而去，這個發現表示宇宙不是靜止的。

理由是斯里弗觀測到，那些恆星顯現出不可能有誤的都卜勒頻移*（Doppler shift），就如同賽車跑道上那些急駛而過的跑車，之所以發出「咿……啞……」聲音的道理一樣（頻率較高的「咿……」是車子駛向你時的引擎聲，而在它駛離你的時候，同一引擎聲音就變成了頻率較低的「啞……」）。這種現象也適用於光，而當星系倒退（即遠離我們）時，我們叫它「紅移」（因為當光源遠離我們時，它移向可見光譜頻率較低的紅端。反之，若是光源朝著我們而來，光就會發生「藍移」）。

* 都卜勒頻移名稱之由來，是為了紀念奧地利物理學家都卜勒（Johann Christian Doppler, 1803-1853），他在1842年率先注意到這個效應。
簡單的說，當運動中的物體朝向一個靜止的物體接近時，前者發出的聲波在到達後者身上的接收器（例如耳朵）時，每個波峰跟下一個波峰間的距離（即波長）給壓縮變短，所以接收器得到的聲波，波長比原來的短，頻率也相對變高了（即內文中所謂的「咿……」）。當這個運動物體越過了接收器而繼續前進駛離時，接收器得到的聲波，波峰間距離拉長，頻率也就變低了（亦即內文中的「啞……」）。

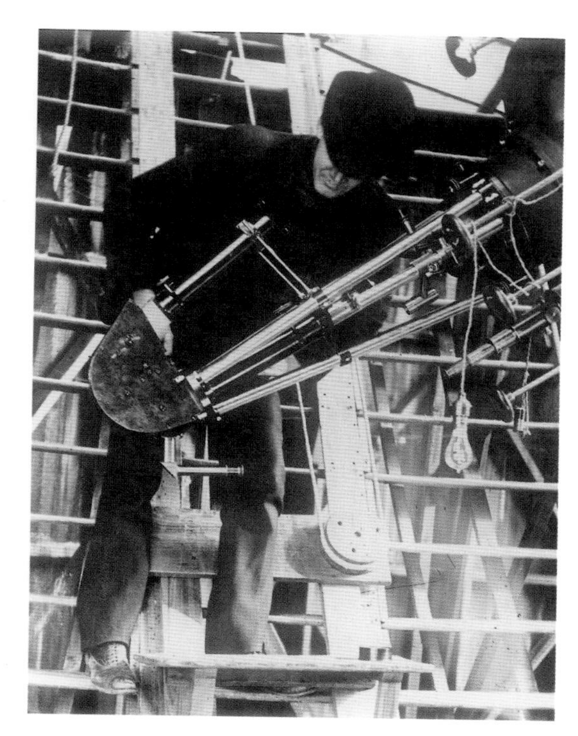

美國亞利桑納州羅爾天文台的斯里弗，率先發現宇宙並不如我們所想的平靜，因為他觀測到遠方的星系正持續的在遠離我們。但可憐的斯里弗並沒有因為這個重要發現而獲得矚目或肯定。

斯里弗是世界上第一位注意到這個光效應的人，並且也意識到它對瞭解宇宙運動的重要性。但很不幸的是，卻無人注意到他。你應當還記得，羅爾天文台當初興建的理由有些奇特，是波士頓有錢人羅爾為了自己著迷於火星運河而花錢建造的。不過到了 1910 年代，它倒是成了一個不折不扣的天文學研究前哨站。斯里弗並不曉得愛因斯坦的相對論，而整個世界也同樣不曉得斯里弗，所以他的發現全無衝擊力道。

於是光榮越過了斯里弗，降臨到哈伯（Edwin Hubble, 1889-1953）這位有自大狂的物理學家身上。哈伯比愛因斯坦小了十歲，出生在美國密蘇里州中部奧札克湖（Ozarks Lake）邊的一個小鎮上，後來他家搬到了伊利諾州芝加哥市郊小城惠頓（Wheaton），他就在這裡長大成人。

哈伯的父親是事業很成功的保險業主管，所以他們家的日子一直過得很舒適。哈伯天生體格強健，他是高強的天才運動員，既討人喜歡又聰明伶俐，而且相貌堂堂，作家克羅伯描述他「英俊得過分」。另一位崇拜者則稱讚他為「希臘神話中的美少年阿多尼斯」。

根據哈伯自己的記述，他一生幾乎不斷在上演大大小小的英勇事蹟：拯救多名行將溺水的泳者；帶領一群喪膽的士兵，穿過子彈橫飛的法國戰場，到達安全地帶；在拳擊表演賽裡，曾經羞辱過許多位世界冠軍拳王，把他們一拳打倒在地。這些故事聽起來就太美了些，不像是真的，也的確是無中生有。所以除了天縱英明之外，哈伯還是說謊成癖的人。

不過倒也奇怪，哈伯打從青少年時期起，表現就一直相當傑出，並且有時傑出到了滑稽的地步。比方說，1906 年的一次中學田徑賽裡，他拿第一的項目計有撐竿跳高、鉛球、鐵餅、鏈球、原地跳高、跑步跳高、而且還是一英里接力賽跑獲勝隊伍中的一棒。真了不起！就在那次運動會裡，他一個人拿下了七面金牌，而且還在跳遠項目中拿了差強人意的第三名。同年，他還刷新了伊利諾州的跳高紀錄。

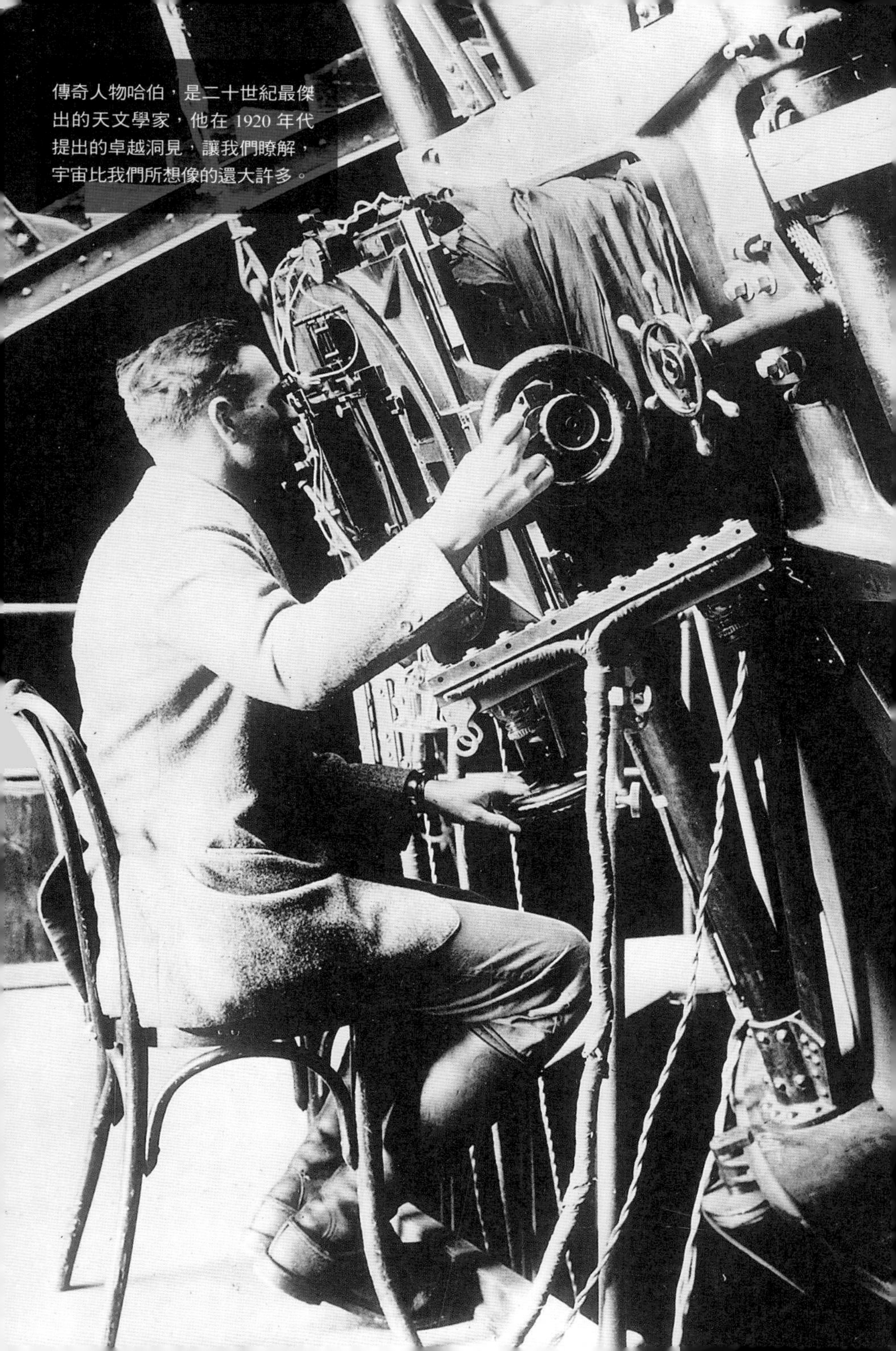
傳奇人物哈伯，是二十世紀最傑出的天文學家，他在 1920 年代提出的卓越洞見，讓我們瞭解，宇宙比我們所想像的還大許多。

在讀書方面，他同樣是十八般武藝樣樣精通，而且在中學畢業後，順利取得名校芝加哥大學的入學許可，攻讀物理跟天文（巧的是，當時該學系的系主任正好就是後來獲得諾貝爾獎的第一位美國人邁克生）。由於哈伯在芝加哥大學的學業表現極其優異，因此獲選為牛津大學首批羅德學者（Rhodes Scholar）獎學金的獲得人之一。在牛津的三年留學生活，顯然讓他覺得趾高氣揚，不可一世。

1913 年當哈伯回到老家惠頓時，身上穿著附有披肩的長外衣，嘴裡叼根菸斗，說起話來帶著罕見的誇大腔調，不太像英國腔，但也不是很不像，但這副怪腔怪調就此跟了他一輩子。

雖然他後來宣稱，在二十世紀的第二個十年，他大部分的時間都在美國肯塔基州當律師，但事實上，他是在印第安納州新奧巴尼（New Albany）的一所中學裡，當老師兼籃球教練，直到很後期才去念博士學位，且非常短暫的參加了美國陸軍。（他是在第一次世界大戰休戰日的前一個月才隨部隊到達法國，所以我們幾乎可以確定，他從沒有聽過戰場上的槍響。）

1919 年，哈伯年滿三十，他搬到加州並在洛杉磯附近的威爾遜山天文台謀了一個職位。之後他非常迅速、也非常出人意料的，變成了二十世紀最傑出的天文學家。

咱們現在應該暫停一下，先看看那個時代的人們對宇宙究竟知道多少。

今天的天文學家相信，僅僅在我們可以見到的宇宙內，大概就有一千四百億個星系。這可是非常巨大的數字，遠大於「一千四百億」這簡單幾個字給你的感覺。

如果每個星系有如一粒冰凍的豌豆那麼大，則一千四百億個星系足夠塞滿一間大型演講廳，諸如美國的舊波士頓花園球場，或是倫敦的皇家亞伯特廳。〔有一位名叫葛瑞高里（Bruce Gregory）的天文物理學家還真的去計算過。〕

1919 年底，當哈伯頭一次把眼睛湊到天文望遠鏡的接目鏡時，人們知道的星系數目僅為一個，而這唯一的星系就是咱們的銀河系。其他天空中看來不太像恆星的亮點，要嘛是銀河系的一部分，要嘛就是銀河系周遭的氣團。哈伯很快就證明了這種想法是錯誤的。

在下一個十年裡面，哈伯處理並解決了兩個宇宙的最基本問題：宇宙的年齡有多老？宇宙有多大？要回答這兩個問題必須得先知道兩件事情：某些星系現在離我們多遠，以及它們飛離我們的速度究竟有多快〔這種速度稱為它們的退行速度（recessional velocity）〕。

之前我們提到的紅移透露了星系各自的退行速度，但是並沒有告訴我們，它們離開我們有多遠。要知道這點，你得知道所謂的「標準燭光」，這是指把一些恆星的亮度可靠的計算出來，當成測量其他恆星亮度（亦即相對距離）的標準範例。

功不可沒的利維特與卡儂

在一位靈巧的女士研究出方法，可計算恆星離開我們多遠，之後不久，哈伯的好運氣就來了。這位女士的大名叫做利維特（Henrietta Swan Leavitt, 1868-1921），她在哈佛大學天文台上班，是一名「計算員」。

利維特的工作就是成天仔細檢查拍攝了恆星的照相底片，然後做些計算，所以職務名稱為計算員，其實另一個較名副其實的職務名稱就是「苦差事」，不過這個職位卻是那個時代，女性朋友在哈佛大學或幾乎任何其他地方，所能申請到的最接近天文學研究的位置。

不過話又得說回來，雖然當時的職場系統對待女性極不公平，但也具有某些預想不到的長處：它強迫人類一半最好的腦子，去研究那些不引人注意的議題，因而也確定了，女性終將察覺到毛燥大男人疏忽掉的宇宙細微結構。

譬如另一位哈佛大學的計算員卡儂（Annie Jump Cannon, 1863-1941），利用她對星象嫻熟的心得，設計出非常實用的恆星分類系統，到現在還在使用。

利維特的貢獻比較起來還更加深奧，她注意到有一種形式的恆星叫做造父變星（因為最早發現的變星就是仙王座的「造父一」，因此得名），此類恆星的亮度以規律的脈動，做強弱的週期變化，有如恆星的心跳似的。造父變星相當稀少，但是夜空中至

卡儂（左）與利維特在哈佛大學天文台前的合影。若沒有這兩位靈巧細心的女士，對瑣碎問題不厭其煩的研究，哈伯的突破性理論根本沒辦法成真。

少有一個變星是我們多數人都非常熟悉的，它就是北極星。

我們現在知道，造父變星的星光之所以發生脈動變化，乃是因為它們的年齡已經很老了，超過了天文學家所說的「主序階段」（main sequence phase），而正在轉變成紅巨星。

紅巨星的化學變化有點難懂（需要搞清楚許多相關的專門知識，諸如單獨游離化氦原子的各種物理化學性質）。因此我們只能先簡單的說，紅巨星在目前所處的階段，正使用很特別的方式在消耗剩餘燃料，使它們發出的光產生有規律且可靠的明暗週期變化。

利維特的過人才智在於她理解到，只要比較天空中不同方位上造父變星的相對強度，就能夠計算出它們彼此間的相對位置。然後可以把它們當作「標準燭光」，這是由她所創而到現在仍普遍使用的名詞。她這個方法只能提供相對的比較距離，而不是絕對距離，然而即使如此，這可是首次有人想出一個可行方法去測量巨大尺度的宇宙。

〔為了凸顯上述見識的難得，也許另一件不太相關的事值得在此一提。正當利維特與卡儂從照相底片上，一片恆星產生的黯點上，推斷出宇宙秩序一些基本性質的同時，同在哈佛大學的天文學家皮克林（William H. Pickering, 1858-1938），這位隨時都可以使用世界第一流的望遠鏡的學者，也在發展他認為非常重要且對後世極有影響的「理論」。什麼理論呢？他主張月亮上那些黯淡斑塊，是由季節性遷移的昆蟲造成的！〕

哈伯結合了利維特發明的宇宙量尺，跟斯里弗發現的簡單好用的紅移，在有了這兩樣新的工具後，哈伯在太空中選取了一些定點，從頭開始測量。1923 年，他表示在仙女座裡面，有一小團遙遠薄紗狀的東西，人稱 M31，根本不是以前認為的氣體雲，而是一大片星光燦爛的恆星聚合成的星系 *，直徑長達 10 萬光年，距離我們至少 90 萬光年。可見我們宇宙真是龐大，不僅是大過於，且是非常非常大過於任何人的想像。

1924 年，哈伯發表了一篇劃時代的論文，論文標題是〈渦狀星雲中之造父變星〉（Cepheids in Spiral Nebulae，其中最後一字 nebulae 為拉丁文，原意是雲，他用來指星雲，也就是星系）。

這篇論文說明了我們的宇宙不僅只有銀河系，還包含了一大群彼此獨立的星雲，或稱「島宇宙」（island universes），其中許多比我們的銀河系還要大，而且與我們的距離比 M31 更遠。

哈伯的這一項發現就足以確保他這輩子的學術名聲，但是他進一步研究咱們宇宙究竟大到什麼地步。結果他得到了更驚人的發現。

這時候哈伯開始測量遙遠星雲的光譜，也就是斯里弗在亞利桑納州所開始進行的工作。不過哈伯用的是威爾遜山天文台 1917 年新安裝的一台口徑一百英寸的虎克望遠鏡，再加上一些很巧妙

* 譯注：後來就取名為仙女座星雲（Andromeda galaxy），這是銀河系以外，離我們最近的一個星系。

的推論，在 1930 年代初期他得到的結論是，天空中所有的星系（除了我們自己的本星團外）都正在遠離我們；他甚至觀察到，它們各自遠離的速度，正好跟我們的距離成正比，也就是愈遠的星系遠離得愈快。

這個結果真是出乎所有人的意料，它表示咱們這個宇宙正在迅速且均勻的向每一個方向擴張。稍微思考一下，就可以明顯看出跟理解，宇宙必然是當初從某個中心點開始的，絕對不是以往所有人以為的平穩、固定、永世不變。這是一個有開始的宇宙，因而它也很可能有一天會結束。

正如物理學家霍金指出的，此中最奇怪的一件事，是怎麼以前從來沒有人想到宇宙擴張的觀念。因為如今想來，從牛頓以降的每一位肯花心思的天文學家都應該看得出來，一個靜態的宇宙遲早都會開始向內塌縮。另外一個附帶問題是，靜態宇宙中的恆星若是永不止息的燃燒，這個宇宙的溫度早就高到讓我們受不了了。但是這兩個問題用宇宙擴張來解釋，就迎刃而解啦！

間接影響大霹靂理論

由於哈伯的長處是觀測而非思考，所以他並沒有馬上意會到自己的發現的全部涵意，部分的原因是他本人居然對愛因斯坦的廣義相對論全然無知。

這件事真是非常不尋常，因為第一，在這之前，愛因斯坦跟他的理論已經是舉世知名。其二，在 1929 年間，邁克生接受了威爾遜山天文台的一項職務，他當時雖然已屆高齡，但仍是世界上最靈活與最受推崇的科學家之一。邁克生用他那套可靠的干涉儀測量光速。我們猜想兩人見面之後，邁克生至少會告訴哈伯，把愛因斯坦的理論應用到他的發現上。

但無論如何，哈伯並沒有這麼做，因而錯失了建立新理論的良機，而讓一位名叫勒梅特（Georges Lemaître）的比利時僧侶學者（他從麻省理工學院獲得了博士學位）捷足先登，勒梅特把哈伯的宇宙擴張跟愛因斯坦的廣義相對論結合，變成了他自己的「放煙火理論」（fireworks theory）。

放煙火理論建議咱們的宇宙當初只是一個幾何點、一顆「原始原子」（primeval atom），像放上天空的煙火那樣爆炸開來，而且直到如今仍在繼續擴張。

勒梅特這個嶄新的想法，很接近現代的「大霹靂」觀念，但是由於先見得太早了一點，在他發表該理論後，迴響極其冷淡，即使有人偶爾提及，也僅只給一兩句話打發了事。這世界還需要數十年時間的醞釀準備，直到潘佳斯與威爾森兩人，透過位於紐澤西州那座嘶吼聲不斷的天線，才陰錯陽差的在無意中發現了宇宙背景輻射，大霹靂才開始從有趣的想法變成了成熟的理論（見第 1 章）。

所以你瞧，哈伯跟愛因斯坦都沒有直接參與大霹靂理論的產生。雖然他們兩人從來都沒有朝這個方向猜想過，但是他們各自的所作所為，間接的促成了該理論的誕生，殆無疑義。

1936年，哈伯出版了一本滿受歡迎的書《星雲領域》（*The Realm of the Nebulae*），其中對自己的不少成就大肆渲染、吹噓了一番。而在這本書裡，他也終於表現出對愛因斯坦的理論已經有所瞭解，至少有某個程度的瞭解：他在這本兩百頁左右的書中，用了四頁的篇幅講愛因斯坦的理論。

哈伯在1953年死於心臟病。這時又發生了一件小小的怪事，為了一些不明的原因，他的太太拒絕為他舉辦喪事，而且從未透露她怎麼處理遺體。半個世紀以後的今天，二十世紀最偉大的天文學家究竟埋在何處，仍然是謎。你若想憑弔哈伯，必須仰首上望天空。因為1990年間，人們發射了一具天文望遠鏡到太空裡，且為了紀念他，而把該望遠鏡取名為哈伯太空望遠鏡。

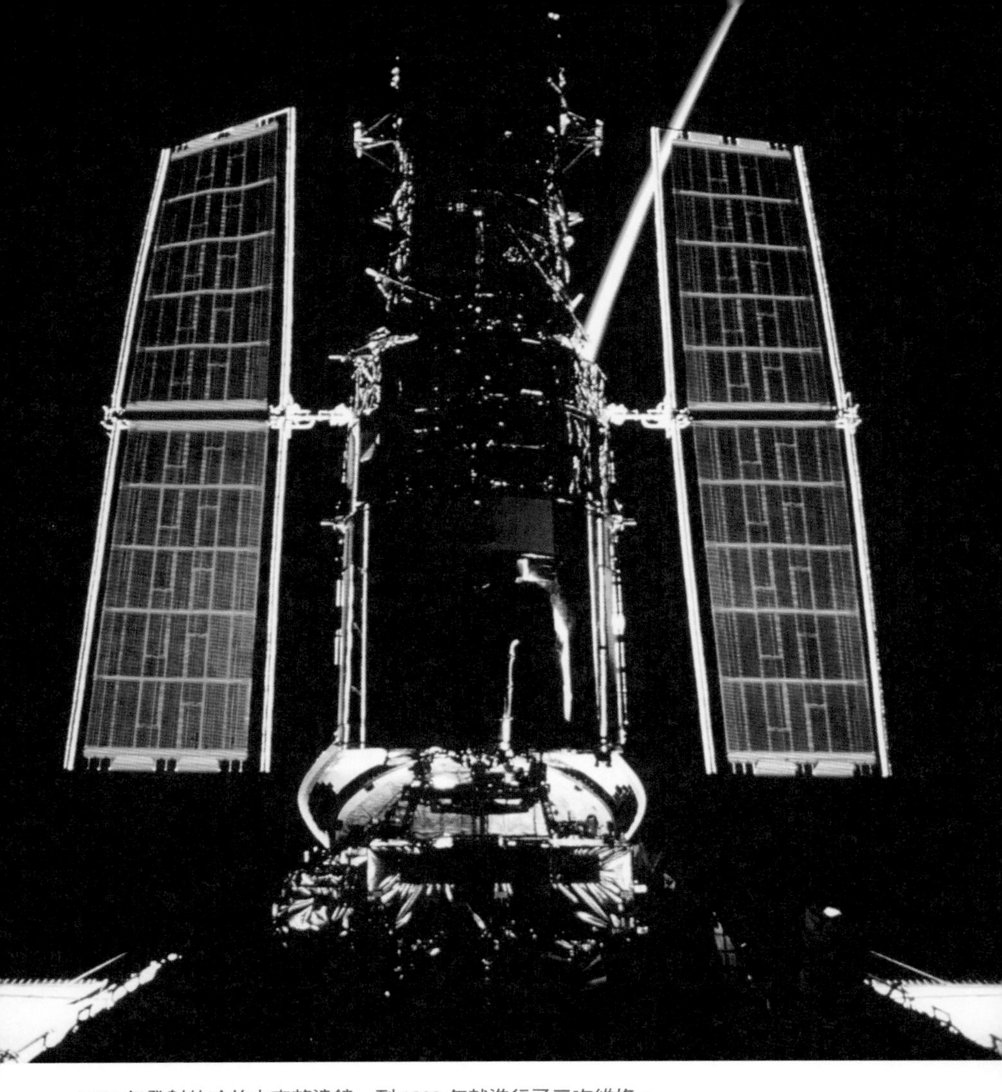

1990 年發射的哈伯太空望遠鏡，到 1999 年就進行了三次維修。
每次都是派出太空梭進行維修任務，這張照片就是在 1999 年那次維修時，
在太空梭的酬載艙拍攝的，畫面右上角看到的那道白光，是地球大氣層的外圍輪廓。

第 9 章
強有力的原子

這個原子球（atomium）是 1958 年，
比利時布魯塞爾舉辦世界博覽會時的地標建築。
高達 102 公尺的原子球，事實上是放大的鐵晶格模型。

正當愛因斯坦與哈伯，逐步解開宇宙的大尺度結構，且頗有成果時，另一些人則在想辦法瞭解，一種雖然比較靠近手邊，但卻仍難以捉摸的東西：那就是一直非常神祕的微小原子。

美國加州理工學院的偉大物理學家費曼有一次談到他對此事的看法，他說如果你把整部科學史簡化成為一句話，則這句話就是「一切東西都是原子做的」。

原子無所不在，而且建造了每一件東西。不信你可以瞧瞧周遭，無處不是原子。不只是扎實的東西諸如牆壁、桌子、沙發是原子構成的，它們之間的空氣亦然。原子為數之多，你難以想像。

原子最基本的安排方式是分子（分子的英文是 molecule，出自拉丁文，原意是「小塊」）。一個分子是由兩個或兩個以上的原子所形成的較穩定組合：譬如兩顆氫原子加上一顆氧原子，會得到一個水分子。化學家傾向於在分子層次上思考問題，而不是在元素層次上，道理就跟英語系作家絕大部分時間都在思考字的用法，而不是怎麼堆字母一樣。

所以我們可以說，化學家在乎的只是分子的數目，而這數目可說是多得數不清。在地球的海平面高度，溫度在攝氏 0 度時，1 立方公分（亦即 1 毫升，約一塊方糖所占據的空間）的空氣裡面，包含著 4 千 5 百萬兆（4.5×10^{19}）個分子。

想想在你周遭的每一立方公分空氣裡，都有這麼多個分子。其次想想你窗外的世界，體積有多少立方公分，要多少顆方糖才能塞滿你看到的花花世界。最後再想想，需要多少個原子來建構整個宇宙。一言以蔽之，原子數目非常多。

我們身上可能有一點釋迦牟尼

原子還出奇的持久耐用。由於原子的壽命非常長久，它們真是閱歷豐富，幾乎可以確定，你身上的每一顆原子在進入你的身體之前，曾經受過好幾顆恆星的熬煉，並在數以百萬計的生物體上待過。

我們每個人身上的原子數目如此之多，而且人死後又很快的「回歸自然」、參加「原子回收再用」的程序，因而咱們每一個人的身上，都有數目相當多的原子，曾經是莎士比亞身上的一部分——有人估算後認為可能達到十億個之譜。同樣的，另外還有十億個原子來自釋迦牟尼、又各有十億原子分別來自成吉思汗、貝多芬以及每一位你想得到的歷史人物。（條件是他們必須是有些年代的古人，因為顯然原子回收再用的程序，需要數十年的時間，所以不管你有多渴望，你現在身上沒幾顆原子是從貓王身上來的。）

所以我們都是轉世的人，只是我們的生命很短。我們死亡後，身上的原子就會解散，各奔前程，找尋下一位使用者，或許是一片樹葉、或許是另一個人、或僅是一滴朝露。原子似乎可以永遠無窮無盡的來來去去、分分合合，沒有人確知原子究竟可以在世上存活多久。不過根據天文學家芮斯（Martin Rees）的推算，原子的存活期限約在 10^{35} 年左右，由於這個數字實在是太大，所以我也樂於用次方這個數學符號來表達。

最重要的是，原子很小，非常非常小。把五十萬顆原子一個接一個排成一條直線，長度尚不及人類頭髮的直徑，所以根本難以想像單獨一顆原子的實際大小，不過我們還是可以試試看。

讓我們首先從一毫米開始，一毫米大約就是這根直線「-」的長度。現在運用想像力把這根直線等分為一千份，則每份的長度就是一微米，微米是量計各種微生物的尺度單位。

譬如說，典型的草履蟲的寬度大約是兩微米（0.002 毫米）。它的確是很小，如果用眼睛想觀察一隻在一滴水裡游泳的草履蟲，必須把這滴水放大到直徑達十二公尺才辨得到。不過若是你想直接用眼睛觀察這滴水裡面的原子，則你必須繼續把這滴水放大到直徑達二十四公里。

換言之，原子之小，跟草履蟲之小比起來，又是另一個不同

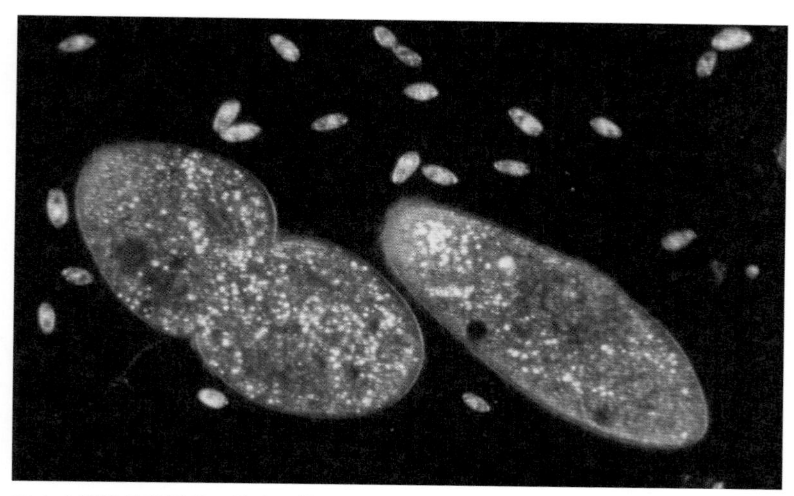

在水中優游的草履蟲，其中一隻正在進行分裂。旁邊較小的原生動物稱為雙毛鞭蟲。雖然這些微生物體型嬌小，肉眼無法得見，但牠們與原子相較，卻已算是龐然大物了。

的層次。要達到原子的尺度，你還得把上述的一微米再等分一萬份，得到的每份長度也就是一毫米的一千萬分之一，這就是原子的尺度單位。這個長度很難直接想像有多大，但是我們可用類比法得到一些概念，那就是把一顆原子的直徑跟一毫米的長度相比，就如同一張紙的厚度跟紐約帝國大廈的高度相比一樣。

道爾吞提出了原子論

當然，原子之所以這麼有用，是由於它們數量極多且極耐用，然而它們的尺寸太小，很難讓人偵測到，無法進一步瞭解。那麼誰最早認識到原子的微小、數量多、幾乎不可破壞的三種特性，並明白所有東西都是由原子組成的呢？

也許你會猜想是大化學家拉瓦謝、卡文迪西或戴維，但正確答案是名叫道耳吞（John Dalton）的英國教友派信徒，他身體乾瘦且沒有高學歷，我們之前在第 7 章裡曾提過他的大名。

1766 年，道耳吞出生在科克茅斯（Cockermouth）附近的湖區邊緣地帶，家裡很窮，全家都是虔誠教友派信徒的編織工人。〔就在道耳吞出生後四年，大詩人華茲華斯（William Wordsworth, 1770-1850），也在科克茅斯來到了這個世界。〕

道耳吞從小就是聰明過人的學生，聰明到僅只十二歲，就受指派為當地教友派學校的負責人。有人也許會說：這樣的安排固然充分說明了道耳吞的早熟，同時也很可能顯示出，這所學校的水準大有問題。不過這樣的負面推測未必正確，我們從道耳吞的日記裡讀到，就在他當上學校校長的那段時期，他正在念牛頓寫的拉丁文原版《原理》，以及另一些一樣很有挑戰性的著作。

道耳呑十五歲時，仍然身為一校之長，他跑到附近的肯德鎮（Kendal），找到了一份職務。在那兒工作了十年後，搬遷到曼徹斯特（Manchester），之後大致上就在當地定居下來，度過五十年人生。

住在曼徹斯特的他，如同智識旋風，著書寫論文，題目從氣象學到文法，內容廣泛。道耳呑患有色盲，由於他對此病症花費了很多工夫研討，以致於後來曾經有一段很長的時期，色盲稱為「道耳呑症」。

英國化學家兼思想家道耳呑，因為提出了原子論而成名。道耳呑的原子論，簡單說，就是指物質都是由不能再分解的小粒子組成的，而這個小粒子就是原子。

不過他真正在學界成名，還是要等到 1808 年，他發表一本很厚重的大書之後，這本書的書名是《化學哲理新體系》（*A New System of Chemical Philosophy*）。

這本書中有一章很短，僅僅五頁（全書總共超過九百頁）。然而就在其中，人們第一次從書本接觸到與現代概念相近的原子。

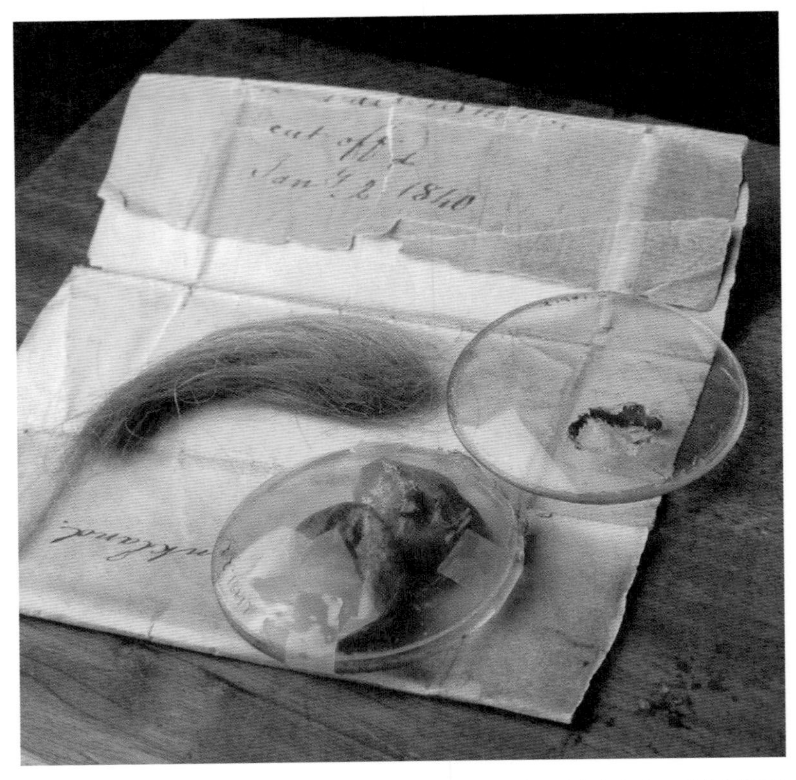

道耳吞的私人信柬、一束頭髮，以及解剖後的眼球。道耳吞患有色盲，他覺得毛病應該出在眼球上，於是死後把雙眼捐贈給一個醫生朋友，希望朋友從中找出色盲的線索。這個醫生朋友並沒有在道耳吞的眼球中發現重大異樣。

道耳吞的簡單見識是，他認為所有物質的根基，都是許多不能再進一步分解的超微小粒子。他寫道：「要創造或破壞氫的一顆粒子，難度就跟要在咱們太陽系內加進去一顆新行星，或毀滅掉一顆現有的行星一樣。」

實際上，原子的觀念以及「原子」這個名詞都不是新東西，早在古希臘時代就已經提出來了，道耳吞的貢獻是考慮到這些不同種類原子間的相對大小跟性質，以及它們如何結合。

比方說，他知道氫是最輕的元素，所以他把氫的原子量訂定為 1。他認為水裡面含的氧，七倍於其中的氫，所以他把氧的原子量定為 7。他用類似的方法，把當時已知元素的原子量，逐個設定了出來。雖然精確度不是很好，例如氧的原子量應該是 16，而不是 7，誤差大了一點，但是道耳吞的基本原理很合理，因此不但奠定了現代化學的基礎，而且還廣泛應用到許多其他的現代科學中。

這本書使得道耳吞聲譽鵲起，然而他本人仍然保持英國教友派信徒一貫的低調。1826 年間，法國化學家佩爾蒂埃（P. J. Pelletier, 1788-1842）專程前來曼徹斯特會見這位原子英雄。

佩爾蒂埃以為道耳吞一定是在富麗堂皇的學術機關裡高就，所以當他發現道耳吞在後街一所小學裡教一班男童基礎算術時，著實大吃一驚。根據科學史學家霍姆亞德（E. J. Holmyard）的記述，當時佩爾蒂埃目睹這位偉人教導小學生的場面，一時目瞪口呆，半晌之後才結結巴巴的用法語說道：

> 「我是否有榮幸跟道耳吞先生說幾句話呀？」因為他簡直不敢相信自己的眼睛，這位全歐洲知名的化學家，居然正在教一名小男孩如何做加減乘除四則運算。道耳吞這位務實的教友派信徒回答道：「當然沒問題。只是可否請你先坐下來，等我把這名小朋友的算術改正一下，一會兒就來陪你？」

雖然道耳吞試圖躲避所有的榮譽，但他還是在不情願的狀況下，給推選為英國皇家學會的榮譽會員，隨後各種獎章、獎牌像雨點般灑在他身上，政府也送給他一筆豐厚的養老金。當道耳吞於 1844 年去世時，到教堂瞻仰遺容者達四萬人，送殯行列超過三公里。

在《英國國家人物傳記大辭典》中，他的詞條下蒐羅的內容，在該辭典中是數一數二的長，十九世紀科學家中，長度與他相伯仲者，僅達爾文與萊伊爾兩人而已。

在道耳吞提出他的見解後，有一世紀之久它都仍是假說。其間還有少數著名的科學家壓根就懷疑原子的存在，如維也納的物理學家馬赫（Ernst Mach, 1838-1916）就是其中之一，音速就是以他的姓氏命名的。

馬赫寫道：「原子完全無法經由我們的感官覺察到……它們是想像出來的東西。」原子的存在，在德語世界裡特別受到懷疑，而且偉大的奧國理論物理學家，也是原子說熱中者波茲曼

（Ludwig Boltzmann, 1844-1906）在 1906 年發生的自殺事件，據說還跟此不無關係。

看透原子的拉塞福

愛因斯坦在 1905 年發表的布朗運動論文中，首先提出證據，證明原子的存在不容置疑。但論文面世之後，幾乎無人注意，而且此後愛因斯坦自己也因埋首於廣義相對論的研究，無暇顧及這方面的發展。所以原子時代的第一位真正英雄是拉塞福，雖然他不是第一位到達現場的人。

拉塞福出生於 1871 年，出生地是紐西蘭的內陸鄉下。父母是從蘇格蘭移民過來的年輕農民，到紐西蘭後只栽種了少許亞麻，卻生下了一大群孩子（用物理學家溫伯格的說法）。

由於是在偏遠國度裡的偏遠鄉下長大，他的成長環境可說是遠離科學主流。但是在 1895 那年，他獲得了一份獎學金，讓他來到英國劍橋大學的卡文迪西實驗室，而該實驗室即將變成世界上研究物理學最熱門的地點。

物理學家向來以瞧不起其他學門的科學家著稱。當偉大的奧地利物理學家鮑立（Wolfgang Pauli, 1900-1958）的老婆離開他，跟一位化學家跑掉時，他震驚且不敢置信。事後他告訴一位友人說：「如果她跟一個鬥牛士跑掉，我還能理解，但是跟一個化學家……」

身為物理學家的拉塞福對這種感覺當然不陌生。他有一次福至心靈的說：「要搞科學嗎？不去學物理就只能集郵囉！」說完後大概自己覺得非常得意，所以他後來老是把這句話掛在嘴邊。不過非常諷刺的是，1908 年他獲得諾貝爾獎的時候，人家決定頒發給他的是化學獎，而不是物理獎！

拉塞福是一位福將，他有幸生為一名天才，更幸運的是，他生活的時代，物理與化學兩門科學都正在蓬勃發展，彼此間也非常相容（雖然他的觀點並非如此）。之後，這兩門科學就徹底分道揚鑣了。

跟他一生非凡的成就相比，拉塞福並不是才能極其了得的人，實際上他的數學還很糟糕。在課堂上示範演算方程式時，他經常會自己先搞昏頭，只得半途而廢叫學生帶回去當作業。

中子發現者查兌克（Sir James Chadwick）是拉塞福的長期同事，根據查兌克的觀察，拉塞福甚至實驗技術也不特別靈巧，他的長處是鍥而不捨，以仔細、大膽填補聰明才智的不足。根據某位傳記作家的說法是，他的心思「永遠朝向他所能看得見的最遠邊陲，做前瞻的思考。而他所能見的，比絕大部分人都長遠得多」。

拉塞福遭遇到難以處理的問題時，都能比絕大多數人更有耐心跟毅力去尋求解決辦法。而且心胸也比一般人開闊，能接受一些非正統的解釋。他的最偉大突破之所以夢幻成真，是因為他願意一連坐在屏幕前許多個小時，忍受枯燥乏味，一個個去計數屏幕上由 α 粒子造成的閃爍。這種冗長、單調、無趣的工作，一般都是花錢由人代勞。

由於他不怕吃苦，事必躬親，他是前幾位、甚或可能就是第一位最早看出來原子具有的力量──如果能做成炸彈的話，「足以把現有世界全部化為煙塵」。

在體格上，拉塞福的塊頭既大且動作急促，聲音之洪亮常使得膽小的人退縮。有一次他的同事得知，拉塞福即將透過無線電向大西洋對岸廣播，這位同事諷刺的問道：「還需要用到無線電嗎？」

拉塞福深具正面信心，有一回有人問他，為何他看起來永遠都是站在浪尖上，他的答覆很妙，他說：「這個簡單，畢竟這些大浪都是我造成的呀，不是嗎？」作家斯諾回憶說，自己有一次在劍橋一家裁縫店裡，無意間聽到拉塞福向人表示：「我的腰圍每天都在增長，就跟我的智力一樣。」

但是他的腰圍跟名聲在 1895 年、初到卡文迪西實驗室時，都還微不足道。那段時期在科學發展史上可說是特別重要。拉塞福來到劍橋的同一年，德國的侖琴（Wilhelm Roentgen, 1845-1923）在烏茲堡大學（University of Würzburg）發現了 X 射線。次年，巴黎的貝克勒（Antoine Henri Becquerel）發現了放射性現象。

而卡文迪西實驗室本身也即將進入一個漫長的偉大的時期。1897 年，約瑟夫．湯姆森（Joseph John Thomson) 跟他的同事就在此實驗室發現了電子。1911 年，威爾生（C. T. R. Wilson, 1869-1959）在此製作出第一台粒子偵測器（相關的故事，以後我們會講到），而 1932 年，查兌克也在這兒發現了中子。再到更後來，華生（James Watson, 1928-）與克里克（Francis Crick, 1916-2004）於 1953 年，也是在卡文迪西實驗室發現了 DNA 的雙螺旋結構。

約瑟夫・湯姆森與卡文迪西實驗室

發現電子的英國物理學家約瑟夫・湯姆森，不但自己得到 1906 年的諾貝爾物理獎，在他領導卡文迪西實驗室的期間，就有七位學者前後得到諾貝爾獎。

卡文迪實驗室的名稱倒不是來自那位極怕羞的倫敦科學家卡文迪西，而是他的老爸威廉・卡文迪西（William Cavendish），也就是德文公爵七世。

威廉・卡文迪西是維多利亞時代一位很有天賦的數學家跟鋼鐵大亨。1870 年，他捐給劍橋大學 6,300 英鎊建立實驗室，當然建成後就依他的姓氏為實驗室命名啦。

曾領導卡文迪西實驗室的約瑟夫・湯姆森

開始時，拉塞福的研究主題是無線電波，也做得相當傑出，他已經想出辦法，能把一個清晰的訊號傳送到三公里外。在那個時代，這可是挺不錯的成就。

但因為一位資深同事告訴他，無線電這玩意兒沒啥前途，他信以為真就放棄了。整體而言，拉塞福在卡文迪西實驗室的表現可說平平。在那兒待了三年之後，他自知搞不出啥名堂來，於是到加拿大蒙特婁的麥基爾大學覓得一個教授職位。

自從他到麥基爾大學教書後，名聲就開始穩健的慢慢竄升。在他獲得諾貝爾獎（根據頒獎的正式書面文字，得獎理由是「研究元素之分解，及放射性物質之化學」）之前，他已經離開蒙特婁，遷往英國的曼徹斯特大學。而就是在這所大學裡，他做了一生最重要的一件工作：測定原子的結構跟性質。

懸空「坐」在椅子上

在二十世紀初之前，人們已經知道原子是由一些零件組合起來的，這是約瑟夫．湯姆森發現電子時建立起來的想法。但尚無人知道，原子裡究竟有多少不同的零件，或它們如何拼湊到一塊、各是什麼形狀。

有些物理學家認為，原子很可能是正立方形，因為只有正立方形才能整齊的堆積起來，而不會浪費任何空間。然而比較普遍的看法是：原子像葡萄乾圓麵包或梅子布丁，是帶著正電荷且密度大的固體，表面上點綴一些帶負電荷的電子，就像葡萄乾麵包上的葡萄乾一樣。

1910 年，拉塞福由他的德國學生蓋革＊（Hans Geiger, 1882-1945）幫助，把游離的氦原子，亦即 α 粒子，射向一張金箔。結果讓他嚇一大跳，因為居然有幾顆 α 粒子倒彈了回來。他說，這就像我們把一顆十五英寸口徑的砲彈射向一張衛生紙後，砲彈竟然被紙彈了回來。

這樣的結果依照常理根本不應該發生。他花了些時間仔細推敲後，才領悟到這樣的情形只有一種可能：那些反彈回來的少數粒子，一定是撞上了原子裡某種尺寸很小但是密度很大的東西，因為絕大多數射向金箔的 α 粒子，都可以毫無阻礙的穿過。

拉塞福於是瞭解到，原子裡絕大部分是啥都沒有的空間，但中心部分有一個密度非常大、但尺寸非常小的核。這是一個最令人滿意的大發現，但是它也馬上呈現了一個大問題。那就是根據傳統物理學的定律，這樣的原子不應該存在。

現在我把故事暫停一會兒，好讓我們考慮一下，目前我們知道的原子結構究竟是什麼樣子。

每一個原子都由三種基本粒子構成：帶一單位正電荷的質子、帶一單位負電荷的電子、以及不帶電荷的中子。質子與中子擠在一起形成原子核，電子則在核外環繞。原子裡的質子數目決定了該原子的化學身分，譬如具有一個質子的原子就是氫原子，

＊ 蓋革之後發明了以他的姓氏為名的輻射偵測器——蓋革偵測器。不過蓋革後來變成了忠誠的納粹黨徒，毫不遲疑的背叛、出賣他的猶太同事，其中包括許多曾經幫助過他的人。

有兩個質子的就是氦原子，而有三個質子的就是鋰原子，然後依序類推，你每加入一個質子，就得到一種新元素。

（由於在原子裡，質子所帶的電荷，總是得由相同數目的電子來平衡，所以你有時會看到有些書上說，是原子裡的電子數目在定義元素，其實兩者著眼點雖不同，結果並無任何差別。有些專家給我的解釋是，質子數目確認原子的身分，而電子數目則確定原子的個性。）

中子對原子的身分沒有影響，但會增加原子的質量。中子的數目通常跟質子的數目差不多相同，但是它們可以稍微有增減；如果增加或減少一兩個中子，就得到同位素。在考古學中，決定年代的技術就是使用同位素，例如碳十四，它是具有 6 個質子與 8 個中子的特殊碳原子（十四是指質子與中子數目的總和）。

質子與中子占據了原子核，而原子核的體積非常小，僅占原子全部體積的一千兆分之一，但是非常緊密扎實，因為原子的質量幾乎全部集中在原子核裡面。就像作家克羅伯所描述的，如果我們把原子放大到跟一座天主教大教堂一樣大，那麼原子核就像一隻蒼蠅那麼大，只不過這隻蒼蠅可是比整個教堂重了數千倍！在 1910 年使拉塞福搔頭不解的，就是原子裡面竟然是如此的空曠，有著完全意想不到的大空間。

直到今天，當人們想到「原子裡絕大部分竟然是空的，我們從周圍一切東西經歷到的扎實固體感覺，原來只是錯覺」，仍然覺得相當震驚。

真實世界裡，當兩件物體彼此相撞時，通常都是用兩顆撞球當例子來解釋，正如《銀河系大定位》作者費瑞斯所解釋的那樣：它們並非實質上發生了碰撞，「而是這兩顆球各自攜帶的負電荷形成的負電場在接近後，發生了排斥作用而造成的結果……若非它們身上帶有電荷，它們會像相會的星系一般，毫無損傷的彼此相互穿插通過。」

當你坐在椅子上時，你並非真的一屁股「坐」在椅子上，而是懸空浮在椅子上空、離開椅子大約一埃（一億分之一公分）的高度，你的電子跟椅子的電子互相排斥，拒絕彼此更進一步的接近。

如今幾乎每個人一想到原子，腦子裡就會出現一個畫面：原子核外有一、兩顆電子繞著原子核飛舞轉動，就像行星圍繞著太陽一般。這個畫面最早是在1904年，由日本的物理學家長岡半太郎（Hantaro Nagaoka, 1865-1950）根據自己的猜想創造出來的。這個畫面完全跟事實不符，卻深植人心。

就像科幻小說作家艾西莫夫（Isaac Asimov, 1920-1992）喜歡說的，這個畫面激發了其後數代

科幻小說家的想像力，創造出一些「世界中另有世界」的故事。要不是把原子變成了上面有人居住的細微太陽系，就是把我們的太陽系變成了僅僅是某個有條理的龐大系統中的一粒灰塵。

甚至到今天，歐洲粒子物理研究中心（CERN），還採用長岡半太郎的畫面做為網站的圖形標誌。事實上，在長岡半太郎的畫面出現後不久，物理學家就已經覺察到，電子完全不像是繞太陽運轉的行星，而像是正在轉動中的電風扇扇葉，電子同時充滿了軌道中的每一點空間（不過這兩樣東西之間有個關鍵的差異，那就是扇葉只是「看起來」同時充滿軌道空間，而電子卻是真的如此）。

當然以上所說的這些，在 1910 年，甚至其後許多年內，都還沒人知道。拉塞福的發現讓某些重大且根本的問題立即呈現出來，特別是電子怎麼會持續繞著有相反電荷的原子核轉，而不會一頭撞上去呢？傳統的電動力學理論要求，一顆在飛舞中的電子應該非常迅速的消耗完能量，一眨眼就會轉進原子核，造成雙方災難性的後果。

另一個問題是，帶正電荷的質子怎麼會乖乖的被綁在原子核內，而不會彼此相斥爆炸開來，順便把原子的其他部分也扯碎？所以很清楚的可以看出來，在原子層次的微小尺寸世界裡，發生的種種事情，並不遵照我們這個大尺度世界裡的各種物理定律。

當物理學家開始仔細探究次原子層次的領域後，他們逐漸覺察到，它不僅跟我們所知道的完全不同，而且還跟我們曾經幻想過的大異其趣。費曼有一回向人說：「由於原子的行為與我們日

一般人想到原子，腦海裡就會浮現電子繞著原子核運轉的景象，情況就像行星繞行太陽一樣。這個由日本物理學家長岡半太郎於 1904 年構思出的原子模型，雖然深植人心，但並不正確。

常經驗太不相同，要習慣它還真是非常困難。大家都認為它既奇特又神祕，這種感覺不限於新入物理之門的學生，就算有多年經驗的物理學家也不例外。」

要知道，費曼做此番表白的時候，物理學家已經花了半個世紀的時間，調適自己去習慣原子的怪異行為。因此我們應該可以想像，拉塞福跟他的同事在 1910 年代剛剛發現原子行為時，心裡的震撼及感受了。

波耳與量子跳躍

當時跟拉塞福一起工作的人員裡，有一位溫和可親的年輕丹麥人，他的名字叫波耳（Niels Bohr, 1885-1962）。在 1913 年，波耳正在研究原子的結構，新婚的那幾天突然想到了一個好點子。這個點子叫他非常興奮，臨時決定把蜜月延後，先把點子寫下，後來成了劃時代的論文。

物理學家無法看到原子這麼小的東西，他們必須用間接的方式對原子做不同的處理，然後從它的反應行為去推測它的結構。拉塞福試著用 α 粒子去打金箔，就是這種方式的典型例子。

有的時候，這些實驗的結果像謎一樣難解。有一個存在已經很久的這種謎，跟測量氫元素發射光譜上的波長強度有關。實驗結果顯示，氫原子只會發射出某些固定波長的能量。這有些像我們追查某人的行蹤，結果發現他總是在幾個固定地點現身，然而卻從未見到他在這幾個地點間旅行。沒有人能夠瞭解為何有這樣的結果。

波耳當時百思不得其解的就是這個謎，而那個使他忙著寫論文的點子，就是他陡然間想到的一個謎底。他寫出來的那篇著名論文，題目叫做〈論原子與分子之組織成分〉（On the Constitutions of Atoms and Molecules），其中解釋電子何以不會掉入原子核的原因。他的建議是說，電子只能占據某幾個範圍很明確的軌道。根據這個新理論，電子從一個軌道轉移到另一個軌道時，它是從前者消失，並同時在後者重新出現，而不經過這兩個軌道之間的空間。

此觀念即是著名的「量子跳躍」（quantum leap），這絕對是不可思議的怪事，但是卻非常奇妙，妙到不可能「不」是真的。原因是它不僅能夠避免原子中電子災難性的摔落到原子核上，而

丹麥物理學家波耳 1926 年在講堂上的留影。這位為了研究工作，竟可以延遲蜜月旅行的傑出學者，在 1922 年就因為解出了電子的神祕特性，而獲得諾貝爾物理獎。

且還適切的解釋了氫原子的發射光譜上，僅僅出現幾個固定波長的怪現象。

換言之，電子只在固定的某幾個軌道出現，是因為它只能在這幾個軌道上存在。這可是一個高明見解，為此波耳獲得了 1922 年的諾貝爾物理獎，只比愛因斯坦晚了一年。

在這同時，從不倦怠的拉塞福回到了劍橋，接替約瑟夫．湯姆森主持卡文迪西實驗室，也研究出一個模型，可以解釋為什麼原子核不會爆炸開來。他看出來原子核中的質子必然需要具有中和作用的粒子，以抵銷相互的排斥力，他把這種應當有的粒子叫做中子。

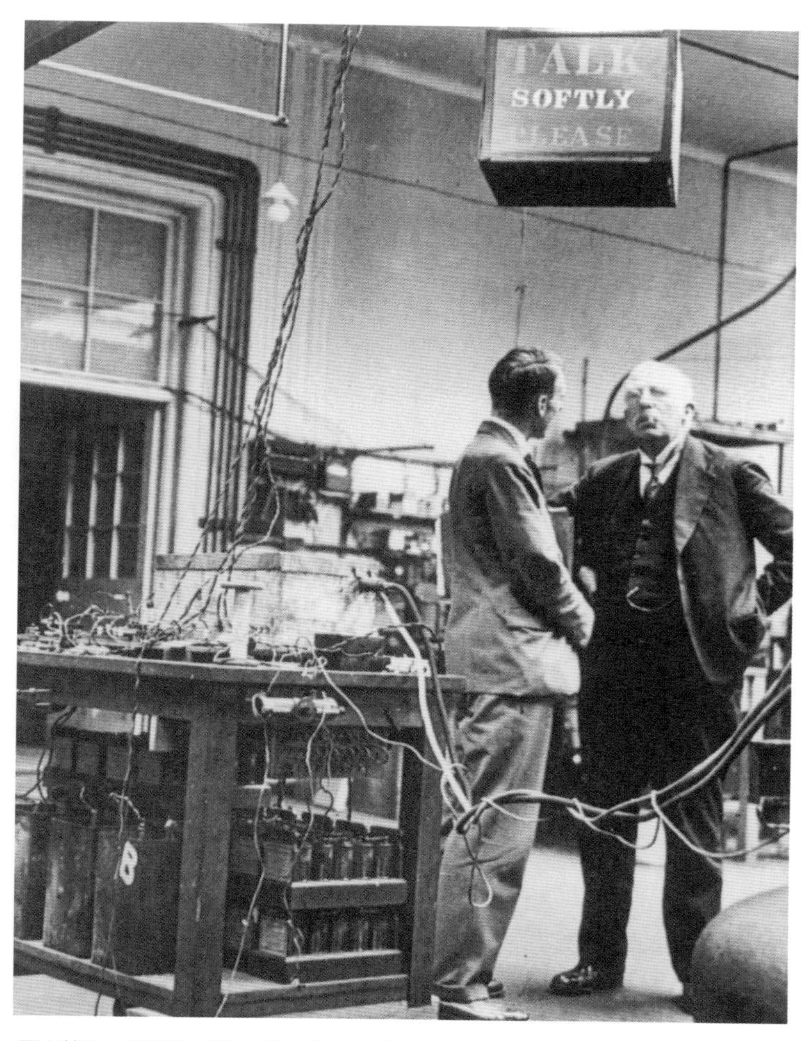

面向鏡頭，叼著菸，若有所思的這位先生，就是紐西蘭出身的物理學家拉塞福 。這張照片於 1926 年攝於卡文迪西實驗室。拉塞福在 1908 年，因為原子結構上的研究而獲得了諾貝爾物理獎，躋身卡文迪西實驗室黃金時代孕育的眾多科學桂冠之一。拉塞福並在約瑟夫．湯姆森之後，接掌了卡文迪西實驗室。

這個想法既簡單又討好，但很不容易證明。拉塞福的工作夥伴查兌克，整整投入了十一年的光陰來尋找中子，最後才在 1932 年成功如願，也因此獲得了 1935 年的諾貝爾物理獎。

是波？還是粒子？

原子彈物理學家布爾斯（Henry A. Boorse, 1904-2003）跟同事們在他們所寫的原子彈歷史故事中指出，中子的發現在時間上的延遲，也許是一件好事。

因為操控中子的技術是發展原子彈的重要關鍵（因為中子不帶電荷，不會受原子中心的強力電場排斥，所以可以用來當作微

查兌克是拉塞福的高徒。他花了十一年的時間，終於證明了中子的存在，並因此成就獲得了 1935 年的諾貝爾物理獎。

這是查兌克的中子偵測器。1932 年時，查兌克就是用這個偵測器，證明了原子核裡，有這麼一個不為人知且難以偵測的粒子。

小的魚雷，發射入原子核，觸發那個叫做核分裂的毀滅性爆炸過程。)，他們認為，如果當初中子提前在 1920 年代就分離出來，那麼「後果很可能是，原子彈會最先在歐洲發展出來，且毫無疑問的會是由德國人做出來。」

實際上的情形是，那時的歐洲學者正被電子搞得手忙腳亂，他們想弄清楚電子的奇怪行徑。而他們的最主要問題是，電子的行為有時像粒子，但有時卻像是波。

這個不可能的二象性，讓歐洲物理學家幾乎都發了瘋。下一個十年裡，在歐洲大陸上，他們努力挖空心思，提出一些互不相容的假說。譬如在法國，出身公爵之家的德布羅依（Louis-Victor de Broglie, 1892-1987）王子發現，如果你把電子當成是波的話，電子行為上的某些失常現象就會消失。

他的這項觀測激起了奧國科學家薛丁格（Erwin Schrödinger）的注意，薛丁格做了一些巧妙的改良後，設計一套叫做波動力學（wave mechanics）的有用系統。

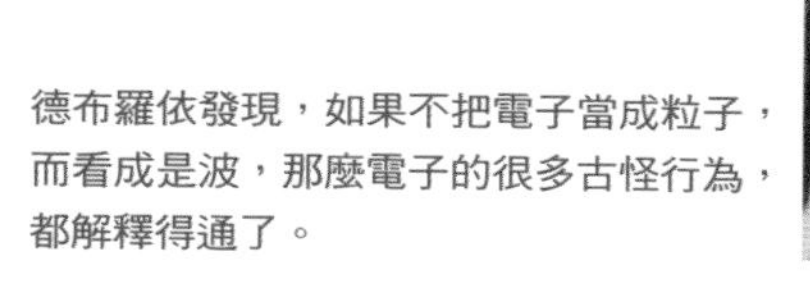

德布羅依發現，如果不把電子當成粒子，而看成是波，那麼電子的很多古怪行為，都解釋得通了。

薛丁格在 1926 年發表了一系列的論文，奠定了量子波動力學這個領域。他有名的想像實驗把量子理論跟以下的哲學想法連在一塊兒。這種哲學強調，有兩個可能結果的任何狀態，在還沒有觀測到確實結果之前，兩個可能的結果會同時存在。

可是也幾乎就在同一時期，德國物理學家海森堡（Werner Heisenberg, 1901-1976）研究出另一套叫做矩陣力學（matrix-mechanics）的理論。不過他這套理論涉及的數學非常複雜艱深，以致於幾乎沒人真的懂，也包括海森堡自己。（有一次海森堡失望的對一位友人說：「我甚至不曉得矩陣是啥。」）但是這套理論卻似乎可以解決某些用薛丁格的波動力學不能解釋的問題。

這樣一來，物理學有了兩套理論，它們根據兩個相互牴觸的概念，卻得到了相同的結果，這簡直是個不可能的情況。

最後到了 1926 年，海森堡又研發出一個著名的折衷辦法，創立了一個嶄新的知識學門，就是量子力學。

在實際應用上，這個原理是說，你永遠不能預測電子在任何一個特定時刻的確實位置。你只能寫出一張清單來，上面注明每一處出現電子的機率。

在某種意義上，就像作家奧弗拜（Dennis Overbye）說的：電子在尚未被觀測到時，壓根兒就不存在。或者我們換個方式說：我們在尚未觀測到電子時，必須認定它「隨時都在每個地方，同時也不在任何地方。」

如果你覺得上面說的讓你很困惑，那麼當你知道物理學家也是一頭霧水時，也許會覺得好過一些。奧弗拜指出：「波耳有一次對此講評說，如果有人第一次聽到量子理論而不生氣發怒，他一定是沒聽懂人家在說啥。」有人問海森堡該如何去想像一個原子，他老兄的回答是：「最好別去試！」

後來發現，原子的實際結構，跟大多數人心裡想像的有非常大的差距。電子並不像行星繞太陽那樣，繞著原子核飛轉，而是比較像一朵沒有特定形狀的雲彩。原子的「殼」只是模糊不清的電子雲的最外層，完全不像有些插圖裡面畫的那樣，是一層閃亮的硬外罩。電子雲的本身只是統計機率上電子可能存在的範圍，在這個範圍以外，也不是絕不會有電子出現，只是機會不大而已。

所以你如果看得見原子的話，它會比較像一個毛茸茸的網球，而不像是有清楚輪廓的金屬球（但是它又不完全像網球，實際上它並不像你曾見過的任何東西。總之，我們現在面對的，是一個跟我們所知的世界完全不同的另一個世界）。

翻譯不準的「測不準」

海森堡提出的測不準原理，成為了量子力學這個新學門的中心思想。海森堡本人多半用德文 Unbestimmtheit 來表示「測不準」，翻譯成英文時「測不準」一般都用 uncertainty，但其實這有點不準確。

英國戲劇家兼翻譯家弗雷恩（Michael Frayn, 1933-）在科學歷史劇「哥本哈根」（Copenhagen）的後記裡指出：uncertainty 在譯成德文時，不同的譯者會各自選用 Unsicherheit、Unschärfe、Ungenauigkeit 等字，但它們跟 uncertainty 的意思都不太相符。他建議「測不準」譯成 indeterminacy 可能比較貼切，若用 indeterminability 會更佳。

德國物理學家海森堡
提出測不準原理。

微小尺度的嶄新世界

看起來這奇怪現象好像是沒完沒了。科普作家特菲爾（James Trefil）認為，這是因為科學家陡然間來到了「宇宙中，咱們的腦袋尚未能瞭解的領域。」或像費曼所表示的：「微小尺度的東西在行為上，跟大尺度的東西完全不同。」

當物理學家探究得愈深入，他們愈發察覺到這個新發現的世界，不只是電子不需要經過軌道之間的空間，就能從一個軌道跳到另一個軌道上，而且引用麻省理工學院物理學家萊特曼（Alan Lightman）的說辭：「如果物質會很快又從有到無的話，」它還可以突然從無變有。

量子裡有許多部分我們都覺得不可置信，最醒目的部分也許是它的觀念，是從奧地利物理學家鮑立在 1925 年發現的「鮑立不相容原理」衍生而來的。

鮑立不相容原理是說，某些成對的次原子粒子，即便彼此分開相當遠的距離，也都能即刻「知道」對方的一切動靜。粒子有一種叫做「自旋」的性質，根據量子理論，就在你測知一個粒子的自旋方向跟速度的那一刻，它的成對粒子，無論離開多遠，就一定是以相反的方向跟同樣的轉速旋轉。

我們且借用科學作家約瑟夫（Lawrence Joseph）的說法，這就好比你有兩個相同的撞球，其中一個放在美國俄亥俄州，另一個由人帶到南太平洋上的斐濟。但只要你讓其中一個球轉動，在遠方的另一個球會在同一時間，自動朝相反方向以同樣的轉速旋轉。

電腦繪製的氦原子圖，氦是宇宙中最常見的元素之一。在這張圖裡面，可以看見電子雲圍繞著由兩個質子與兩個中子組成的氦原子核。因為電子有「隨時都在每個地方、同時也不在任何地方」的古怪能力，所以氦原子的電子會形成電子雲。

你也許聽了會嗤之以鼻，認為是天方夜譚，但這個現象卻在1997年，由瑞士日內瓦大學的物理學家以實驗證實。他們把一對光子分開相隔十一公里，著手干涉其中的一個，發現另一個光子真的自動跟著產生了反應。

新的發現似乎愈來愈奇怪，以致於波耳在一次會議上談到一個新理論時說，現在問題已經不再是理論是否詭異，而是它是否夠詭異！

薛丁格曾提出一個有名的想像實驗，來說明量子世界的非直覺性質。他說把一隻假想的貓咪關在盒子裡，盒子裡擺一個放射性原子，跟一個裝有氫氰酸的小玻璃瓶相連接。如果這個原子在一小時內發生了衰變，就會啟動機制打破玻璃瓶，毒死假想的貓咪，如果衰變沒發生，則貓咪就可活命，但我們無法知道哪個結果會發生。

以科學觀點來評估此事時，我們只能認為在同一時刻，這隻貓咪是 100% 活著跟 100% 死亡。霍金才會用略帶興奮的口吻說：它的意義是指「既然我們連宇宙內的現況都無法精確測量出來，又哪能奢談準確的預測未來呢？」

薛丁格的貓洞

我這樣是進來了，
還是仍在外頭？

由於量子理論很怪異，許多物理學家都很討厭它，或至少討厭其中的某些方面。而不喜歡量子理論的物理學家中，又以愛因斯坦為最。仔細追究起來，這可挺諷刺的，在 1905「奇蹟之年」（annus mirabillis），他非常有說服力的為文解釋了，光子的行為如何有時像粒子，有時卻像波。這不就是新物理的中心觀念？雖然愛因斯坦很客氣的表示：「量子理論非常值得重視。」但私底下他說：「上帝不玩骰子＊。」對量子理論的不以為然溢於言表。原因應該是愛因斯坦無法接受上帝會創造一個不能完全為人所知的宇宙。

除此之外，那個遠距離作用的想法，即一個粒子可以同步影響相距數十億公里外的另一粒子，全然違反了狹義相對論，因為狹義相對論明白規定，任何東西都不能跑得比光更快，然而量子物理學家卻堅持，在次原子階層，雖不明究竟，但資訊的確可以跑得比光更快。〔順便附帶在此一提，從來沒人試圖解釋過，粒子究竟是怎麼做到這個精采把戲。根據物理學家阿哈拉諾夫（Yakir Aharanov）的說法，科學家對付這個棘手問題的辦法，就是不去想它。〕

最重要的是，量子物理學家還丟下了一個使物理學的條理變得複雜紊亂的問題，這種問題前所未有。陡然之間，你需要用兩

＊　事實上，這只是絕大部分講故事的人省時省事的詮釋。愛因斯坦實際上講的是：「看來要偷瞄上帝的牌很難，但是說祂玩骰子且用『心電感應』法……打死我也不會相信。」

套不同的法則去解釋宇宙的各種行為：量子理論只適用於極小的世界，而相對論適用於其他較大的世界。

相對論的重力在解釋行星為何繞太陽運行、或星系為何有群聚的傾向時，非常適切管用。但是到了粒子層次，重力壓根兒就不發揮任何影響。為了要解釋原子為何不會崩散開來，我們需要其他的力，因此在 1930 年代發現了強核力與弱核力。

強核力是把原子核中各成分綁在一起的功臣，是能讓質子聚在一起相安無事的強大力量。弱核力則是用來從事一些瑣碎的工作，大多數是跟控制某些放射性衰變的速率有關。

弱核力雖然號稱為「弱」力，卻是重力的 10 兆兆（10^{25}）倍。而強核力又更強大，事實上比弱核力還大了許多，但強核力的影響範圍卻非常短，約僅及原子直徑的十萬分之一。所以原子核會那麼小而緊密，而且原子核只要有較多中子、質子，就會變得非常不安定：因為只要距離稍微遠一點，強核力就無法拴住所有質子了。

這一切的結局，讓物理學變成了有兩套定律的學門：一套為非常小的世界專用，另一套則適用於宇宙的其他部分。而這兩套定律完全不搭調。愛因斯坦對這點也很不喜歡，因此把下半輩子的歲月全部用來找尋「大一統理論」（Grand Unified Theory），目的就是想把這兩套截然不同的定律合而為一，但很可惜愛因斯坦一直沒成功。

每隔一段時間，愛因斯坦都以為自己想到了新點子，但到了最後總是發現此路不通。這樣的日子一久，愛因斯坦在世人心中崇高的偶像地位，不免逐漸邊緣化了，後來甚至變得有些可憐。作家斯諾在他的歷史書裡寫道：幾乎沒有例外的，「當年他的同事就認為，而且直到今天他們仍然認為，他浪費掉了他的下半輩子」。

但是在世界的其他地方，有關原子知識的各方面研究都獲得了長足的進步。在 1940 年代中期之前，科學家對原子的瞭解，就已經達到了極深的層次。1945 年 8 月間在日本上空引爆的兩枚原子彈，就是最明白不過的注腳。

到此地步，物理學家很容易誤以為自己即將征服原子。然而事實上，當時的粒子物理學裡的每樣事物，都正處於大幅複雜化的轉變前夕。

但在我們開始講那段會讓人覺得有點累的故事之前，我們必須暫時岔開去，為先前的地質歷史做點更新的工作。增添一個在上述原子知識發展的同一時期內，所發生的不太討人喜歡、但有正面影響的重要故事，其中包括了貪吝、詐欺、劣等科學、一些不必要的死亡，以及地球年齡的最後測定。

造成這個令人膽戰心驚的蕈狀雲的，
是 1954 年美國軍方在南太平洋比基尼環礁附近海域，
進行的首次氫彈試爆。這個氫彈的威力為 1 千 1 百萬噸，
相當於二次世界大戰中，交戰雙方使出的爆炸力總和的兩倍。

第 10 章
把鉛趕出去

墨西哥市在晨間交通尖峰時刻的景象。
這個城市籠罩在讓人透不過氣的汙染煙霧裡。

1940 年代末期，芝加哥大學有位研究生名叫克萊爾．帕特森（Clair Patterson, 1922-1995，雖然父母給他取的名字在美國很少見，但他的確是出生在愛荷華州農家的道地美國人），試驗一種用鉛同位素的新測量方法，要為地球年齡做終極判定。

但不幸的是，他發現採集到的樣品都遭汙染了，而且情況異常嚴重。大部分樣品中的含鉛量都超出預期的兩百倍左右。帕特森當時搞不清楚究竟是哪兒出了問題，之後經過許多年，他才明白，原因需怪罪一位可悲的俄亥俄州發明家，他的名字叫米基利（Thomas Midgley Jr., 1889-1944）。

帶來不幸的科學家——米基利

米基利原本是科班出身的工程師，如果他老老實實當一輩子工程師，這世界無疑會安全得多。很糟糕的是，他培養出把化學應用到工業上的興趣。

1921 年間，他在替位於俄亥俄州達頓市（Dayton）的通用汽車研究公司做研發時，檢查試驗一種叫做四乙基鉛的化合物，結果發現它能顯著減低汽油引擎運作時發生的震顫，此情況一般稱作引擎敲擊。

即使人們普遍知道鉛有危險性，但是在二十世紀初期，大量製造的消費產品中都可以發現它的蹤跡。食物罐頭裡面含有鉛，因為罐頭是用鉛焊接密封的，飲用水經常儲存在以鉛當襯裡的水槽中，鉛還以砷酸鉛的形式噴灑到水果上當殺蟲劑，製造商甚至把鉛混入包裝牙膏的軟管材質內。幾乎市面上看得到的工業產

四乙基鉛在 1923 年正式問世時，大多是用「乙基」（ethyl）這個名稱包裝上市。四乙基鉛可以使引擎運轉更順暢，但四乙基鉛對於製造它的工人以及吸入它的人，都會造成嚴重傷害。

品，都會把一些鉛帶到消費者的生活中。這些產品把鉛帶到人身上的程度跟持久性，都遠不及把鉛加進汽油中。

鉛是一種神經毒素，進入身上的量一旦過多，就會造成腦跟中樞神經系統的損傷，而且這種損害無可修補。過度暴露於含鉛的環境下，造成的諸多症狀包括：眼盲、失眠、腎衰竭、喪失聽力、癌症、癱瘓及痙攣。而最嚴重的急性症狀是突發的恐怖幻覺，受驚嚇的不只是受害人，還會造成身邊人的困擾。病人發瘋後通常接著會昏迷跟死亡。所以大家都該特別小心，不要讓太多的鉛進入體內。

從另一方面而言，鉛很容易從自然界提煉出來，後續處理也不麻煩，工業製造的成本非常低廉，利潤卻非常高，而且四乙基鉛的確是能夠有效制止汽油引擎爆震現象。

所以在 1923 年，美國當時最大公司中的三家，通用汽車、杜邦、紐澤西標準石油，合資成立了乙基汽油公司（後來簡稱為乙基公司），目的就是製造四乙基鉛供應全球所需，結果發現這個生意真是大得不得了。他們把製造出來的汽油添加物稱為「乙基」（ethyl），因為這聽起來似乎不像「鉛」那麼可怕、那麼毒，然後在 1923 年 2 月 1 日那天，正式介紹給大眾使用（用法還不只一種）。

幾乎打從乙基公司開始運轉，工人就開始步伐搖晃跟意識不清，顯示出新近中毒的徵象。但也幾乎就是同時，該公司開始實施處變不驚與矢口否認的「政策」，讓公司得以繼續營運賺錢，達數十年之久。

就像女作家麥克格雷尼（Sharon Bertsch McGrayne）在她那本極有趣的化學工業史《實驗室內的奇蹟創造》（*Prometheans in the Lab*）中記述的，當該公司的工廠員工出現醫不好的幻想症時，公司的發言人漠然的告訴記者：「這些人大概是工作過勞才發瘋的。」

在早期剛開始生產含鉛汽油的日子裡，至少有十五名工人死於鉛中毒，生病的員工不知凡幾，而這些員工的病況通常都非常嚴重。詳細數字之所以不明，是因為公司幾乎永遠能防堵、壓制難堪的滲漏、溢出及中毒事件。但是偶爾也會有幾次，新聞壓制不住，其中最有名的一次是在 1924 年，就在單一設施內，由於通風不良，數天之中造成了五人死亡，三十五人變成了步履蹣跚的永久性傷殘。

當新產品極危險的謠言傳布開來後，精力充沛的乙基發明人米基利決定召開記者會，以降低社會的疑慮。他大談公司如何一向誓言安全第一，然後當眾把四乙基鉛淋在自己雙手上，並且舉起了一個內盛四乙基鉛的燒杯到鼻子下方六十秒。他宣稱每天都做這兩件事，從來沒有不舒服的感覺。

但實際上，米基利是箇中專家，比任何人都清楚鉛中毒的危險：就在開記者會的數個月之前，他自己就因過度暴露在含鉛環境下而大病一場。之後他把這玩意兒當成蛇蠍，盡量躲得遠遠的，這次為了取信記者才又破例。

由於受到含鉛汽油賺大錢的鼓舞，米基利把注意力轉向當時另一個技術難題。

1920 年代的冰箱常會給使用者帶來危機，原因是當時使用的冷凍劑是極其危險的氣體，而且有時會外漏。1929 年，在俄亥俄州克里夫蘭市的一家醫院，就因為一台冰箱漏氣造成了一百多人死亡。米基利開始創造一種氣體，條件是要穩定、不可燃、無腐蝕性、即使呼吸到也不會中毒。冥冥中米基利似乎注定，會跟以後令人後悔的事糾纏不清，他發明了氟氯化碳（CFC）。

歷史上幾乎沒有其他工業產品曾像 CFC 這樣，「不幸」的受人歡迎跟熱愛。CFC 在 1930 年代早期開始大量生產，迅速就應

美國發明家米基利一生發明無數，但他最著名的兩項發明——含鉛汽油與氟氯化碳，卻留給世人無窮的後患。

用到各式各樣的工業產品上。半個世紀後，它的應用範圍從汽車的空調系統到除臭劑的噴霧器，總數不下千種。到這時人們才發現，它一直在破壞平流層中的臭氧，待會兒你就會瞭解，這可不是一件好事。

臭氧是氧氣的一種形式，普通氧氣中，一個分子中有兩顆氧原子，而臭氧分子中有三顆氧原子。臭氧的化學性質有點奇怪，在靠近地面的高度，臭氧是對人有害的汙染物，但是在高空中的平流層裡，它卻對人非常有益，原因是它能吸收危險的紫外線。但平流層裡的有益臭氧量並不多，如果它均勻分布在平流層裡，也只夠形成厚度約 0.2 公分左右的臭氧層，所以非常容易受到擾亂。

氟氯化碳的量也不是很多。整體說來，它們在大氣中的含量只有十億分之一左右，但破壞臭氧層的能力卻非常強大，1 公斤的 CFC 能夠毀壞 7 萬公斤的臭氧。

CFC 本身極穩定，平均壽命高達 100 年，在其間一直大肆進行破壞。另外它們也是很偉大的吸熱物質，在加劇溫室效應的效率上，一個 CFC 分子比一個二氧化碳分子強一萬倍。而你一定聽說過，二氧化碳在做為溫室效應氣體上，已經是惡名昭彰的了。簡言之，氟氯化碳最後經證明，大概是二十世紀裡最糟糕的發明。

米基利生前並不知道這些真相，因為在發覺 CFC 的破壞性之前，他已經作古。而他的死亡也相當不尋常。他後來因患小兒麻痺症而行動不便，於是他再度發揮長才，為自己發明了一套機械裝置，以繩索帶動滑輪，如此可以不依賴他人，自己起床跟在床上翻身。1944 年，他在運作機器時，不小心遭繩索羈絆，讓自己的發明給活活勒死。

碳十四定年法問世

如果你對確認各種東西的年齡有興趣的話，1940 年代的芝加哥大學是你該去走訪的地方。在那兒，厲比（Willard Libby, 1908-1980）正在研發放射性碳的定年法，這個方法能讓科學家測得骨頭以及其他有機遺物（動植物遺骸）的正確年代，這是科學

厲比在 1940 年代發明的放射性碳的定年法，讓他獲得了 1960 年的諾貝爾化學獎。這位科學家在 1955 年登上了時代雜誌的封面。放射性碳的定年法，是第一個可以可靠測出古代物質年代的方法。

界以往未能做到的。

在此以前，最早的可靠日期，不會早於古埃及第一王朝，也就是大約在西元前 3,000 年左右。沒有人能有信心的說，上一次的冰河時期是何時結束的，或是過去的克羅馬儂人什麼時候在今天法國南部拉斯科（Lascaux）的洞穴裡畫圖。

厲比的點子經證明非常有用，因而使他獲得了 1960 年的諾貝爾獎。他這個方法的根據是，所有活的生物都含有一種叫碳十四的碳同位素。生物一旦死亡，身上的碳十四衰變後無法由呼吸得到補充，其含量開始下降，隨時間消逝而逐漸減少。

碳十四的衰變或消失有一定的半衰期，長度約為 5,600 年。半衰期就是樣品中原先碳十四的量，消失掉一半所需的時間。所以只要測量出樣品中有多少碳十四衰變了，厲比就可以推算出樣品的年齡。不過這個方法有一個上限，因為一連經過了八個半衰期後，樣品中剩下的碳十四只有原先的 0.39%，這個量太少，測量起來不太可靠。所以放射性碳的定年法，只適用於距今 4 萬年內的東西。

很奇怪的是，就在這個放射性碳的定年法已經廣泛採用後，才有人發現這方法有些瑕疵。其中比較嚴重的一點是，厲比當初給的計算公式中，有個叫做「衰變常數」（decay constant）的基本組成跟事實不符，其間有大約 3% 的誤差。

但這個發現太晚了，全世界已經有數以千計的測量結果用了他的常數，科學家決定將錯就錯，維持公式中的不正確常數。著名的澳洲演化生物學家弗蘭納瑞（Tim Flannery）指出：「因此，如今你讀到的每一個由此方法測得的年齡數據，都比正確的『年輕』了差不多 3%。」

問題還不只這樣，使用者很快就發現，碳十四的樣品或標本在採集時，非常容易遭其他來源的碳元素汙染，譬如採集標本時無意間把旁邊的植物一起納入，即使量少到難以覺察，影響卻可能很嚴重。

對於比較年輕的樣品（2 萬年以下的），一丁點的汙染，影響也許還不太大，但那些年齡比較大的樣品，由於樣品裡所剩的碳十四原子已經不多，造成的誤差會非常嚴重。我借用弗蘭納瑞舉的例子來說明，他說前者猶如在數一千元時少算了一塊錢，後者是總共只有兩塊錢可數時，竟有一元的出入！

厲比的方法還有一個假設的先決條件，那就是地球大氣中的碳十四成分以及它受生物吸收的效率，在過去萬千年來始終如一，但事實上這個假設並不正確。

我們現在知道大氣中的碳十四成分一直在變化，決定因素是地磁是否能有效偏轉宇宙射線，而這個效率隨時間有相當幅度的變化。過去有些年代的樣品，由放射性碳定年法得到的結果，準確性較差。在人類初抵美洲的前後，尤其測得不準確，這是為何考古學家一年到頭都在爭論人類何時抵達美洲，然而迄無定論的原因之一。

最後，也許有點讓人意外的是，這方法得到的數據，可能受一些看起來無關的外在因素左右，諸如受測骨頭的動物生前的飲食等等。最近有個公案牽涉到長期以來人們一直在爭論的一個議題，那就是梅毒究竟是發源在新大陸呢，或舊大陸？

考古學家在英國北部赫爾市（Hull）的一所修道院墳場發現，此地的僧侶生前曾染梅毒。由於碳十四定年法的結果顯示，這些僧侶生活的年代是在哥倫布出航之前，以致於開始時認定梅毒不可能來自美洲。

但這個結論後來遭人翻案，理由是他們發現，這些僧侶生前的食物中包括大量的魚類，有證據顯示，吃魚會讓骨頭裡的碳十四變少，因而用碳十四定年法測出的骨頭年齡，會比實際上的老。現在可以確定的是，這些僧侶也許真的曾染上梅毒，但他們在什麼年代染上、又是如何染上的，仍是懸案。

另覓其他定年法

由於碳十四定年法的缺點愈來愈多，科學家只得再設計其他的方法，以確定古代物質的年齡。其中一個方法叫做「熱釋光」（thermoluminescence），它是測量遭黏土捕獲的電子，另一個方法叫做「電子自旋共振」（electron spin resonance），則是先用電磁波轟擊測試樣品，然後測量它的電子振動。

但即使是最好的方法，對於二十萬年前的東西，仍無法正確測得年代。而且它們的測量對象只限於有機物，拿諸如岩石之類的無機物完全沒轍。然而測量無機物，才是決定咱們地球年齡需走的途徑。

地球幾歲了？

岩石年齡的問題，事實上一度曾讓所有人束手無策，幾乎完全放棄。要不是後來出現了毅力超凡的英國地質學教授霍姆斯（Arthur Holmes, 1890-1965），這個問題只怕永遠沒有答案。

霍姆斯有兩樣值得稱道的英雄事蹟，其一是他克服了難倒其他人的阻礙，其二則是他終於得到了所要的結果。在 1920 年代開始之前，正值霍姆斯事業的精華期之時，地質學卻漸漸冷門，由物理學取而代之成為最熱門的科學。地質學的研究經費普遍不足，尤其是在地質學的精神誕生地英國，情況特別嚴重。

在霍姆斯執教的蘇格蘭杜倫大學（Durham University）連續有許多年，地質學系就只有他一人而已。授課之餘，要做研究以放射性方法測量石塊年齡時，經常必須向別系借用儀器，或把儀器修補，才能勉強湊合。

最糟的一段時間，為了等候學校替他買一台簡單的加法器，實驗計算延宕了一年。偶爾還有幾次，他迫不得已短期脫離學術崗位，到外面另找工作以便養家糊口，他曾經營一家古董店，而有時候他甚至窮得付不出地質學會一年五英鎊的會費。

霍姆斯工作上所用的技術，理論上很直截了當，淵源於拉塞福在 1904 年首先觀測到的現象，那就是某些原子從一種元素衰變成另一種元素時，衰變率幾乎不受環境因素的影響，因此可以用來當時鐘。

英國地質學家霍姆斯，測量從鈾衰變成鉛的衰變率來計算岩石的年齡，並由岩石的年齡推測出地球的歲數至少有三十億。

比方說，如果你知道鉀四十衰變成氬四十的半衰期，然後測量樣品中這兩種成分的各自含量，就可以計算出樣品的年齡。霍姆斯在這方面的貢獻，是測量從鈾衰變成鉛的衰變率，來計算岩石的年齡。他希望由石頭的年齡得知地球的年齡。

雖然道理非常簡單，要達到目的卻有許多技術上的困難要克服，霍姆斯還需要，或至少會非常樂意於能擁有一些精密的小工具跟測量儀器，好讓他比較容易處理少量的樣品，精確量計其中微量的成分。然而我們剛剛才提到，他為了一台簡單的加法器，居然要等一年多的窘狀。所以在 1946 年他能有信心的宣布，地球的年齡至少有三十億年或更長時，那真是極了不起的成就。

不幸的是，接下來他面對另一種可怕的障礙：科學同行觀念保守，不接受他的說法。他們雖然很樂意讚揚他千辛萬苦開發出

地質化學教授布朗研發出一個方法，可以確定極古老的岩石年歲，他指派博士生帕特森來進行計算地球年齡的任務，帕特森花了七年的工夫，終於算出地球已經高齡四十五億五千萬歲了。

來的測量方法，卻堅持霍姆斯發現的並非地球的年齡，而僅只是形成地球的各種物質的年齡。

就在這個關鍵時刻，美國芝加哥大學的地質化學教授布朗（Harrison Brown, 1917-1986）研發出計算火成岩（即由熱生成的岩石，與由沉積方式生成的水成岩不同）裡鉛同位素的方法。

布朗意識到這件工作會非常單調乏味，於是把它指派給年輕的帕特森當博士論文的研究計畫。眾所周知，當初交代這項任務時，布朗特地告訴帕特森，用新發明的方法決定地球年齡輕而易舉。事實上，最後這工作花了許多年才完成。

帕特森在 1948 年開始動手進行論文計畫。同時期在美國中西部的米基利精彩有意思的貢獻，推動了時代進步；相形之下，帕特森的地球年齡發現之旅，卻讓人洩氣。他這個博士學位花了

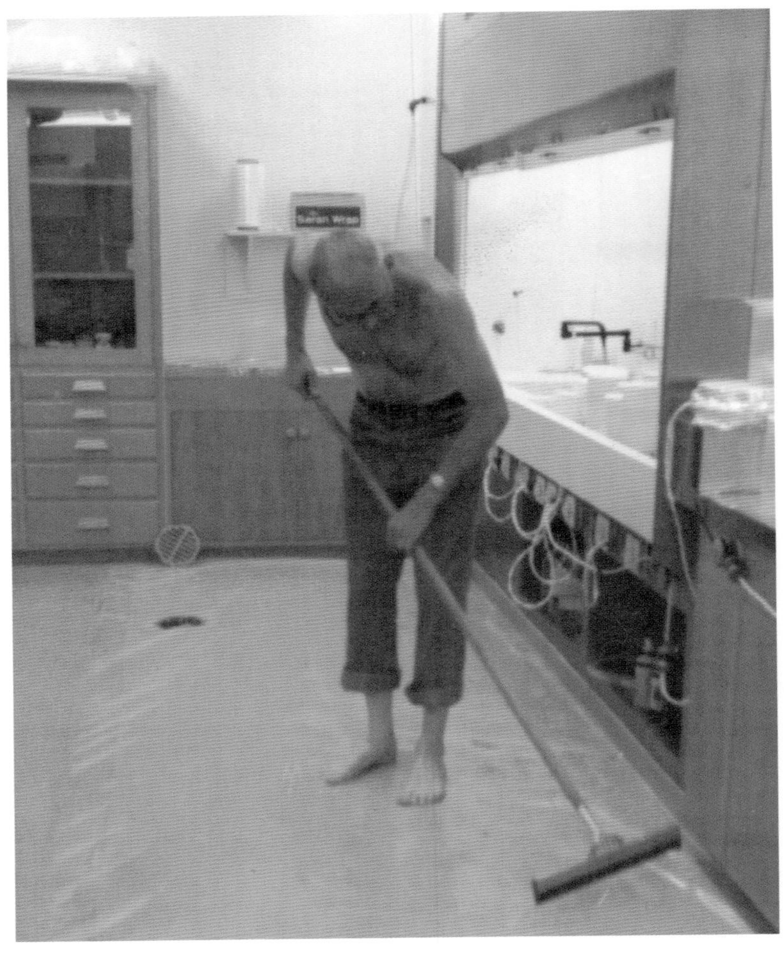

打赤膊的帕特森，正在奮力刷洗位於加州理工學院的實驗室。不知為何，來自大氣裡的鉛，一再莫名其妙的汙染他的實驗。

七年工夫才拿到，起先在芝加哥大學，後來在 1952 年轉到了加州理工學院，他在無菌實驗室內，仔細選擇出古老石塊，然後精確的測量其中鉛跟鈾的比率。

這個量測地球年齡的方法，成功關鍵有二：其一是要有跟地球年齡幾乎相若的古老岩石；其二則是該岩石的成分中，必須有含鉛跟鈾的化合物結晶。

顯然，如果岩石不夠老，測得的地球年齡當然會偏低，而若石塊裡面沒有這種結晶，布朗的方法也就使不上力。然而在地球表面上，極古老的岩石還真是非常稀罕，而在 1940 年代末期，尚無人瞭解為何古老岩石會這樣稀罕。

找不到古老岩石的確是很不尋常的現象，事實上得等到進入了太空時代，才會有人提出合理的理論，解釋地球上那些最古老的岩石都跑到哪兒去了（答案是板塊構造學說，我們以後會講到，現在暫且不說）。只是如此一來，帕特森就如同無米可炊的巧婦。好在窮則變，變則通，最後他突然靈機一動，想到辦法可以不落入缺乏石頭的難題，到地球以外的地方找吧！於是他把注意力放在隕石上。

他做了一個假設，一個非常大膽的假設，但後來經證明是正確的。那就是許多隕石是太陽系早期遺留下來的建材，因而其內部多少仍保存了一些最原始的化學成分。根據此假設，他認為只要測量出這些亙古以來漫遊天際的隕石年齡，就能得到地球年齡的近似值。

不過，道理聽起來雖然簡明易懂，實際做起來可就不見得那麼順溜。首先，從天外飛來的隕石數量本就不多，隕石標本也不是那麼容易蒐集到手。此外經證明，布朗的測量方法太過吹毛求疵，需要大幅度改進。最糟糕的是，帕特森發現好不容易蒐集到的樣品，一旦暴露在空氣中，就會莫名其妙不斷受到來自大氣裡的鉛大幅度的汙染。為此他特地創設了一間無菌實驗室，而根據至少一個資料來源指出，這可是全世界同類實驗室中的第一間。

帕特森耐心的工作了七年，只是蒐集到了一些可供做最後測定的合適樣品，並對樣品進行測量而已。1953 年的春天，他專程回到芝加哥，到附近的阿崗國家實驗室申請到最新型質譜儀的使用，這一台機器能偵測並且量計，封鎖在古老結晶中的微量鈾跟鉛。他終於得到了許多年來夢寐以求的實驗數據。大功告成時，帕特森興奮得不得了，直接開車回到愛荷華州的兒時老家，進門就要求母親把他緊急送進當地的醫院，因為他認為自己爆發了心臟病！

不久後，在威斯康辛州召開的一次學術會議上，帕特森正式宣布了一個最可靠的地球年齡：四十五億五千萬年（誤差為正負七千萬年）。女作家麥克格雷尼以欽佩的筆調寫道：「這個數字在以後的五十年中屹立不搖。」人類努力了兩百年，才終於知道地球的年齡。

反鉛鬥士——帕特森

帕特森幾乎馬上把注意力轉移到空氣中含鉛的問題。結果他震驚的發現，當時一般人印象中，鉛對人體沒啥嚴重影響的認知完全是錯誤的，或遭到誤導的。原因說穿了實在不值錢，因為他發現過去四十年內，所有關於鉛對人體影響的研究，經費毫無例外的全都是由製造含鉛汽油添加物的廠商提供。

茲舉一例，有一位從未受過化學病理學專業訓練的醫生，做了一個五年的研究計畫。其主要實驗是叫自願者吸入或口服吞下高劑量的鉛化合物，然後去檢測他們大小便中的鉛含量。

看起來這位醫生壓根兒就不知道，身體不會把鉛當廢物排出體外，而是會在骨頭跟血液裡累積，所以鉛非常危險。但是這位醫生的研究計畫裡，卻沒有檢測骨頭跟血液裡的含鉛量。於是由於大小便中沒有測得鉛，他竟然下結論說，鉛對健康沒有任何妨害！

帕特森很快就證明大氣中含有大量的鉛，甚至到現在情況還是一樣，因為進入大氣的鉛永遠不會自動消失。而且看起來，這些鉛十之八九是來自汽車的排氣管，只是苦無證據可以證實這一點。他需要找出辦法，確定在四乙基鉛開始使用（也就是 1923 年）以前，大氣中的鉛含量。他突然想到，地球的冰蕊也許能提供答案。

許多人都知道，格陵蘭等地幾乎一年到頭都是冰天雪地，每年下的雪都會各自累積為一層堅硬的冰，各個年層之間的層次非常分明（因為從冬天到夏天隨季節溫差，每個年層的顏色都會有少許變化）。帕特森可以逐層的推算冰層的年份，並測定每層的鉛含量。這個方法可以讓他得知數百年前、甚至數千年前大氣中的鉛含量。這個想法成了所謂「冰蕊研究」的濫觴，並由此發展出現代氣候學的研究。

帕特森發現在 1923 年之前，大氣裡幾乎完全沒有鉛的蹤跡。然而之後大氣中的鉛含量，即以極危險的速率不斷上升。他當即決定，把去除汽油裡的鉛做為這輩子奮鬥的目標。由於這個原因，他對鉛工業及其相關利益團體永不妥協，且大聲批評。

這場抗爭後來變得非常恐怖。乙基公司是實力強大的全球性跨國公司，有許多身居高位的朋友。〔在它的董事名單中，曾包括美國最高法院法官鮑威爾（L. Powell），以及美國國家地理學會主席格洛斯維諾（G. Grosvenor）〕。首先是陡然間，帕特森發現他既有的研究經費被無故中止，申請中的計畫則遭拒絕。美國石油研究院突然片面毀約，甚至立場應該保持中立的政府機構——美國公共衛生服務署，也起而效尤。

帕特森愈來愈成為一些當權者的眼中釘，加州理工學院的董事不斷感受到鉛工業鉅子的壓力，要他們命令帕特森閉嘴或把他解聘。根據基特曼（Jamie Lincoln Kitman）在 2000 年出版的《國家》（*The Nation*）一書中敘述，有未經證實的傳言說，乙基公司的高層主管曾向加州理工學院施用金錢攻勢，表示「只要帕特森捲鋪蓋走路」，他們願意資助一個講座教授的費用。更扯的是，儘管帕特森當時已經是美國在此議題上的頭號專家了，1971 年美國國家研究委員會指派專家，成立大氣鉛中毒真相調查小組時，竟然把帕特森排除在外。

但是帕特森從未動搖或屈服，最後他的努力終於有了回報，首先在 1970 年推動「空氣清淨法」的立法，到 1986 年時，所有含鉛汽油依法不得繼續在美國市場發售。在禁止含鉛汽油的使用後，美國人血液中的含鉛量，幾乎立即下降了 80%。但由於鉛一旦進入大氣就永不離開，現在活著的我們，血液含鉛量大約是 625 倍於一世紀之前的人。

大氣中的含鉛量仍然「合法的」增加中。這些新增加的鉛，主要是來自採礦、冶煉及其他的工業活動，每年約把十萬公噸的鉛送進大氣中。此外作家麥克格雷尼也指出，美國終於立法禁止使用含鉛的室內用油漆，但這已經「比大多數的歐洲國家晚了 40 年」。更讓人驚訝的是，含鉛的銲錫具有驚人的劇毒，但美國竟然等到了 1993 年，才明文禁止用它製造食物容器。

乙基公司仍然蓬勃發展。雖然後來通用汽車、標準石油跟杜邦等夥伴陸續賣掉持股〔阿柏馬里紙業（Albemarle Paper）公司在 1962 年把它買下〕。根據麥克格雷尼的報導，即使遲至 2001 年的 2 月，乙基公司仍堅稱：「研究結果並未證明，含鉛汽油對人類健康與環境有任何威脅。」在該公司的網站上，有一段公司

正等著除去冷媒的報廢冰箱，堆得滿山滿谷，
讓人看得怵目驚心。儘管大部分已開發國家都已明令禁止使用 CFC，
但全世界（大部分是西方國家）每年仍生產數千萬磅的 CFC，
銷往仍可合法使用 CFC 的第三世界國家。

歷史的介紹，完全沒有提到「鉛」這個字眼，或米基利的大名。對公司的最初產品，只是輕描淡寫的說它含有「一種特定組合的化學物質」。

乙基公司如今已經不再製造含鉛汽油，然而根據該公司 2001 年的年度報表，四乙基鉛（該公司以 TEL 縮寫代表）在 2000 年中累積的年銷售額達 2,510 萬美元（該公司該年的年銷售總額為 7 億 9,500 萬美元），比 1999 年的 2,410 萬美元略高，但比 1998 年的 1 億 1,700 萬美元低了不少。

該公司在報告內宣稱：「在全世界的 TEL 使用量繼續萎縮的同時，要想盡辦法提高它的銷售收入。」乙基跟英國的聯合八隅（Associated Octel Ltd）訂有合約，促銷 TEL。

至於米基利遺留給我們的另一個大禍害氟氯化碳，自 1974 年起，美國立法禁止使用。但是這種化合物是死纏不放的小惡魔，任何之前釋放到空氣中（諸如從噴霧式除臭劑或髮膠）的氟氯化碳分子，肯定在我們離世後的許多年，仍會繼續存在，並破壞臭氧層。

更糟糕的是，我們現在每年仍把巨量的 CFC 排放到大氣中。根據比竇（Wayne Biddle）的記述，每年有 6 千萬磅重，價值 15 億美元的這種東西，在市場上找到了買主。是誰在製造呢？

許多美國大公司的海外工廠仍在製造危害環境的 CFC，因為第三世界國家在 2010 年後才會禁用 CFC。

帕特森於 1995 年去世。他的學術研究沒有為他贏得諾貝爾獎，因為地質學家從沒得過諾貝爾獎。比較稀奇的是，他半個世紀以來始終如一、且愈來愈無我的成就，居然沒有為他贏得任何名聲，或甚至一點注意。

若是有人願意站出來登高一呼，說帕特森是二十世紀最有影響力的地質學家，誰能說不宜呢？但是從來沒有人這麼做過。不僅如此，根本沒有幾個人聽說過他，大多數的地質學教科書內都沒提過他的名字。最近出版的兩本有關地球年齡測定歷史的新書裡，竟然把帕特森的名字給拼錯了。2001 年初，在名氣響噹噹的科學期刊《自然》中，某篇書評的作者居然誤以為帕特森是女生。

無論如何，我們應該感謝帕特森在 1953 年以前完成的艱苦工作，使地球終於有了每位專家都能同意的年齡。這個年齡的唯一問題是，它比地球所屬的宇宙還老了些！

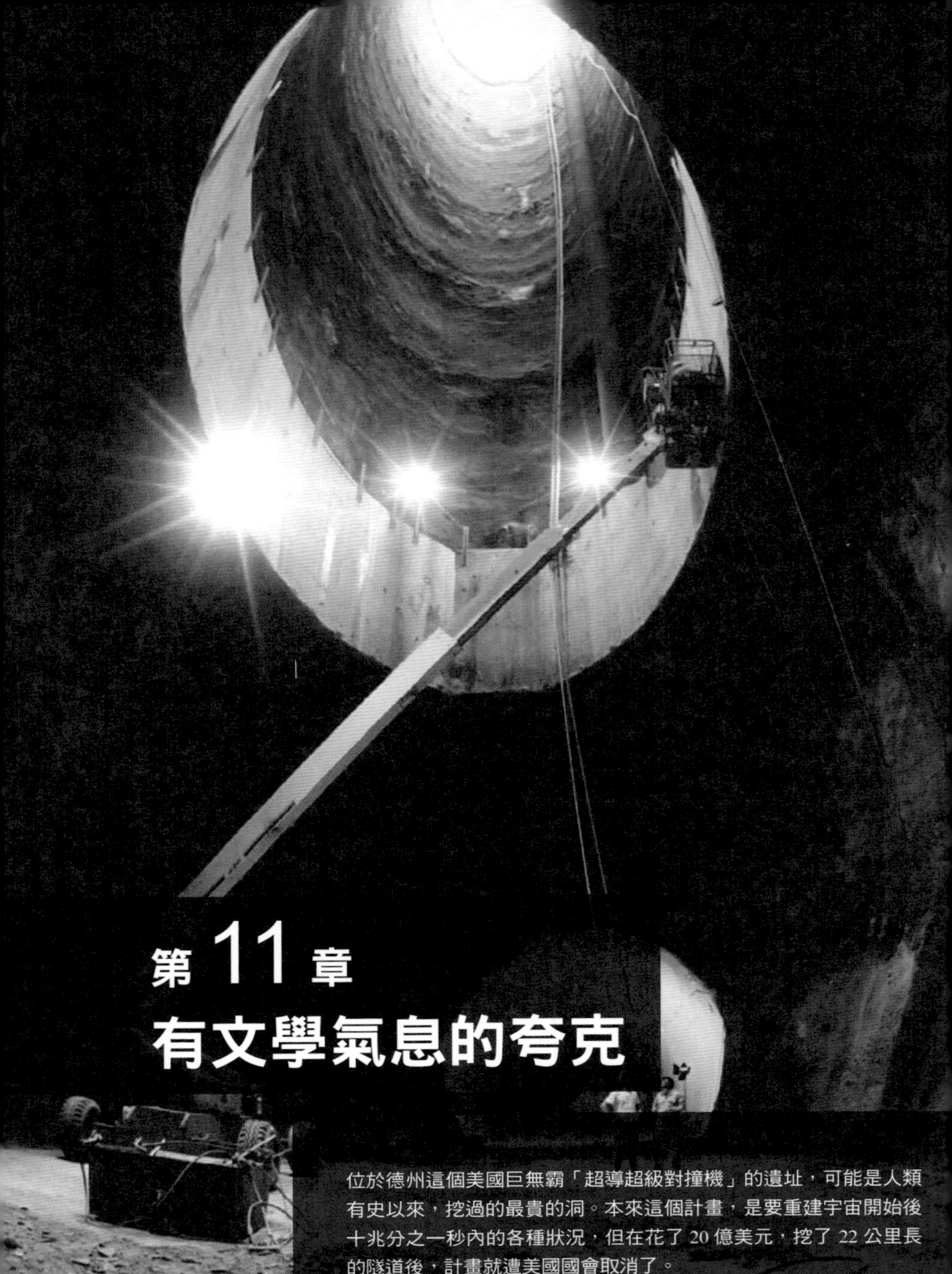

第 11 章
有文學氣息的夸克

位於德州這個美國巨無霸「超導超級對撞機」的遺址，可能是人類有史以來，挖過的最貴的洞。本來這個計畫，是要重建宇宙開始後十兆分之一秒內的各種狀況，但在花了 20 億美元，挖了 22 公里長的隧道後，計畫就遭美國國會取消了。

1911 年間，有一位名叫威爾生（C.T.R. Wilson）的英國科學家，為了研究雲的各種形態，經常得辛苦爬上蘇格蘭境內，以潮濕著稱的尼維峰（Ben Nevis）頂去看雲。

他想到，研究雲一定有較不累人的辦法。於是他回到劍橋的卡文迪西實驗室，創建了一間雲霧室（cloud chamber），其內有能冷卻跟濕潤空氣的簡單機制，因而能在實驗室條件下製造出像樣的雲霧來。

這套設計運作得非常好，還帶給了他一樣預先沒料到的好處，那就是當他把一顆經過加速的 α 粒子，射進這間雲霧室內做為製造雲霧的種子時，它意外的留下了一道可見的痕跡，就像飛機飛行時產生的凝結尾。就這樣，他歪打正著的發明了粒子偵測器，而此現象提供了一個很有說服力的新證據，顯示次原子粒子不是憑空想像的東西，它們的確存在。

後來有另外兩位卡文迪西的科學家，發明了一種裝置，能發射更強而有力的質子射線，同時美國加州大學柏克萊分校的恩尼斯特・勞倫斯（Ernest Lawrence, 1901-1958）製造出他那著名跟讓人欽佩的迴旋加速器（也叫做原子撞擊機）。

所有這些新奇的機器都很了得，它們的主要概念是沿著跑道（有時是圓周，有時是直線）把一個質子或其他帶電粒子盡量加速，讓它撞擊另一個粒子，看會有什麼東西飛出來，所以才稱作原子撞擊機。它們實在算不上是精緻科學，但效果上一般說來倒是相當不錯。

當物理學家建造的粒子加速器，規模跟威力愈來愈大後，他

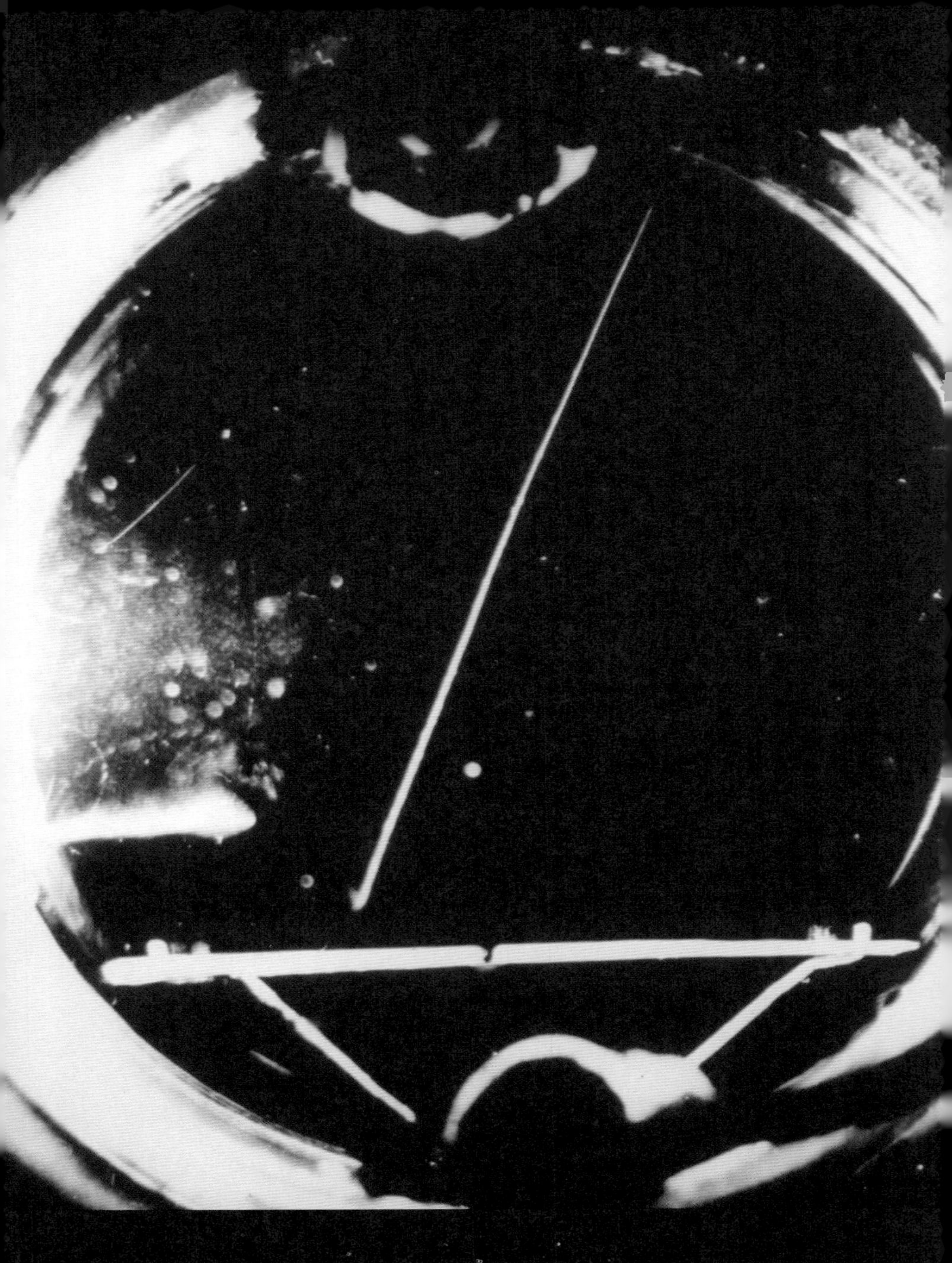

雲霧室的室裡乾坤，攝於 1932 年。雲霧室是早期證明中子存在的有力證據。圖中的白線，是質子撞到中子後留下的飛行痕跡。而中子不帶電，不會留下任何蹤跡。

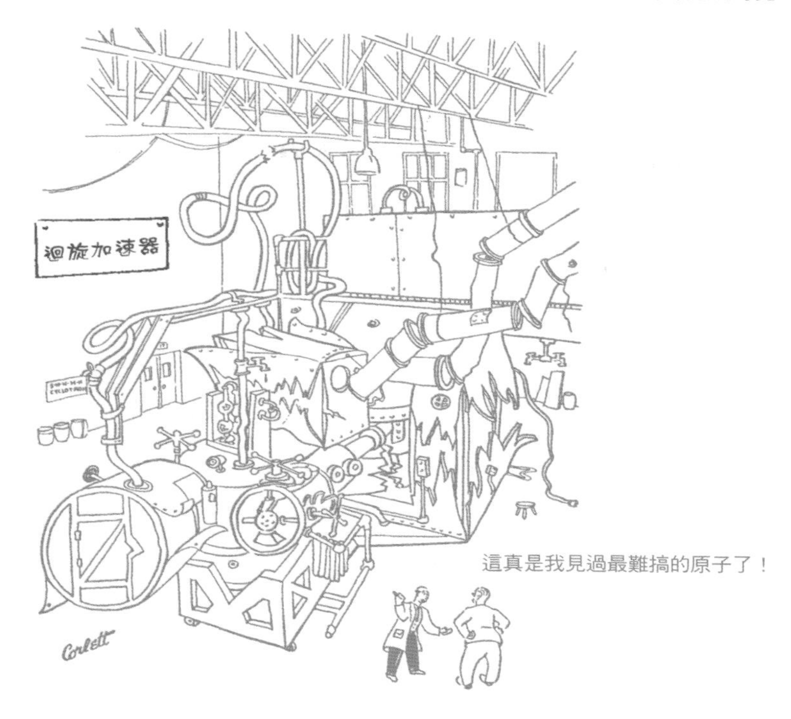

這真是我見過最難搞的原子了！

們開始發現或推測得知，粒子或粒子家族似乎種類數目都沒完沒了：包括了緲子、派子（π 介子）、超子、介子、K 介子、希格斯玻色子、居間向量玻色子、重子、快子等等。種類多到甚至物理學家都覺得有些不自在。

譬如有一次，費米（Enrico Fermi, 1901-1954）的一名學生問他，某種特殊粒子叫啥？費米回答道：「年輕人，我要是能記得住這麼多粒子的名稱，早就改行當植物學家去啦！」

如今各種加速器的名稱取得都非常響亮有趣，乍聽之下會讓人錯以為是卡通人物閃電俠高登上戰場打擊壞人所配備的武器，譬如：超質子同步加速器、大型正負電子碰撞器、大型強子撞擊機、相對論性重離子對撞器等等。

這些機器運轉時消耗極大量的電力，能鞭策粒子，使單一電子以不到一秒鐘的時間，沿全長 7 公里的隧道跑四萬七千圈（有些機器只能深夜裡運作，以免開機時讓附近城鎮的居民突然感受到燈光頓時暗了下來）。

有人憂慮這些科學家在一頭熱之下，很可能不小心弄出一個黑洞，或某種叫做「奇夸克」的粒子來。理論上，奇夸克也許會跟其他各種次原子粒子發生交互作用，產生不受控制的連鎖反應。不過不要擔心，如果現在你在閱讀這段文字，表示這件事尚未發生。

砸大錢，找粒子

要發現粒子並不簡單，需要非常專注才行，它們不但個頭非常小、動作迅速，還會很折騰人的在一瞬間消失無蹤。有些次原子粒子從出現到消失，只有 0.000000000000000000000001 秒（10^{-24} 秒）。動作最緩慢的不穩定粒子，存在時間也不會超過 0.0000001 秒（10^{-7} 秒）。

有些粒子異常滑溜。譬如現今任何一秒內，咱們的地球都給天外飛來的 1 萬兆兆（10^{28}）個非常微小且幾乎沒有質量的微中子光顧（其中大部分是來自太陽的熱核反應），微中子來到地球後，幾乎如入無「地」之境，毫無阻礙的穿過地球與地球上的所有東西、包括你我在內。

科學家為了逮住少數幾顆微中子來做研究，必須在不受其他放射性干擾的地下室（通常選用已經廢棄的礦坑），堆放許多個

這張照片拍攝的時間是 1986 年，地點是 CERN。照片顯示在流光室（streamer chamber）中，當高能的氧原子與鉛原子核相撞時，爆發出來的 220 個帶電次原子粒子。

大型水箱，水箱裡注滿總體積達 5 萬 7 千立方公尺的重水（也就是含更多氘或重氫的水）。

一顆微中子在穿過這麼多重水時，有時會非常偶然的一頭撞上其中的一個氘原子核，產生一丁點能量。科學家靠著計算這一點點能量，來證明微中子的存在，並推測出它的一些性質，而對我們的宇宙又增加一丁點瞭解。1998 年日本的觀測者報告說，微中子並非全無質量，只是質量非常小，只有電子質量的一千萬分之一左右。

這年頭發現粒子的條件無他，說穿了就是靠花錢，而且是花大錢。現代物理研究上有個很奇怪的反比現象，那就是研究的對象愈小，所需要的研究設施愈大。

歐洲粒子物理研究中心（CERN）本身就像一座小型城市，橫跨法國跟瑞士的邊界，擁有三千名員工，占地面積之大，計算時是以平方公里為單位。CERN 宣稱它們有一列磁鐵，總重量超過了巴黎的艾菲爾鐵塔，還有一座長度超過二十六公里的地下圓形隧道。

正如物理學家兼作家特菲爾所指出，要破壞原子很容易，每次我們開日光燈時也在無意間做到了。但是要破壞原子核就非要大筆經費跟充足的電力不可，若要分解到夸克的層次（夸克是組成質子和中子的粒子）所需的經費跟電力就得更多：數兆伏特的電壓，跟一筆足以維持中美洲一個小國的經費。

CERN 的最新大型強子撞擊機預計 2007 年底開始運轉，開機後的能量將高達 14 兆電子伏特，這座大型儀器的建造費用超過 15 億美元 *。

但是這些數字跟另一個本來已經動土、後來卻半途而廢的美國巨無霸「超導超級對撞機」（Superconducting Supercollider）比起來，簡直算不了什麼。

這個在 1980 年代中即開始在德州瓦沙哈奇市（Waxahachie）附近興建的巨大工程，後來跟美國國會發生了超級碰撞而胎死腹中。美國這座對撞機的建造目的跟以往的類似計畫相同，都是要

* CERN 並不是只會花大錢的單位，它也造出了一些實用的副產物。譬如全球資訊網（World Wide Web）就是在 1989 年，由 CERN 旗下科學家伯納李（Tim Berners-Lee）在為了促進資訊交流，而順道開創出來的。

重建宇宙開始後第一個十兆分之一秒內的各種狀況，讓科學家能偵測「物質的終極性質」。

原來的計畫是要讓帶電粒子在一根長達 84 公里的圓形隧道內繞圈子加速，到達嚇人的超高能量 99 兆電子伏特。這是一個空前振奮人心的偉大計畫，但要價不菲，預估建造費用高達 80 億美元（後來更增漲到 100 億美元），而且運轉經費每年將高達數億美元。

粒子、粒子、掃不完的粒子……

也許這是歷史上把錢倒進地洞裡的最好例子，美國國會在此計畫上已經動用了 20 億美元，然後 1993 年，在已經挖好 22 公里長的隧道時決定叫停。現在德州常向外人吹牛，說他們有全宇宙最昂貴的一個地洞。我在《華茲堡星電報》（*Fort Worth Star-Telegram*）供職的朋友奎安（Jeff Guinn）告訴我說，現場是「一大片清除得乾乾淨淨的空地，周圍點綴著一串非常失望的小鎮。」

這些搞超級對撞機失敗的粒子物理學家，只得把目光稍微調低一點。但是物理學家覺得很有節制的研究設施，價碼依然非常嚇人。譬如一個微中子觀測站興建計畫，想設在美國南達科塔州李德市（Lead）洪斯對克（Homestake）金礦的一個老礦坑，興

這是 1975 年，
CERN 還在興建中的「超級質子同步加速器」。
這個加速器的圓形隧道有七公里長，
埋在法國與瑞士的郊區邊界下。

建費用就要 5 億美元。這可是地洞已經挖好，只安裝儀器設施，還沒算長年運作費用呢。該計畫還另外編列了 2 億 8 千 1 百萬美元的預算，當成是「一般改裝費」。同時在美國伊利諾州境內的費米實驗室僅僅為了重新裝配一座舊的粒子加速器，就花掉了 2 億 6 千萬美元。

簡而言之，粒子物理研究是高消費的事業，但成果也很豐碩。如今已經確定的粒子超過了 150 種，另外還有 100 種左右身分尚有疑問。但不幸的是，引用費曼的說法是：「最難瞭解的問題是，這些粒子之間究竟有啥關係？以及大自然要它們的目的何在？或者，一種粒子跟另一種粒子之間有啥關聯？」

不可避免的，每當我們費盡了心思打開一個上鎖的箱子時，裡面出現的是另一個上鎖的箱子。有人認為其中有一類粒子叫做快子（tachyon），它能跑得比光還快。有人則希望能找到所謂重力子（graviton），也就是重力的所在。很難說我們究竟要到什麼地步，才能真的追根究柢。

美國天文學家薩根（Carl Sagan, 1934-1996）在他所寫的《宇宙・宇宙》（*Cosmos*）中提出了一種可能：假如你能想辦法把自己縮小，鑽進電子裡旅遊，你也許會發現裡面包含著一個宇宙，就像 1950 年代的科幻小說描述的那樣。他說：「在裡面，無數更微小的基本粒子組織成了許多東西，大至相當於咱們的星系，小至世界萬物。那些基本粒子本身，又各自是另一層次的宇宙，一直下去沒完沒了。宇宙外也有更宏大的宇宙，也同樣一直上去沒完沒了。」

探索粒子的意義

對於大部分的人來說，這一切完全超出了可理解的範圍。即使是粒子物理學的入門指南，裡面都充滿了深奧的字彙跟觀念。

例如：「帶電荷的派子跟反派子，平均壽命均為 2.603×10^{-8} 秒。它們衰變後，派子變成一個緲子與一個反微中子，反派子則變成一個反緲子與一個微中子。電中性的派子，平均壽命約為 0.8×10^{-16} 秒，衰變後變成兩個光子。而緲子與反緲子衰變成……」就這樣繼續下去。這是從溫伯格為一般讀者寫的書裡抄來的，而溫伯格的解說是公認的淺白易懂。

1960 年代中，為了把事情稍微簡化，加州理工學院物理學家葛爾曼（Murray Gell-Mann, 1929-2019）發明了一個新的粒子等級。引用溫伯格的說法，主要是「要恢復強子的單純」。強子是物理學家用來泛指質子、中子、及其他由強核力控制的粒子。

葛爾曼的理論是，所有的強子都是由更小、更為基本的粒子組成的。當初他的同事費曼建議用美國大胸脯女星桃莉·芭頓（Dolly Parton）的姓，把這些新的基本粒子稱為成子（parton），但遭否決。稍後這些粒子給命名為夸克。

葛爾曼是從愛爾蘭名作家喬伊斯（James Joyce, 1882-1941）的小說《芬尼根守靈記》（*Finnegans Wake*）裡的一句十三行詩：「衝著馬克先生的三聲烏鴉叫！」（Three quarks for Muster Mark!）擷取出夸克（quark）這個名稱。〔自認有文學鑑賞力的物理學家認為，quarks（烏鴉叫）跟 storks（鸛）押韻，但在喬伊斯心中，極有可能是跟 larks（雲雀）押韻〕。

然而夸克的基本單純性質並沒有維持很久，在對它們的瞭解漸多後，人們發現它們的品類繁多，有必要再做進一步區分。

雖然夸克實在太小，小到不可能有顏色、味道或是其他可辨識的物理特性，但是當它們進一步分成六個類別：下夸克、上夸克、奇異夸克、魅夸克、頂夸克、底夸克，物理學家奇怪的把這六種類別稱為夸克的「風味」，稍後又再區分出紅、綠與藍三種「色彩」。（由於這些名稱都是首先出現在美國加州，且正值當地迷幻藥風行的年代，讓人不能不懷疑，它們跟嗑藥文化有扯不清的關係。）

最後整理出來一套「標準模型」。這個模型就是次原子世界的零件套組，其中包括了六種夸克、六種輕子、五種已知的玻色子、以及第六種假定為真（尚未證實）的玻色子，亦即希格斯玻色子〔以蘇格蘭科學家希格斯（Peter Higgs, 1929-）的姓來命名的〕，另外再加上四種物理基本力中，重力之外的三種：即強核力、弱核力跟電磁力。

這個模型的主要安排是，物質基本建構單元中有各種夸克，夸克之間由所謂的膠子來黏合，於是夸克跟膠子結合形成了質子與中子，輕子則是各種電子跟微中子的來源，而各種夸克跟輕子合稱費米子。玻色子〔紀念孟加拉物理學家玻色（S. N. Bose 1894-1974）〕包括了光子跟膠子，是產生攜帶力的粒子。希格斯玻色子也許存在，之所以發明它，僅僅是為了賦予粒子質量。

你應該看得出來，這個模型有點笨拙，但它是目前能夠解釋

美國物理學家費曼，正在課堂上奮力解釋那對一般民眾來說，怎麼也解釋不清的夸克理論。夸克是指所有由強核力控制的粒子。

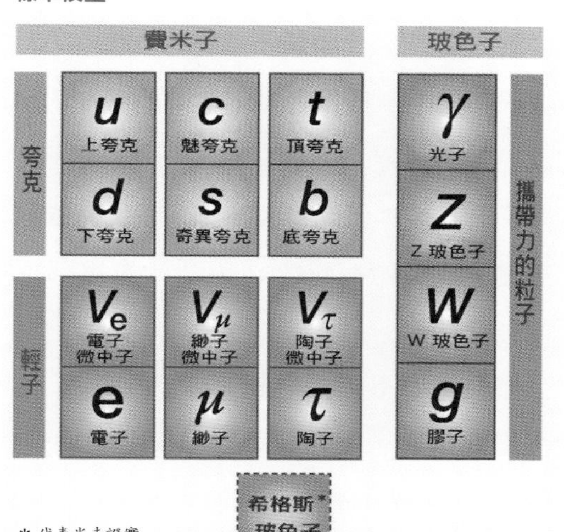

標準模型。這是目前能夠解釋粒子世界現象的最簡單模型。

二十世紀物理界的三位大師。從左至右分別為：葛爾曼、玻色、萊德曼。

粒子世界現象的最簡單模型。正如萊德曼（Leon Lederman, 1922-2018）1985 年在美國公共電視的紀錄片中的表白，大部分粒子物理學家都覺得，標準模型不優雅也不單純。

萊德曼在影片中說：「它太複雜，有太多武斷的參數。我們實在看不出來，造物者在創造咱們所知的宇宙前，會去玩弄二十個調節鈕，設定二十個參數。」一言以蔽之，物理學無非是要追求終極的單純，但到目前為止，我們有的只是一種不至於太難看的散亂，或者如萊德曼所說：「大家都深深的覺得，這個畫面不是很美麗。」

標準模型不只是看起來笨拙，它還不周全。比方說，它完全沒提到重力，任你翻遍標準模型，就是找不到任何內容可以解釋，為什麼當你把一頂帽子放在桌上，它不會浮起來飛向天花板。所以它也無法解釋質量是怎麼回事，為了方便把質量給予粒子，才引進了假想的希格斯玻色子，至於這種粒子是否真的存在，則有待二十一世紀的物理學家來實驗證明了。

費曼曾很樂觀的評論這事，他說：「看樣子我們一時還沒有其他理論可以另做選擇，我們並不知道它究竟是對還是錯，但是我們知道它的確有一點不太對勁，或者至少是不完整。」

很玄的弦論

為了要把每樣東西都扯進來變成一個整體，物理學家已經想到一個名為「超弦理論」（superstring theory）的點子。這點子假設那些諸如夸克跟輕子等，這些我們原以為是粒子的小東西，實際上都是一些「弦」，各為一束在十一維中振動的能量。

哪十一維呢？除了我們大家都很熟悉的，用以界定空間的三維，以及時間的一維外，還有我們目前尚不瞭解的七個維度。據說這些弦非常非常小 ，小到可以稱為是「點粒子」。

在超弦理論裡加上這些維是先做準備，讓物理學家能把量子定律跟重力定律一起扯進來，讓理論更完整一些。但是如此一來也使科學家在解釋這個理論時，讓人聽起來覺得怪怪的、不太舒服，就像你坐在公園裡的長條椅上，旁邊的陌生人告訴你一些有的沒的時，會把你嚇跑一樣。

舉一個現成的例子：物理學家加來道雄（超弦理論的發明人之一）從超弦的觀點解釋宇宙的結構說：

> 混合弦裡面包含一種閉弦，而閉弦有兩種類型的振動，一種是順時鐘方向，另一種是反時鐘方向。順時鐘方向的振動存在於十維空間內，而反時鐘方向的振動則存在於二十六維的空間內，且其中又有十六維緊緻化了。〔我們記得卡魯扎（Theodor Kaluza, 1885-1954）的五維統一場理論，他的第五維就是包藏在一個圓圈內而緊緻化了。〕

加來道雄的解釋長達 350 頁左右。

弦理論還延伸成為某個叫做「M 理論」的東西，其中乃是併入了一些稱作薄膜的各種面，物理學界比較時髦的人把這些薄膜簡稱為「膜」（brane）。

說到這兒，對大多數的一般人來說，目前這方面的所有知識大概都已點到，我想應該可以告一段落了。不過在收攤前，我想引用《紐約時報》上，向一般讀者介紹這個新觀念的最簡單解釋：

> 這個火程序（ekpyrotic process）起始於無限遙遠的過去。當初是一對扁平、空無一物的膜，在一個扭曲的五維空間內面對面的平行坐著……而這對合起來形成了第五維的兩片膜是哪來的呢？也許是在更為遙遠的過去，經由一次突發的量子起伏而無中生有的出現，其後它們漸漸相互遠離。

哈佛大學的弦論專家斯楚明格（Andrew Strominger）與瓦法（Cumrun Vafa），正興高采烈的講解玄之又玄的弦論。在弦論中，夸克代表多維空間中帶有能量的弦。這個想法對一般人而言，真是太玄、也太難理解了。

我無法對此說法有異議，但看完後也仍是一頭霧水！順便解釋一下，省得你去翻字典，ekpyrotic 一字源出希臘文，意思是大火災。

物理學裡一些東西叫人匪夷所思的程度，就像英國理論物理學家戴維思（Paul Davies）在《自然》期刊上所指出的：「如今，非科學家已經幾乎不可能辨別，什麼是『有事實根據的正當古怪』，哪些是『胡掰瞎唬的搞怪』啦！」

而有趣的是，之所以有這個問題，是因為在 2002 年秋天，一對法國雙胞胎兄弟物理學家，伊革爾跟葛里克哈．波格丹諾夫（Igor and Grichka Bogdanoff）共同發展出一個很激進的密度理論，內容牽扯到諸如「想像時間」（imaginary time）及「久保一史溫傑一馬丁條件」（Kubo-Schwinger-Martin condition）等概念，主旨是要描述宇宙在大霹靂發生前，那個「虛無」的境界，而那個時期長久以來，總是遭人認定為「不可知的」（原因是時間上，它是在物理跟一切物理性質產生之前）。

波格丹諾夫兄弟的論文一發表，幾乎立即在物理學家之間掀起了爭論，有人認為是無聊廢話，有人則認為是天才傑作，還有人認為是他們哥兒倆的惡作劇。美國哥倫比亞大學物理學家巫依特（Peter Woit）告訴《紐約時報》記者說：「純就科學而論，這篇論文幾乎從頭到尾都是一派胡言。但是在這年頭，你很難看得出來它跟其他文獻有啥不同！」

受溫伯格推崇為「現代科學哲學家龍頭老大」的卡爾・巴柏（Karl Popper, 1902-1994）有一回建議說，也許物理學根本就沒有一個終極理論，因為每提出一個解釋，只會讓人覺得還有更進一步解釋的必要，結果產生了「一連串沒有止境、愈來愈多的基本原理」。

另一個相反的可能是，也許物理學確有一個終極理論，只是該理論超出了人腦的瞭解能力。溫伯格在他的《最終理論之夢》（*Dreams of a Final Theory*）一書中寫道：「幸好到目前為止，從一切跡象看來，人類的智慧似乎尚未達到江郎才盡的地步。」

幾乎可以肯定，在物理領域裡，以後陸續還會有新的想法蹦出來；同樣可以肯定的是，這些新想法會讓絕大多數的我們摸不著頭腦。

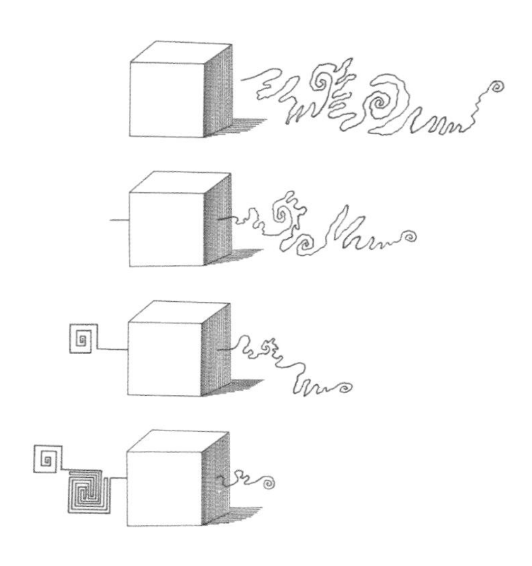

宇宙的年紀算錯了

而在二十世紀中葉的那幾十年，正當物理學家給極微小世界整得一個頭兩個大，天文學家也因為想對整個宇宙有較完全的瞭解而聚精會神。

之前我們講到哈伯時（見第 8 章），他剛測量發現，幾乎所有看得見的星系都在飛離我們，而且這項退行動作的速度跟距離幾乎成正比：也就是距離我們愈遠的星系，飛離的速度愈快。於是哈伯瞭解到，這可以用一條簡單的等式：Ho= v/d 來表示（式子中的 Ho 是常數，v 為該星系的退行速度，d 為該星系離開我們的距離）。於是 Ho 稱為哈伯常數，整個想法就成了哈伯定律。

哈伯利用這條公式推算出，咱們宇宙的年齡大約是二十億年左右，但是他算出的這個數字有點怪，因為早在 1920 年代開始之前，就已經相當明顯看出，宇宙中包括咱們地球在內的許多東西，年齡都超過了二十億年。因此，如何修正這個數字，成了宇宙學的熱門課題。

常數照理說應該是大家認同的一個固定數值，但是哈伯常數唯有的一項固定性質是，一直有人對它的數值存疑。1956 年，一些天文學家發現，用來當作指標，以計算星系間距離的造父變星，比原先大家以為的變化還多了一些。

易言之，造父變星實際上有兩種，而非以往認為的只有一種。這個發現讓他們重新計算一番，得到了一個從七十億年到二百億年之間的宇宙年齡。雖然仍不是很精確，但至少夠久遠，足以把地球的形成期包含進去。

這是哈伯在 1953 年的留影，同年稍後，他就因為心臟病發身亡了。哈伯發現，幾乎所有看得見的星系都在飛離我們，而且距離我們愈遠的星系，飛離的速度愈快，由此推測出哈伯定律。他利用這條公式推算出，宇宙的年齡大約是二十億年左右，現在大家都同意，哈伯推算的數字有誤，但卻也還不知道要怎麼修正。

接下來的年代裡，在此議題上爆發了一場長期爭辯，其中一方是威爾遜山天文台的哈伯接班人桑德志（Allan Sandage），另一方是在德州大學任職的法國天文學家佛科留斯（Gérard de Vaucouleurs, 1918-1995）。

桑德志經過數年的仔細計算，得到一個哈伯常數值為 50，由此常數值推算出來的宇宙年齡約為二百億年。但是佛科留斯也同樣的很確定哈伯常數應為 100*，由於他的常數為前者的兩倍大，是以佛科留斯計算出來的宇宙直徑，只有桑德志計算出來的一半，宇宙年齡也就隨之減半為一百億年。

在這場爭議還未分出高下之前，不意又殺出一個程咬金，讓真相更形撲朔迷離。

到了 1994 年，加州卡內基天文台（Carnegie Observatories）的一個工作小組，利用哈伯太空望遠鏡量測到的一些數據，經過計算後發現宇宙年齡只有八十億年。不過該小組成員自己也承認，這個結果似乎是太年輕了些，因為宇宙中某些星星的年齡顯然就不只八十億年。

* 你一定很好奇，上述的「哈伯常數為50」或「哈伯常數為100」究竟是啥意思？答案得牽涉到天文學上特有的距離測量單位。天文學家除了在口頭上外，一般正式場合並不推崇使用光年測量距離，他們慣用的單位叫做「秒差距」(parsec)，是根據「恆星視差法」來量測的，1秒差距相當於3.26光年。
在討論非常大的距離時，諸如星系間距離或整個宇宙的尺寸，他們把秒差距放大一百萬倍，單位成為了「百萬秒差距」(megaparsec)。哈伯常數是有單位的數值，單位是每秒每百萬秒差距公里，因此哈伯常數為50的正式說法是：「每秒每百萬秒差距50公里」。實際意義是離地球一百萬秒差距（或326萬光年）的星球，會以每秒鐘50公里的速度飛離地球。對於絕大多數的我們來說，這樣子的單位實在不具有什麼實質意義！

2003年2月間，由美國航空暨太空總署與馬里蘭州哥達太空飛行中心（Goddard Space Flight Center）的人員，合組成一個特別任務工作小組，利用「威爾金森微波異向性探測器」（Wilkinson Microwave Anisotropy Probe）這顆新近發射出去的長遠型衛星蒐集數據，經過計算後很有信心的宣布，宇宙年齡為一百三十七億年，上下誤差約為一億年。有了這個結果後，幾乎長達半世紀的爭議終於平靜了下來，至少目前是休兵的狀態。

做最後決定的困難處在於通常會有太大的解釋空間。試想你夜間站在一大片空曠的田野裡，你看到遠處有兩個亮著的電燈泡，想知道它們各離你多遠，只要利用天文學上的簡單工具，很容易可以測出，這兩個燈泡的亮度一樣，而且其中一個燈泡的距離要比另一個長50%。

但是，你沒辦法得知，較近的那一個是在37英里外的58瓦燈泡，還是在36.5英里外的61瓦燈泡。還是除此之外，你得預留一些誤差空間給許多因素，諸如地球大氣變化造成的扭曲、星系間塵埃的遮掩、前方星光的影響等等。結果是你的計算只能基於一連串一個套一個的假設，而每個假設都可能成為爭論之源。

另一個問題是使用望遠鏡的機會寶貴，而測量星光的紅移很費工夫，一次曝光就得用掉一整夜的望遠鏡使用時間，以致於天文學家有時不得已，只能用很少的證據去做出結論。

所以新聞記者卡爾（Geoffrey Carr）曾指出，在宇宙學裡，我們看到「由小土丘般的證據構築出高山般的理論」。英國天文學家芮斯的說法則是：「我們目前（對所知程度）的滿意，也許只是反映數據的難得，而不是理論的優越。」

順便一提，不只是遙遠宇宙邊緣的事物有這種不確定性，跟我們相當接近的東西也好不到哪兒去。正如天文學家戈德史密斯（Donald Goldsmith）所說，當天文學家說星系 M87 距離我們 6 千萬光年，他們真正的意思是（但是通常不會公開明白的說出來），它跟我們的距離約在 4 千萬到 9 千萬光年之譜，這實在有很大的差異。

對於整個宇宙來說，事物似乎都自然有放大的傾向。有了這樣的認知後，我們目前認為，宇宙年齡的最佳猜測，應該是在約一百二十億年到一百四十億年的範圍，然而要宇宙學者一致同意，只怕沒那麼容易。

還有三分之二的宇宙沒有著落

不爭的事實是，宇宙裡面有太多東西、甚至包括相當基本層次的事物，諸如宇宙是由什麼組成的等等，都在我們的瞭解範圍之外。當科學家計算維持宇宙運作所需的物質數量時，他們總是發現，看得見的恆星只占了其中一小部分而已。更確切的說，看起來至少有 90% 的宇宙，甚或高達 99% 的宇宙，都是由祖威奇（Fritz Zwicky）首先提到的「暗物質」所構成。

想到我們居住的宇宙，居然絕大部分我們連看都看不見，就會讓人心裡覺得很不自在。不過有個好消息，至少兩個主要可能嫌疑犯的名稱很逗趣：科學家認為它們若不是 WIMPs 就是 MACHOs。

WIMPs 意指「大質量弱作用粒子」，是 Weakly Interacting Massive Particles 的縮寫，據說它們是大霹靂時期留下來的看不見的物質碎片；MACHOs 意思是「大質量緻密暈體」，為 MAssive Compact Halo Objects 的縮寫，實際上指的就是黑洞、棕矮星，以及其他非常黯淡的恆星。

粒子物理學家比較喜歡 WIMPs 這個粒子解釋，而天文物理學家則看好屬於以星體解釋的 MACHOs。曾經有段時期，MACHOs 一度占上風，但雖然天文學家努力發掘，發現的數量還是嚴重不足，只好感傷的回過頭來，把感情寄託在 WIMPs 上。

但 WIMPs 的問題更大，因為從來就還沒有人發現過它們。它們是弱交互作用性質，亦即彼此之間或跟其他物質都不打交

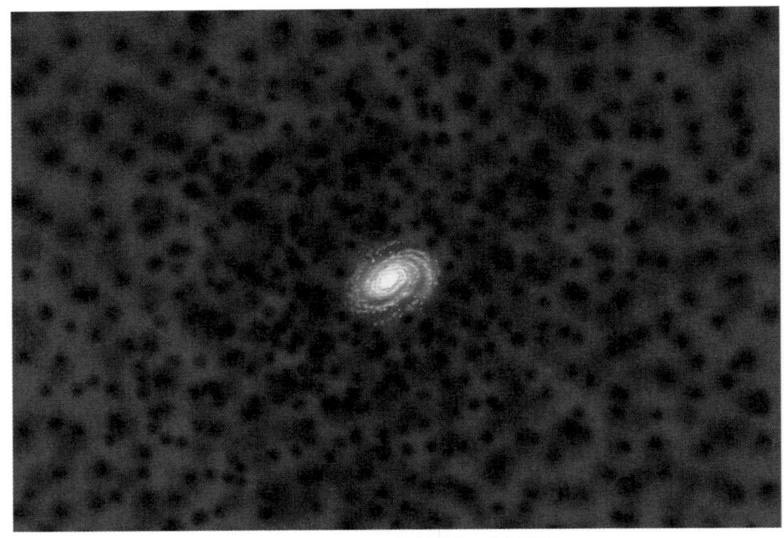

這張圖畫出了理論上宇宙深處，MACHOs 圍繞銀河系的景況。
MACHOs 包含了黑洞、棕矮星，以及其他非常黯淡的恆星。

道，即使真的存在，也很難偵測到。因為宇宙射線會造成很大的干擾，所以科學家要往地底深處走。到了地面下一公里，宇宙射線就只剩下了原先的百萬分之一。然而有位評論員指出，若是把這些統統算上，「仍然還有三分之二的宇宙沒有著落。」

所以至少在目前，我們可以把這些暗物質統稱為 DUNNOS（Dark Unknown Nonreflective Nondetectable Objects Somewhere，指「不確知位於何處的不發光、不反光、偵測不到的未知物體」）。「dunno」也是「don't know」的口語簡稱。

最近發現的證據暗示，咱們宇宙內的星系不只是飛離我們，而且飛離的速度還在增加之中。這可是跌破所有人眼鏡的驚人發現，它顯示宇宙不只是充滿暗物質，而且還有暗能量。科學家有時也把它叫做真空能量（vacuum energy）或者更奇妙的「第五元素」（quintessence）。

不管它究竟是啥，看起來是一種我們還不知道從哪兒來的驅使力量，在加速宇宙的擴張。有人提出了一個理論說，空洞的太空裡其實並非那麼空洞，在宇宙各個角落，隨時都有物質跟反物質粒子突然出現，又突然消失。而這種活動正是推著宇宙加速向外擴張的原動力。

說到這兒，雖然不是非常恰當，卻值得一提的是，也許有樣東西可以解決這個難題，那就是愛因斯坦的宇宙常數，這是他在廣義相對論方程式內，加入的一小項數學技巧，目的是要阻止宇宙擴張，後來愛因斯坦還承認這是「我這輩子做過的最大錯事」。而這件錯事現在看起來，也許還真不錯呢！

總括以上所說，我們瞭解到一些事實，那就是我們還無法正確計算出宇宙的年齡，也不能完全精確判定周遭的恆星離開我們多遠，這個宇宙裡充滿了我們無法鑑定的物質，它遵照著一些物理定律運轉，而我們對這些定律的性質並不真的瞭解。

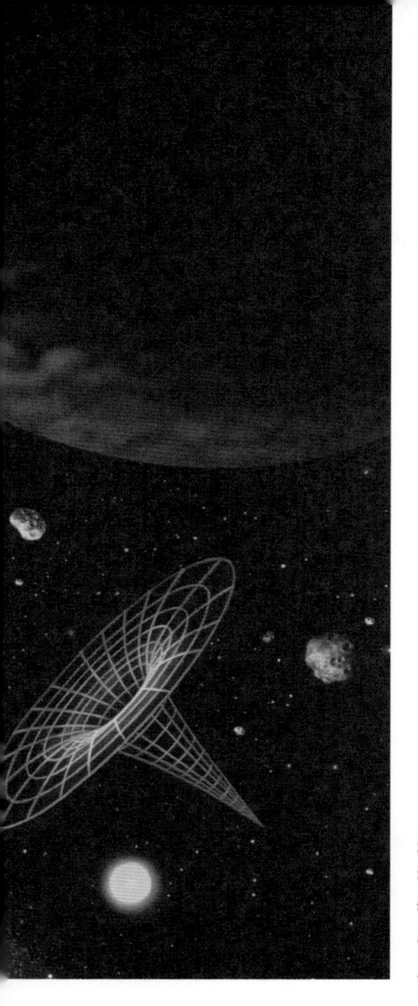

這是畫家發揮想像力畫出來的「暗物質」。我們看不到暗物質，然而它卻占了宇宙所有物質的 90% 以上。暗物質理論首先在 1930 年代，由祖威奇提出，但在他生前，沒什麼人理會這個理論。

說過以上這一小段叫人有些不安的表白後，讓我們再回到地球這個行星，考慮某件我們的確瞭解的事情。雖然現在你聽到下面的事情，也許不會再覺得驚異：我們對地球的瞭解並非很完全，而且我們所瞭解的部分，也只是近期內才搞明白的。

第 12 章 大地在移動

美國加州聖安地列斯斷層（San Andreas Fault），逾 1280 公尺長，是最有名、看得最清楚的地殼傷口，這個斷層是早期地殼橫移運動造成的。這個斷層顯現出兩個板塊的交界，在這張照片裡可以看到，斷層穿越靠近聖路易歐比斯的喀里索平原。

愛因斯坦在 1955 年去世前不久，曾以舉世著名的學者身分，為一本新書寫了一篇簡短卻極熱心的推介序。該書書名叫《移動的地殼：解開地球科學難題的一把鑰匙》（*Earth's Shifting Crust: A Key to Some Basic Problems of Earth Science*），是地質學家哈普古德（Charles Hapgood）所寫的。

這本書的主旨是在駁斥大陸漂移的觀念，哈普古德以要求讀者跟他同聲寬容哂笑的語調指出，世上有少數容易受假象哄騙的人注意到，「地球上某些大陸的外形，偶爾有彼此契合的跡象，」這顯得，他繼續說道：「南美洲東岸跟非洲西岸的海岸線似乎很相配……還有人宣稱，大西洋東西兩岸的岩石結構相同。」

不過哈普古德馬上指出這種說法不足採信，原因是卡斯特（K. E. Caster）與門迪士（J. C. Mendes）兩位地質學家，曾經千里迢迢跑到大西洋兩岸實地調查，發現上述的岩石結構相似性並不存在。但是只有老天才知道，這兩位先生的實地調查是怎麼做的，因為事實上，大西洋兩岸的許多岩石結構根本相同——不僅非常相似，是完全相同。

哈普古德不相信這個說法，跟他同時期的許多其他地質學家想法也一樣。哈普古德沒有明說出來的理論，是在 1908 年首先由美國業餘地質學家泰勒（Frank Bursley Taylor, 1860-1938）提出的。泰勒家境富有，有本錢跟自由可以不理會學術界的桎梏，進行不依慣例的研討，他剛好也對非洲與南美洲相對海岸線相似一節，大感興趣。

泰勒實際觀察後發展出一個想法：各大陸曾經一度向各個方

韋格納的大陸漂移說，一發表就受到廣大的注意，同時也受到廣大的嘲弄。

向移動。他還提議（後來證實他真是未卜先知），各大陸的快速碰撞，很可能推擠出世界上的山脈來。只可惜他當時沒能拿出任何證據，以致於這個理論遭學界認定是空穴來風，而且由於過於不同凡「想」，因此不值得重視。

然而泰勒的想法在德國遇到了一位名叫韋格納（Alfred Wegener, 1880-1930）的知音。韋格納是一位理論家，在馬堡大學擔任氣象學講師。他曾經檢視過許多植物跟化石的異常現象，發現它們跟學界認同的地球史標準模式不太符合，也瞭解當時學院派的傳統方式無法解釋這些現象。

比方說，各種相同的動物化石陸續在海洋對岸發現，而這些動物顯然無法游過寬廣的海洋。譬如韋格納想不通，有袋類動物如何從南美洲遷移到澳洲？

而完全相同的蝸牛，為何會在北歐斯堪地那維亞跟美國新英格蘭出現？更扯的是，煤層跟其他屬於亞熱帶的生物遺跡，居然會在嚴寒的地點發現，例如位於挪威北方六百公里的斯匹茲卑爾根（Spitsbergen）。它們是怎樣從溫帶「搬遷」到寒帶來的呢？

韋格納把泰勒的想法延伸，開發出新理論，認為目前地球上的各大洲最早是相連的單一大陸，他稱之為盤古大陸（Pangaea）。在這塊超大面積的陸地上，所有的動植物都得以混合、繁殖。後來這塊陸地分裂成了數塊，然後逐漸漂流到目前的位置。

他把這套大陸漂移理論寫成了一本書，題名為《大陸與海洋的起源》，1912 年首先在德國出版。雖然當時英德反目成仇，第一次世界大戰已經爆發，但這本書還是在三年後出了英文版。

也許是因為戰亂，韋格納的理論最初並沒有引起很多注意，但是到了 1920 年，他出了一本增訂版，一上市就成了時髦議題。當時每個人都同意，大陸曾經上下移動過，但不見得會橫向移動。這種上下運動的過程叫做「地殼均衡」（isostasy），好幾個世代以來，一直是地質學上一些信念的基礎。然而從來還沒有人想出一個很好的理論，可以用來解釋它是如何或為何發生的。

我記得在當學生時，教科書上還提到一個叫做「烤蘋果理論」（baked apple theory）。這是奧地利地質學家蘇斯（Eduard Suess, 1831-1914）在十九世紀末提出的。他說熔融的地球冷卻後，會像烤過的蘋果那樣，表面皺巴巴的凹凸不平，低窪的部分成了海洋，高凸的部分成了山岳。

蘇斯提出的「烤蘋果理論」說，地球皺巴巴的表面，是地球冷卻時收縮形成的。雖然早在十九世紀就曾遭到地質學家赫頓等人質疑這種收縮是不可能的。但一直到二十世紀中葉，課本上仍在介紹這個錯誤的理論。

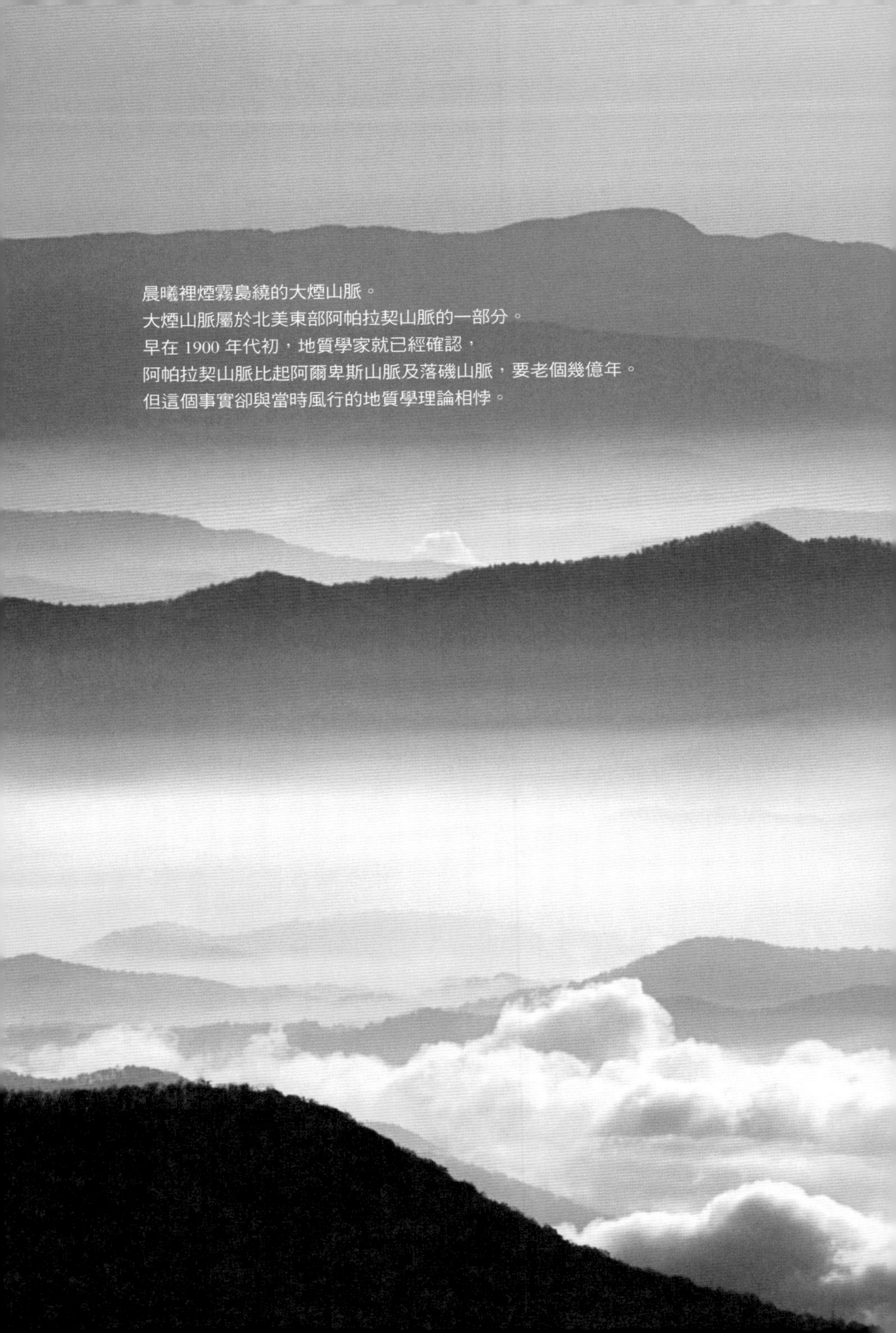

晨曦裡煙霧裊繞的大煙山脈。
大煙山脈屬於北美東部阿帕拉契山脈的一部分。
早在 1900 年代初，地質學家就已經確認，
阿帕拉契山脈比起阿爾卑斯山脈及落磯山脈，要老個幾億年。
但這個事實卻與當時風行的地質學理論相悖。

其實很早之前，蘇格蘭地質學家赫頓（James Hutton）就曾表示過，任何這種靜態性質的地表形成態勢，都維持不了多久，因為侵蝕作用會夷平凸起，填平凹洞，最後地球應該變成平滑的圓球才對。

此外還有一個問題，那就是拉塞福跟索迪（Frederick Soddy）在二十世紀初證明，地球儲藏了大量熱能，多到使得蘇斯想像中的地球快速冷卻變皺的情況不會發生。還有，如果蘇斯理論真的發生，地球上的山脈應該分布得很平均，而且年齡應該相差不多才是。

但早在二十世紀初，人們就已經發現，某些山脈，譬如歐亞分界線上的烏拉山脈跟美國東部的阿帕拉契山脈等，比起諸如歐洲的阿爾卑斯山脈及北美洲的落磯山脈，要老數億年。顯然地質學界亟需新理論的時機已經成熟。然而不幸的是，在自視很高的地質學家的心中，韋格納不是推出新理論之所寄。

當然首先是韋格納激進的懷疑地質學門的一些根基，這樣要贏得地質學家的好感本就非常不易。這樣顛覆性的挑戰，即使出自地質學家同儕，都已讓其餘地質學家覺得很沒面子了，更何況韋格納完全沒有地質學背景。而且天哪！他的本行是氣象學，他是個氣象預報員，而且還是「德國」的氣象預報員。這個缺點是無可彌補的。

於是地質學家想出各種辦法跟歪理，駁斥韋格納的證據，漠視他的主張。為了要繞過化石分布事實這個難題，他們在任何有需要的地方架設起古代「陸橋」。

譬如稱為「三趾馬」（*Hipparian*）的遠古動物，經發現曾同時生活在法國跟美國的佛羅里達州，地質學家於是在兩地之間畫上一條橫跨大西洋的陸橋。不久後又有證據顯示，遠古的貘曾經一度同時在南美洲跟東南亞生存，於是他們如法炮製，在兩地之間也畫上陸橋！

沒多久之後，古代地圖上的海洋，幾乎都叫現代人的假想陸橋給填滿啦，從北美洲到歐洲、從巴西到非洲、從東南亞到澳洲、再從澳洲到南極洲。這些連接各地的細長陸地，不但來無影的出現在有需要的地方，以便把某種特殊古代生物「運送」到目的地去，而且還去無蹤，如今完全看不到任何曾經存在的蛛絲馬跡。這些陸橋只是毫無證據的幻想，錯誤、離譜到了極點，但地質學正統派學者在後來的半世紀裡卻奉此為圭臬。

然而陸橋這個法寶並非樣樣都解釋得通，比方說，一種遠古時在歐洲非常普遍的三葉蟲，經人發現也曾經同時在紐芬蘭島上生活，但是只限於該島的一端。沒有人能有力的解說清楚，這種蟲子為何能夠跨過 3,000 公里的惡海，卻到不了同一個島上 300 公里外的另一端？

更讓人百思不得其解的怪事，是另一種三葉蟲被發現曾同時生活在歐洲跟美國西北部太平洋沿岸，但在此兩地之間的其他地區，卻了無蹤跡，在這裡陸橋顯然不夠用，而是需要某種「空運管道」才行。然而 1964 年出版的《大英百科全書》裡，在討論這兩個敵對理論時，居然還一面倒的指責韋格納的說法，說它充滿了「無數可悲的理論困難」。

誰在推動板塊？

持平而論，韋格納的確也犯過一些錯誤。譬如他武斷的宣稱，格陵蘭正在向西移動，速度高達每年 1.6 公里左右。他這個說法顯然是錯誤的（事實上是每年大約 1 公分）。最糟的是，他沒能提出足以說服人的解釋，說明這些陸塊如何會移動。

要相信他的理論得有一個先決條件，那就是你必須接受一個觀念，認為陸塊會奇蹟似的在堅實的地殼上推進，就像犁推過土壤那樣，但是一路行來卻不會留下犁溝之類的痕跡。他那時候還不知道有任何合理的力量，可以造成規模這麼大的陸塊移動。

首先提出可行方式的人是霍姆斯，也就是對決定地球年齡曾有很大貢獻的那位英國地質學家。霍姆斯是第一位領悟到放射性的加熱作用，很可能造成地球內部對流活動的科學家。而此活動力道之強勁，理論上足以使得地球表面的大陸板塊發生滑動。

霍姆斯在 1944 年出版的教科書《物理地質學原理》（*Principles of Physical Geology*）極負盛名且深具影響力，書中鋪陳出一個很能站得住腳的大陸漂移理論，他所提出的理論基礎跟架構，是當今流行理論的濫觴。

不過在當時，他的理論顯得太過於急進，而普遍遭到批評，尤其是在美國，那兒對大陸漂移論的抵制，顯然比別處都長久。美國有一位書評家很苦惱，苦惱於「霍姆斯的理論表達得過於清楚且太有說服力，學生真的會相信他」。書評家說這話時，可是一點嘲諷意味也沒有。

6 千 5 百萬年前的地球就是長這個樣子，恐龍也約莫是在此時滅絕的。其實，一直到不久之前，地質學家仍不相信，會有任何物理作用力，可以讓各大陸四處分開。

不過在世界其他地區，霍姆斯的新理論受到含蓄但穩定的支持。在 1950 年的時候，不列顛科學促進會舉行了一次會員投票，發現在場會員中約有半數相信大陸漂移說（不久之後，哈普古德在他那本貶損該學說的書上，就以此次投票結果證明，當時的英國地質學家是多麼「悲慘」的被誤導啦）。

說來也奇怪，霍姆斯本人的立場卻始終不是很堅定。他在 1953 年時坦承：「在我的地質學家骨頭裡，從來沒能完全拋棄掉對大陸漂移說的抗拒，我總覺得這個假說只是一場夢幻而已。」

在美國，大陸漂移說並非完全沒人支持。哈佛大學的戴利（Reginald Daly）就曾為它說過話，但是你也許還記得，戴利就是主張我們的月球是因為天體碰撞而形成的那位先生，他的想法跟意見通常讓同儕感覺有趣，甚至有參考價值，卻稍嫌過於鮮活，而不受認真考量。因此大部分的美國學院派學者仍堅持己見，認為地球上的陸地分布自古以來就是目前這副模樣。至於地表特徵，是位置移動之外的原因造成的。

有趣的是，石油公司雇用的地質學家卻是多年來就知道，想要發現石油蘊藏，必須讓「板塊構造學說」所說的地表移動成為信念。但是石油地質學家不寫學術論文，他們只找油礦而已。

地球理論方面，還有一個一直沒解決的大問題，甚至連解決的邊都還沒摸到，那就是所有的沉積物究竟都跑到哪兒去了？每年地球上的無數大小河川夾帶著體積龐大的風化侵蝕作用產物，譬如光是鈣就高達每年 5 億噸，最後都一古腦兒灌注到海裡。

如果你把每年的沉積速度乘上已經進行的年數，就會得到一個十分傷腦筋的總體積：如今海底應該已經累積了平均 20 公里厚的沉積物，換句話說，海底現在應該早已高過了海面啦！科學家面對這個不合邏輯的問題，採取了最不費事的辦法，那就是視而不見。但這種鴕鳥心態不是長久辦法，躲得了一時，哪能躲得了一世呢。

不斷擴張的海底

在第二次世界大戰期間，普林斯頓大學礦物學教授海斯（Harry Hess, 1906-1969）受命擔任美國海軍攻擊運輸艦強生角號（USS Cape Johnson）的艦長。

這艘船上裝載著一具頗不尋常的新式探測水深用的發聲器，目的是要方便船艦在進行搶灘行動跟近岸航行時，隨時可以知道水深，而不至於擱淺。但是海斯想到，這件設備也可以順便應用在科學研究上，所以從未把它關閉過，航行淺水海域時固然用它探測航道上的水深，即使船艦到了遠離海岸的深水區域，仍然讓它繼續運作。

結果海斯的發現跟所預期的大異其趣，因為如果海底真的像當時專家認為的那麼古老，它上面應該是厚厚鋪著一層沉積物，就像覆蓋在許多河床跟湖底的軟泥那樣。

但是海斯從儀器上讀到的是，海底到處都散布著很深的刻痕，其中有大峽谷、壕溝、裂縫，而且到處點綴著海底火山堆。他還把這些平頂火山命名為蓋奧特，用以紀念一位普林斯頓大學的同行老前輩蓋奧特（Arnold Guyot, 1807-1884）。這些發現讓他

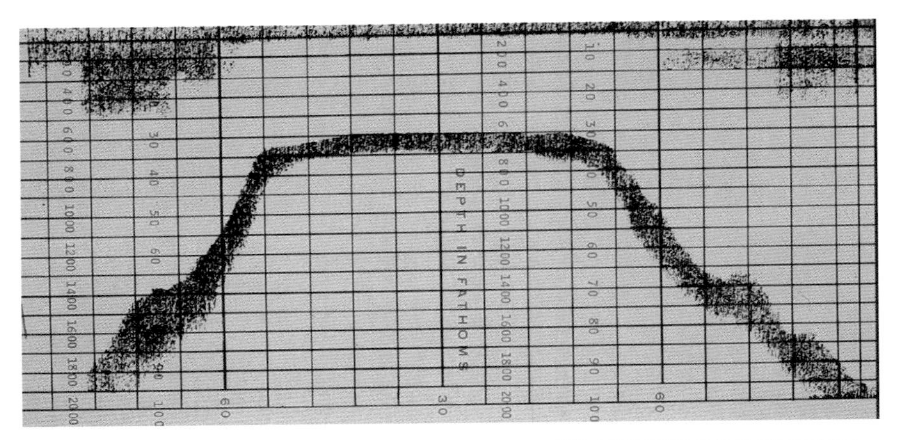

普林斯頓大學的礦物學教授海斯，在第二次世界大戰期間做的海底測量圖顯示，海底有平頂火山，他把這種地形稱為「蓋奧特」，來紀念一位地質學前輩。

非常困惑，但是海斯當時忙著帶領官兵出任務作戰，所以只能把這個問題暫時拋諸腦後。

戰後，海斯回到普林斯頓，主要進行教書工作。但是他在戰時發現的海底疑團仍然在腦海裡揮之不去。同時在整個 1950 年代裡，海洋學家一直在進行愈來愈精密的海底探勘。

結果他們發現了一個更大的驚奇：地球上最宏偉、綿延得最長遠的山脈，原來絕大部分都是在海面下。這條山脈貫穿了全世界各海域，構成了一條不中斷的路徑，有些像是網球上的圖案模式。

如果你從冰島出發，可以跟隨著海底山脈向南穿過大西洋中央，然後繞過非洲南端進入印度洋與南太平洋，再繞過澳洲南端的太平洋，此時彷彿要往墨西哥的下加利福尼亞前進，但突然隆起形成美國西岸到阿拉斯加的海岸。

沿途一些較高的山峰，穿出海面形成島嶼與群島，例如大西洋的亞速群島（Azores）、加那利群島（Canaries），以及太平洋中的夏威夷。但是這山脈絕大部分都給淹在數千噚（1 噚等於 1.829 公尺）的海水下，因而以前沒人看到，也沒人會猜想到，海洋裡有這樣的大山。若是把這條山脈的幹線、支線全加起來，全長達 7 萬 5 千公里！

這件事情事前倒也不是全然沒有蛛絲馬跡，十九世紀人們在鋪設海底電纜時，就從所放下去的分段電纜長度上發覺，在中大西洋附近，有山一般的阻礙物存在。這座山的綿延脈絡跟它的巨大長度，的確是出乎意料。

而且，它還包含著一個無法解釋的物理異常現象，那就是沿著大西洋中洋脊的中央，有一條極長的大峽谷，亦即一個巨大裂縫，全長達 1 萬 9 千公里，而最寬的地方達 20 公里。樣子看起來似乎要告訴我們，地球曾經從這兒裂開，就像果仁要從果殼的裂縫處蹦出來那樣。這個想法的確很荒謬，也非常嚇人，但是證據歷歷在目，不容否認。

然後在 1960 年，分析一些岩芯標本得到的結果顯示，在大西洋中洋脊附近的海底，結構相當年輕，無論向東或向西走，只要離中洋脊愈遠，海底結構的年紀就愈大。

海斯研究了這些分析結果後認為，這個現象只有一個合理的解釋，那就是新的海洋地殼正在大裂縫的兩邊產生，生成之後就讓更新的地殼給推向兩邊。整個大西洋海床就像兩大片輸送帶，

這張圖畫的是十九世紀末，工人忙著把電纜鋪設到英吉利海峽中的情況。從鋪設海底電纜的經驗，人們才發現，海底不如原先想的平坦，不但有高山，也有峽谷。

西邊的輸送帶把新生地殼推向北美洲，東邊的則推向歐洲。這個過程後來稱做「海底擴張」(seafloor spreading)。

當新產生的地殼漸漸移動到了終點，也就是到了大陸板塊的邊緣時，它會轉而朝下，一頭栽回到地殼內，這個動作有一個專有名稱，叫做隱沒（subduction)。如此一來，海底沉積消失的謎團就迎刃而解了，原來它是隱沒到地球內部的大熔爐去啦。

這個理論還一併解釋了另一個叫人納悶的現象，那就是海底表面比地球其他表面年輕很多，海域底部表面的岩石，從沒有超過一億七千五百萬年的，這個現象初看非常奇怪，因為陸地上的岩石年齡，動輒就高達數十億年。

海斯現在看出了其中的道理：海洋裡的岩石年齡受限於海底擴張的過程。這個理論真是漂亮之至，一舉解開了許多老問題。海斯把它寫成了一篇重要的論文，但是發表後卻幾乎沒有激起任何反響。這世界在時辰未到時，是無法接受好觀念的。

地磁會翻轉

同期另有兩位獨立研究的學者，從一件數十年前發現的地球歷史事實著手，而觀察推論出一些叫人極為吃驚的結論來。詳細情形是這樣的：1906 年，一位名叫布倫尼斯（Bernard Brunhes）的法國物理學家發現，咱們這顆行星的磁場方向，每過一陣子就會自動倒轉一次。

這種磁場倒轉的歷來紀錄，永遠銘刻在當時產生的某些種類的岩石中，特別是岩石中的小顆粒鐵礦，它們像是指南針，在岩石形成之前指向當時的地磁南極，等到岩石冷卻變硬，它們的指向就固定下來不再改變。所以這種岩石事實上「記得」它形成時地球的磁極方向。

布倫尼斯發現這個奇怪現象後，數十年中人們除了嘖嘖稱奇外，無人動手做進一步的探究。一直拖到 1950 年代才有倫敦大學的布萊克特（Patrick Blackett, 1897-1974，1948 年諾貝爾物理獎得主）跟新堡大學（University of Newcastle）的龍肯（S. K. Runcorn）

開始分頭檢測英國古老岩石中的地磁模式。

研究結果讓他們大吃一驚，從遠古時期以來，英倫三島像是掙脫了纜繩的船，不只在原處打轉，而且還向北挪移了很大的距離。更奇怪的是，他們還發現，若是把古早同時期的歐洲與北美洲地磁模式圖擺在一起，會完全吻合，像是把撕開的信併攏一樣，神奇之至！

他們的發現報告跟海斯的論文一樣，也是石沉大海。

最後，這個解謎工作落到了兩位劍橋人的肩上。地球物理學家馬修斯（Drummond Matthews, 1931-1997）跟研究生范恩（Fred Vine），把既有的零星線索有系統的綜合整理。1963 年，他們更利用大西洋海底磁性研究，證明海斯建議的海底擴張理論，完全與事實相符，而且馬修斯和范恩還發現一些證據，顯示各個大陸都在移動。

與他們同一時期不約而同做同樣研究的，還有一位運氣不佳的加拿大地質學家摩利（Lawrence Morley），也得到了同樣的結論，卻找不到人肯發表他所寫的論文。

摩利的論文遭拒的故事如今成為著名笑談。據說《地球物理研究期刊》（*Journal of Geophysical Research*）的編輯退稿時告訴他：「你這種打高空的推測在雞尾酒會上很恰當，可以拿來提高與會者的談興，只是不應當用正經科學的名義做幌子，寫成文章發表。」後來有一位地質學家開玩笑說，摩利的那篇論文「大概是被拒絕的文章中，最重要的地球科學論文」。

無論如何，動態地殼觀念的時代終於來臨。1964 年，由英國

皇家學會贊助主辦的一個大型研討會議在倫敦召開，許多重量級的地球科學學者都到場參加。

在該次會議上，似乎陡然間，每個人都改變了信仰。會上大家同意，地球是由一群相互連接的不同斷片組成的，而這些斷片之間緩慢而力道強大的推擠競爭，造成了地球表面許多的行為。

後來大家瞭解，整個地殼都在移動而不僅僅是幾塊大陸，原先的「大陸漂移」一詞便很快遭棄置不用了。但該用什麼名稱去叫那些個別的地殼斷片呢？

人們花費了一段時間去斟酌。起先有些人把它們叫做「地塊」（crustal block），或是「鋪面石板」（paving stone）。直到 1968 年末，有三位美國地震學家寫了一篇論文，在前述的《地球物理研究期刊》發表，文中帶頭把那些斷片叫做「板塊」（plate）。從此板塊成了它們的通稱。而該文也把這個新的學門稱為「板塊構造學說」（plate tectonics）。

不過舊觀念很難完全消除，而且不是每個人都習慣於擁抱新理論。因此甚至到了 1970 年代，當時一本使用人數最多、影響力最大、由地質學學界耆宿傑夫利斯（Harold Jeffreys）執筆，書名為《地球》的教科書，書裡竟然費盡了全力，堅稱板塊構造學說在物理學觀點上根本不可能成立。

《地球》的作者仍維持他早在 1924 年時，撰寫該書初版時的同樣認知與論調。該書對於時髦的對流作用跟海底擴張等理論，也一概加以駁斥。在 1980 年出版的《盆地與山脈》（*Basin and Range*）一書中，作者米克菲（John McPhee）引述了當時的一項調查結果：每八位美國地質學家裡，仍有一位不相信板塊構造學說。

板塊的複雜身世

今天我們知道，地球表面是由八到十二個大板塊（依照你對「大」的定義而定），跟二十個左右的稍小板塊所組成。而板塊以不同的方向、不同的速度移動。有些板塊很大，較不那麼活躍，其他較小的則充滿活力。板塊跟坐落在其上的陸地大小當然有關，但是並非絕對。

比方說，北美板塊比北美洲要大很多，雖然它的西部邊緣大致上跟北美洲的西海岸相吻合（那是為什麼當地地震頻繁，原因在兩塊板塊的分界線上免不了會發生碰撞跟擠壓），然而它與北美洲東部邊緣全然無關，而是一直延伸到大西洋當中，到達中洋脊為止。

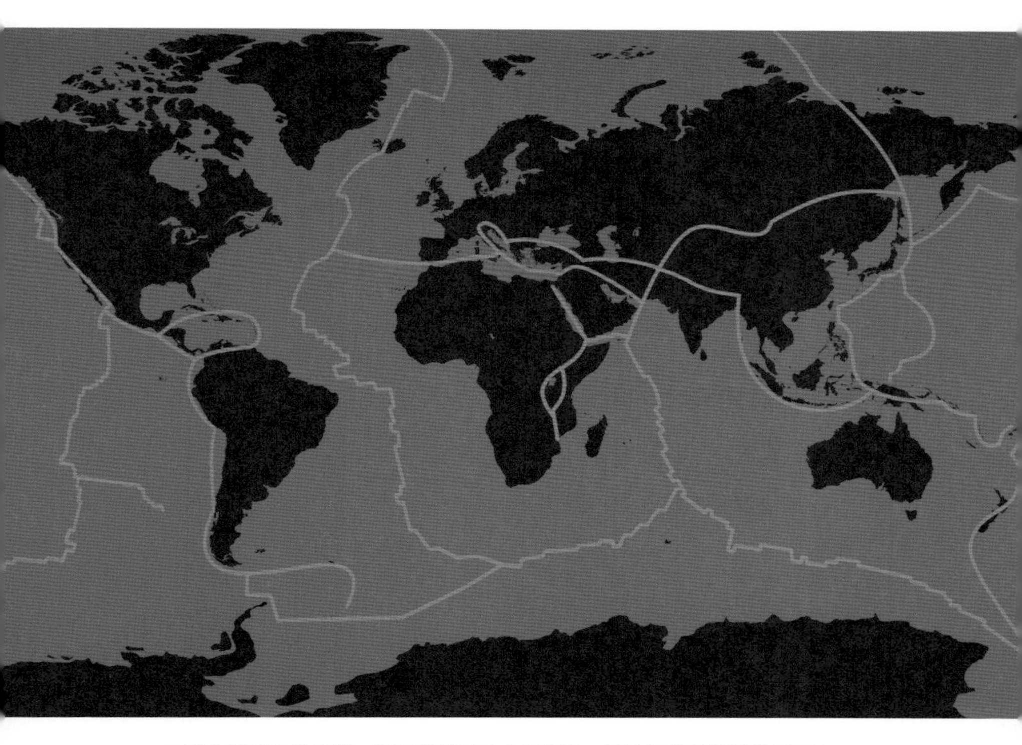

地球主要板塊的界線。板塊間緩慢穩定的運動，以及板塊碰撞累積的壓力，讓板塊交界成為發生地震的高危險地區。

冰島正好騎在北美板塊跟歐洲板塊的分界線上，所以冰島的西半部屬於北美板塊而東半部屬於歐洲板塊。同樣的道理，雖然紐西蘭距離印度洋很遠，但是它卻位於巨大的印度洋板塊上。類似情形在各個板塊上屢見不鮮。

人們發現，現今陸塊跟古代陸塊間的關係，遠比我們想像的複雜。譬如說，如今位於中亞的哈薩克（Kazakhstan，其東邊與中國新疆省接壤）在遠古時期曾經一度跟挪威、以及美國的新英格蘭相連接。紐約市的史坦登島（Staten Island），其上有一角落（而僅此一角落）曾屬於歐洲，加拿大的紐芬蘭島有一部分亦然。

今天我們到美國麻州海岸撿起一塊鵝卵石，與它的成分最接近的近親卻在非洲。蘇格蘭高地跟大部分的斯堪地那維亞，曾是美洲的一部分。而南極洲沙克爾頓山脈（Shackleton Range）的某些部分，可能曾經屬於美國東部的阿帕拉契山脈。簡而言之，從長期觀察來看，陸地似乎會四處亂跑。

繼續不斷的騷動，使板塊無法融合成靜止不動的單一板塊。假如一切按照目前的趨勢進行，大西洋有朝一日會比太平洋還寬。加州的大部分會從美國本土斷裂出去，成為太平洋上的馬達加斯加島。非洲會繼續往北移動，首當其衝的當然就是歐洲，兩者推擠的結果有二：其一是地中海會給擠得消失無蹤，其二是從巴黎到印度加爾各答之間，會擠出宏偉如喜馬拉雅山的山脈。澳洲會逐漸併吞它北方的島嶼，並以某種臍帶型地峽（isthmian umbilicus）與亞洲連接。

以上所說的是將來發展出的結果，而不是將來會發生的事件，這些事件正在進行中。當我們坐在這兒擺龍門陣時，各大洲正像湖面上的落葉似的浮動。

利用最新科技「全球定位系統」，我們可以看到歐洲與北美洲正逐漸拉開彼此的距離，速度跟咱們手指甲生長的速度相若，在人的平均壽命裡，差不多會拉開到兩公尺左右。只要你不在乎長久坐著等待，北美大陸有朝一日總會把你從洛杉磯，一路送往舊金山。

我們之所以很難看出地球上滄海桑田的變遷，是因為人生太過短暫。我們面前地球儀上所表示的地理位置，僅只反映出地球歷史上千分之一的這小段時間內，各大陸的相對位置而已。

在太陽系的岩質行星中，地球是唯一一個有板塊結構的。為什麼會如此仍然是個謎，我們知道原因不在地球的大小或密度，金星在這兩方面跟地球幾乎是雙胞胎兄弟，但是金星上完全沒有板塊活動的跡象。也許地球剛好是有適當的物質，以適當的比例構成，才能生氣勃勃。有人認為（只是單純這樣認為而已）：板塊構造是生物得以生存發展的重大原因。

物理學家兼作家特菲爾說：「我們很難相信，地殼板塊的不斷變動不會影響到地球生命的發展。」他提出因地殼變動而造成的種種挑戰，譬如氣候上的變遷等，無疑也會激發智慧。其他的人則相信，大陸的漂移也許造成了一些不同物種滅絕的事件。

2002 年 11 月，英國劍橋大學的狄克生（Tony Dickson）寫了一篇報告，登載在《科學》期刊上，強烈主張岩石的歷史跟生命的歷史間有互動關係。

狄克生的說法是，在過去五億年裡，世界各處海洋的化學成分一直都在很突兀跟顯著的改變，而這些改變經常跟生物史上的重大事件相契合，諸如英國南部海岸的海域，由於陡然間微生物數量突然暴漲，造成了白堊峭壁；在寒武紀時，海生動物中的有殼類大量繁殖等等。如今尚無人確知是什麼原因，使得海洋每隔一段時期，就會大幅度改變其化學組成，但是海底洋脊裂縫的張開跟閉合，顯然可能與此有關。

無論如何，板塊構造學說不只是解釋了地球表面的動力學現象，例如遠古的三趾馬如何從法國跑到美國佛羅里達州，還說明了地球的許多內部活動。地震、海島鏈的形成、碳循環、山的位置、冰河時期的來臨、以及生命的起源，幾乎沒有事情不受這個了不起的新理論直接影響。就像米克菲指出的，地質學家眼花撩亂的發現，「整個地球突然變得合情合理起來」。

仍有許多未竟之謎

不過也只合理到某個程度而已。地球物理學家知道的往日大陸分布情形，並不像外行人所以為的那麼清楚有條理。雖然地質學教科書上對遠古大陸的陳述看起來似乎信心十足，甚至還若有其事的舉出一些地名來，諸如勞亞古陸、岡瓦納大陸、羅迪尼亞大陸、盤古大陸。構築出這些想像中的往日大陸的資料，並不見得很靠得住，正如辛普森（George Gaylord Simpson）在他所著的《化石與生命史》一書中提到，遠古時期的動植物物種常在不應出現的地點出現，而該有的地點卻看不到。

岡瓦納大陸連接澳洲、非洲、南極洲與南美洲。它的外圍界線主要是依據一種舌羊齒屬（*Glossopteris*）的遠古貼生石葦（tongue fern）的分布情形劃定的。不錯，舌羊齒的化石在上述各處都有發現。然而之後，同樣的舌羊齒化石居然在跟岡瓦納大陸無關的地區發現，這個叫人想不通的「異常現象」，現在仍然無法解釋，而學界的對策又是視而不見 。

同樣的，一種叫做水龍獸（Lystrosaurus）的大爬蟲類動物，在非洲、印度與南極洲均有人發現，確實證明了這些大陸在當時連接相通，雖然學界人士相信南美洲跟澳洲兩塊大陸，當時也是屬於岡瓦納大陸的部分，但是這種動物的化石卻從未在該兩處出土過。

還有許多地球表面現象，無法用板塊構造學說來解釋。一個例子是美國丹佛，人稱「一英里高」的城市。不過它的不尋常海拔高度是相當近期才發生的事情，在恐龍漫遊地球的年代裡，丹佛還是海底的一部分，比目前低了數千公尺。

丹佛上升的原因目前仍是不解之謎，檢查丹佛地下的岩層可以看出，它們並無斷裂或變形跡象，因此不像是受到板塊之間衝撞作用而升高，況且丹佛的位置距離板塊的邊緣實在過於遙遠，很難把責任推到板塊衝撞作用上，這跟推動地毯的邊緣，希望地毯的另一端產生皺褶，同樣不可能。

在過去數百萬年裡，丹佛附近的地表似乎像放了發粉的麵團，一直很神祕的節節上升。同樣的情形也發生在非洲南部，那兒有一塊寬約 1,600 公里的地，在過去一億年裡，也幾乎上升了半公里，而它上升的原因顯然跟附近的板塊活動完全無關。這些現象都不能以板塊構造學說來解釋。

很可惜的是，韋格納沒能親眼看到他的想法經人證明為正確。1930 年，他參加了格陵蘭探險之旅，就在五十歲生日那天，他一個人單獨外出，去查看一個補給品運補地點，就再也沒有回

來了。數天後他被人發現凍死在冰上。他的遺體就地埋葬在同一地點，不過現在，該地點與北美洲的距離，比起他死去的那天，接近了約一公尺。

愛因斯坦也活得不夠久，沒來得及看到他壓錯了寶。事實上當 1955 年，他在普林斯頓去世時，哈普古德請他作序、內容主要駁斥大陸漂移說的那本書，仍未出版（1958 年才出版）。

另一位跟板塊結構學說有關的重要人物是海斯，愛因斯坦寫序時他也在普林斯頓，而且之後的事業也都在普林斯頓發展。他有一位非常聰明的年輕學生，叫做阿瓦雷茲（Walter Alvarez），後來以另一種相當不同的方式改變了科學世界。

至於地質學本身，它的大變革還僅是剛開始而已，而年輕的阿瓦雷茲在其中助了重要的一臂之力。

1930 年，在格陵蘭的韋格納正準備施放氣象氣球。
就在這張照片拍攝後不久，韋格納也意外死在這個地方。

第四部
地球，危險危險！

1992 年 1 月，從義大利埃特納峰（Mountain Etna）
流出來的，熱騰騰有破壞性的閃亮熔岩。

第 13 章 彗星撞地球

位於地球的各個階段，
就像軍旅生活一樣，
其中有長時間的落寞無聊，
及一些短暫的驚恐。
——英國地質學家艾基（Derek V. Alger）

長久以來，人們都知道美國愛荷華州曼森（Manson）鎮的地底下，有某樣很奇怪的東西。1912 年，當地居民為了解決供水問題，請人鑿了一口水井，據說挖上來一大堆奇形怪狀的石塊。

後來有一份正式報告，語焉不詳的描述這些石塊為「晶質碎屑角礫岩跟熔岩基」及「倒轉噴出物」。水井鑿好後，人們驚奇的發現從該井汲出的水非常奇特，是像雨水般的軟水，愛荷華州從未發現如此的軟水。

雖然曼森鎮的怪石跟絲滑的井水叫人嘖嘖稱奇，但學術界在磨蹭了四十一年後，才有一個愛荷華大學的研究團隊，到附近做實地勘查。曼森鎮位於該州的西北邊，當時的人口跟現在差不多，都大約是兩千人。1953 年，愛荷華大學的地質學家在鑽探了一系列實驗孔洞後，同意這個地點的地質的確異常。

他們認為那些變形的石塊是遠古時期，某種我們目前尚不知曉的火山活動造成的。雖然這個看法滿切合當時的地質學水準，但也是最離譜的一項地質學錯誤結論。

事實上，曼森的地質異常不是來自地球內部，而是從居民頭頂上，至少 1.6 億公里外的天外飛來的。在遠古某一個時期，曼森位於一片淺海的岸邊，突然有一塊直徑約 2.4 公里、重量達一百億噸的巨石，以大約兩百倍音速的雷霆之勢，穿過大氣層，驚天動地的撞進了地球。僅僅一剎那間，曼森與其周遭就變成了一個 4.8 公里深、直徑超過 32 公里的大窟窿。

愛荷華州原本遍布了石灰石，所以該州的地下水屬於礦物質含量豐富的硬水。經過了這次隕石撞擊，曼森的石灰石全消失不見了，取而代之的就是這塊天外飛來的隕石。這也讓 1912 年的那個鑿井工，搞不清楚為何這裡的石頭跟別處的不同。

隕石撞擊曼森的事件，是歷來在美國本土發生的撞擊事件中，規模最大的一次。當時造成的「坑洞」之龐大，站在它的邊緣上，要在晴朗的好天氣裡，才勉強看得見坑洞的另一邊。相形之下，以雄偉著稱的美國大峽谷簡直是微不足道的小把戲。

不幸的是，喜愛大自然奇觀的現代朋友可說生不逢辰，早已失去了這項眼福。在長達兩百五十年的冰河時期，經過此處的巨大片狀冰塊帶來了肥沃的冰積物，逐漸把大坑填滿了，還把新生地的表面刨光磨平，如今曼森附近方圓數公里內，幾乎像桌面般平坦。所以即使是當地人，也很少聽說過關於曼森巨坑的點滴。

曼森鎮上的公立圖書館管理員，很樂意拿出一大疊相關剪報，跟一箱 1991 至 1992 年鑽探計畫採集到的岩芯標本。的確，他們會很迅速把這些證據搬出來給你參觀，但你必須開口要求才行。這些東西都沒有長期陳列展示，而曼森鎮上也沒有豎立任何有關的歷史標誌。

對曼森鎮上大多數鄉親來說，該地曾經發生過的最大事件，是 1979 年一個龍捲風掃過鎮上的大街，「吹」毀了整個商業區。該鎮四周平坦的地貌至少有個好處，你遠遠的就可以望見危險來臨。那一次幾乎全鎮的人都齊集在大街的一頭，看著龍捲風對準他們直撲而來，足足看了半個小時，希望它會突然轉彎他去，一直等到眼見無可避免時，才慌張走避。結果有四個人因動作稍慢而不幸喪命。

如今每到 6 月，曼森鎮會舉辦長達一星期的活動來紀念這次事件，為了撫平傷痛記憶，活動名稱定為「坑洞週」（Crater Days），但這跟遠古那個大坑洞完全扯不上關係。到目前為止，當地尚無人想出好點子，能利用早已看不見的遠古撞擊現場來撈一筆。

態度和善的曼森鎮圖書館管理員許拉普科（Anna Schlapkohl）告訴我：「在極偶然的場合裡，會有一、兩位外地人闖進圖書館來，問我們應該上哪兒去看大坑洞？我們不得不告訴他們，沒有看得見的古蹟可供憑弔。他們離去時都有些失望。」

絕大多數的美國人，包括大部分生長在愛荷華州的老百姓，都未聽說過曼森大坑洞。如今甚至對地質學家來說，它也僅只值得在注腳裡提到而已。然而在 1980 年代裡，曾有一段短暫的時期，曼森是地球上最熱門的地質學研究地點。

哪來的一個大洞？

這故事得從 1950 年代說起，當時年輕的傑出地質學家尤金·舒美克（Eugene Shoemaker），跑到亞利桑納州去觀察「流星穴」（Meteor Crater）。今天的這個流星穴，可算是世界上最著名的隕石撞擊地點，也是相當熱門的觀光勝地。但是在半個世紀前，去那兒旅遊的人不多，而且名稱也還是巴林傑坑。

這個名稱是為了紀念一位名叫巴林傑（Daniel M. Barringer）的富有礦業工程師，他曾在 1903 年宣布把該坑劃歸自己所有。巴林傑相信，那個坑是由一塊重達一千萬噸的大隕石撞擊地面所造成的，而那塊隕石應該載著大量的鐵與鎳。

巴林傑認為只要把這塊隕石從地底下挖掘出來，就會發一筆大財。但是他沒有料到隕石跟它所帶來的一切，在撞擊的那一剎那已經全部氣化掉了。他浪費了一大筆資金跟二十六年光陰在該處挖掘，結果啥也沒有挖到！

以今天的標準來衡量，1900 年代初期人們對隕石坑的研究，可說是極其粗淺。最早期領導此方面研究的，是哥倫比亞大學的吉伯特（G. K. Gilbert, 1843-1918），他把玻璃彈珠丟到一大盤燕麥片上，模擬隕石撞擊地表造成的各種效果（不知是為了什麼原因，吉伯特做這個實驗的地方，並不是在哥大實驗室裡面，而是選在旅館的房間內）。

也不知怎的，吉伯特從這個實驗得到了結論：月球表面上的坑洞是隕石撞擊造成的，而地球上的坑洞則否。在當時，這可是相當與眾不同的看法。大部分的科學家都拒絕同意吉伯特的主張，他們仍舊認為，月球上的坑洞是古早火山活動留下來的證據，地球上少數幾個仍然看得出的坑洞（絕大多數的坑洞早已風化侵蝕得看不見了）都來自其他原因，或只是湊巧生成的罕見現象。

在舒美克去看流星穴之前，當地普遍認為它是由「地下水蒸氣爆炸」造成的。舒美克從沒聽說過有地下水蒸氣爆炸這檔事。他當然不知道，因為世間根本沒有這種爆炸，但他倒是知道各類爆炸區，因為他剛從大學畢業時，曾在內華達州的亞卡台地（Yucca Flats）核爆試驗場做過一陣子爆炸圈的檢驗工作。

他看到巴林傑坑後得到的結論，跟巴林傑當年的看法一樣：它完全不像是火山活動的遺跡，而散布在該處的大量物質（主要是小顆粒的矽石跟磁鐵礦），暗示這個坑洞是由天外飛來的隕石所造成的。這引起了他對隕石的好奇心，於是開始在餘暇時對此進行研究。

亞利桑納州的流星穴，是 5 萬年前受隕石撞擊產生的。它約有 1.6 公里寬，數十公尺深，是目前世界上最知名的隕石坑。但直到二十世紀中，人們都還以為這個坑洞是地球內部爆發產生的。

起先他跟同事赫林（Eleanor Helin）合作，後來改與他的太太卡洛琳（Carolyn）與助手李維（David Levy）一起研究。舒美克開始進行以太陽系為範圍的有系統搜尋。他們每個月花一個星期，到加州的帕洛瑪天文台，尋找運行軌道可能跨越地球軌道的天體，其中主要是小行星。

數年後，舒美克在一次電視專訪時回憶說：「當初我們開始搜尋時，整個天文學界觀測紀錄上的這類天體，總數只有一打多一點。二十世紀的天文學家，幾乎完全放棄了對太陽系內部的觀測，把注意焦點都轉向太陽系之外的行星跟星系去了。」

舒美克與他的同事發現的是，地球遭撞擊的風險，比任何人曾經想像過的，都大得太多了。

找尋小行星成為時尚

如大家所知，小行星是岩狀物，多數散布在火星跟木星之間的帶狀軌道中。雖然在所有的出版物插圖裡，都把它們畫得擠成一團，但事實上大謬不然。太陽系是非常空曠的，對任何一顆典型的小行星來說，最近的鄰居也在 150 萬公里之遙。

沒有人確實知道，究竟有多少個小行星在太空中亂竄，但是一般認為，總數也許多達十億以上。據推測，它們本來是要聚集成一顆行星的，但卻沒能「修成正果」，原因可能是由於木星重力的拉扯，使它們在過去與未來都無法併合。

小行星是到了十九世紀才首度發現。在十九世紀的第一天，第一個小行星由名叫皮艾奇（Giuseppe Piazzi, 1746-1826）的西西里人發現。一開始它們給認為是行星，命名為穀神星（Ceres）及智神星（Pallas）。後來經過了英國天文學家赫歇爾（William Herschel）甚具靈感的推理研究，發覺它們的個頭實在是太小了些，跟行星完全不能相提並論，於是他把它們另外歸諸為一類，以小行星（asteroid）為名。asteroid 的字源出拉丁文，意思是「行星般的」。很不幸的是，它們怎麼也不像行星。

在十九世紀裡，尋找小行星變成了時尚，在該世紀結束之前，已發現的小行星總數差不多有上千個。但問題是沒人把它們

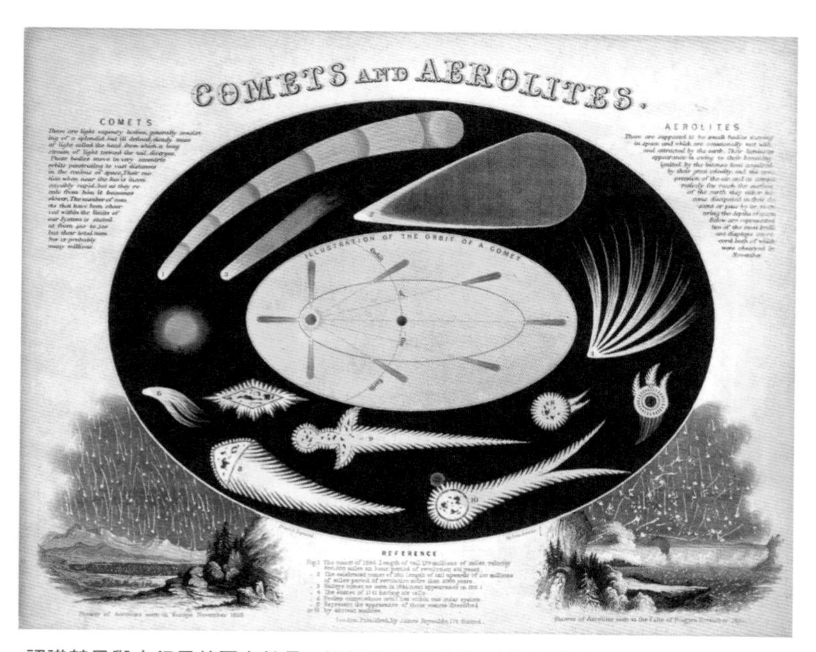

認識彗星與小行星的圖卡教具。這裡有各種彗星，以及它們各不相同的橢圓軌道。在圖的左下角與右下角，分別是兩次不同的流星雨。左下角的流星雨發生在 1836 年的歐洲，而右下角是 1833 年發生在尼加拉瀑布的流星雨。

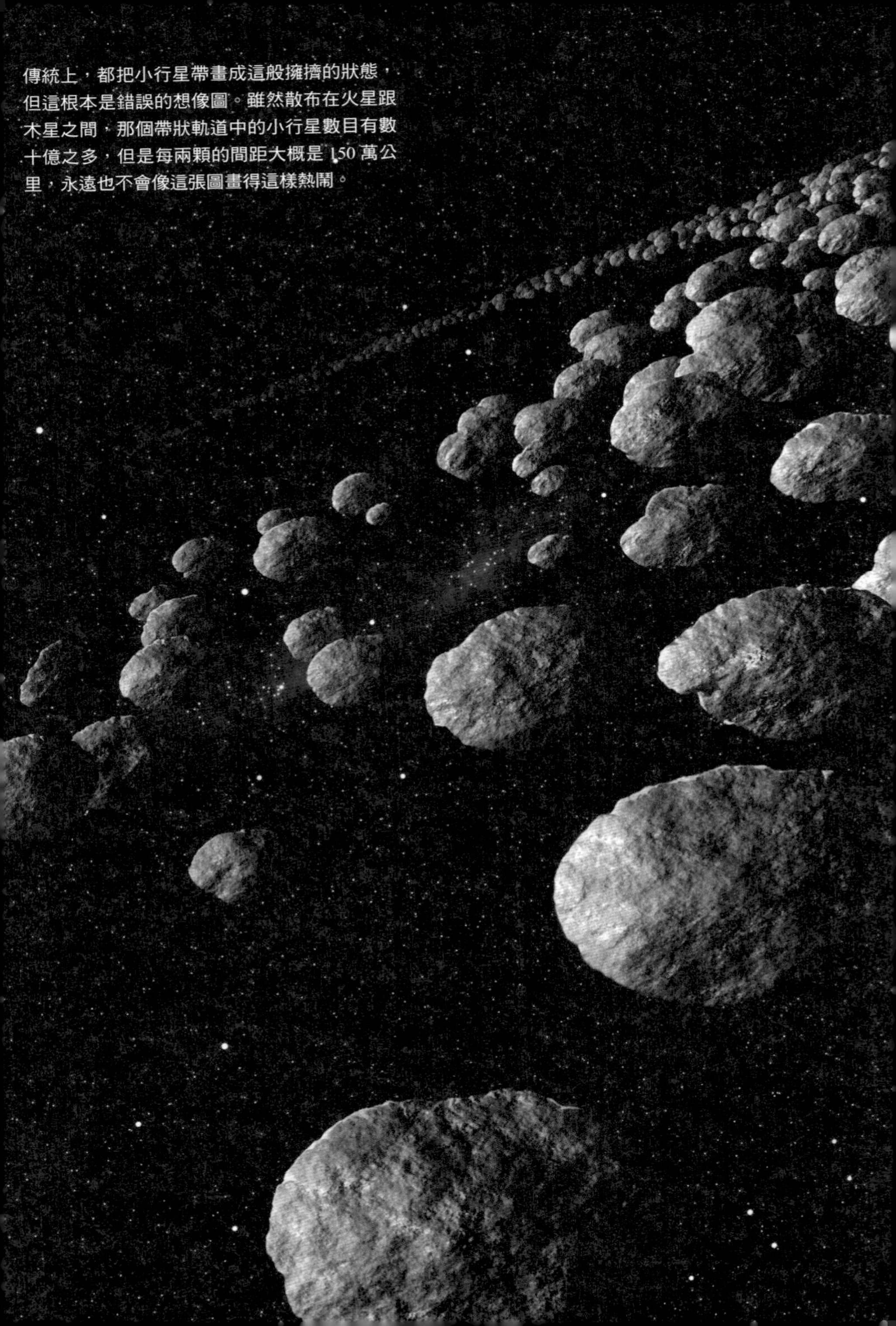

傳統上，都把小行星帶畫成這般擁擠的狀態，但這根本是錯誤的想像圖。雖然散布在火星跟木星之間，那個帶狀軌道中的小行星數目有數十億之多，但是每兩顆的間距大概是 150 萬公里，永遠也不會像這張圖畫得這樣熱鬧。

有系統的記錄下來，因而在 1900 年代初期，每看到小行星時，根本無從判定它究竟是第一次經人「發現」，或是以前曾經發現過，後來又失掉蹤跡的。

而且在這個時期之前，天文物理學也有了長足的發展，可以研究的議題車載斗量，只有極少數的天文學家願意把一生，奉獻在追尋石塊似的小行星這種無趣的工作上，而對太陽系有興趣的則更稀罕。

其中，荷蘭裔的美籍天文學家柯伊伯（Gerard Kuiper），是尋找小行星的天文學家中最著名的，海王星外廣闊空間中的彗星柯伊伯帶就是以他的姓氏取名。幸虧柯伊伯多年來在德州麥當勞天文台（McDonald Observatory）工作，後來又有一些在辛辛納提小型行星中心（Minor Planet Center）工作的人，以及在亞利桑納州進行的太空監測計畫（Spacewatch project）共同參與，找出那些在失蹤名單上的小行星。

在二十世紀末，只剩下最後一顆未找到。這個叫艾爾伯特 719 號（719 Albert）的傢伙，失蹤前最後被看到的日期是 1911 年 10 月。它終於在 2000 年裡給找到，前後失聯長達八十九年。

以小行星研究的角度來看，二十世紀是漫長的「簿記」時期。一直要到世紀末的最後一兩年，簿記工作差不多完成後，天文學家才有餘力把注意力放在數計其他小行星上。

到了 2001 年 7 月，總共有兩萬六千顆小行星經過命名跟驗明身分，其中半數是過去兩年內追蹤的成果。以它們可能高達十億的總數來看，這還只是開端而已。

劃破芬蘭夜空的流星。這種一閃而逝的流星，
通常是由比芥菜子大不了多少的小隕石燃燒所造成的，
而這種小隕石在到達地球之前，就消耗殆盡了。

其實這件事有點無關緊要。驗明一顆小行星的身分並不會讓它變得比較安全。即使我們追蹤到太陽系內的每一顆小行星，給它命名，搞清楚它的軌道，仍無人能保證，將來不會有任何一個脫離原有軌道，對準地球直衝過來。我們連地表上石頭的擾動都無法預測，飛上太空的石頭會幹嘛，實在無從猜起。給小行星命名，好像是我們能做的極限了。

我們可以把地球軌道想成大馬路，雖然就只有地球這一輛車獨自在這條路上行駛，但是經常會有行人，不停看聽就穿越馬路。那些冒失行人，至少有九成我們從未知曉，我們不知道它們打從哪兒來、有怎樣的作息時間、多久來這軌道拜訪一次。我們所知道的只是，它們隨時會無徵兆也無規律的在馬路上突然現身，而地球的巡航速度又高達每小時 10 萬公里。

噴射推進實驗室（Jet Propulsion Laboratory）的奧斯特羅（Steven Ostro）說：「假如有一個按鈕，一按之下所有穿越地球軌道、直徑超過十公尺的物體，全都會一起發亮的話，則天空裡會出現超過一億個光點。」簡言之，你不只可以看到一、兩千顆遙遠的行星在閃耀，還會看到數百萬顆距離較近而且到處亂竄的光點，「這些物體每一個都可能撞上地球，每一個都有它稍許不同的路徑跟不同的速度。的確會叫人看得心驚膽戰。」好吧，就心驚膽戰吧，它們的確存在，只是我們看不到罷了。

整體而言，專家認為（雖然這只是根據觀測月球受撞擊產生隕石坑的頻率所做的猜測）大約有兩千顆規律穿越地球軌道的小行星，大得足以在撞上地球時一舉終結人類文明。至於較小的小行星，譬如像一棟房屋大小的，也足以毀掉一座城市。而此類穿越地球軌道的小個子數目很多，至少有數十萬，也許多達數百萬。由於它們的個頭太小，幾乎無法追蹤。

第一個有這類紀錄的小行星是在 1991 年觀測到的，而且是在小行星飛離後才發現，它命名為 1991 BA，與地球以 17 萬公里擦身而過。以宇宙的尺度而言，這相當於子彈貫穿衣袖而沒傷到臂膀。

兩年後，另一顆稍大的小行星，更以 14 萬 5 千公里的近距離與地球錯身，這是目前紀錄上最接近的一顆，同樣也是毫無徵兆，穿過後才發現。根據費瑞斯（Timothy Ferris）在《紐約客》雜誌上發表的大作推斷，如此驚險的錯身事件在我們毫不知情下，也許一星期內會發生個兩、三次！

地球上的天文望遠鏡要探測到直徑一百公尺的物體，非得在它到達地球的前幾天才辦得到，而且要剛好遇到訓練有素的天文學者才能堪此重任。即使是現在，專職搜尋這類天體的人數還相當有限，所以預先看到這種危險天體的機率非常小。長久以來流

畫家吉耶曼（Amédée Guillemin）筆下浪漫展現出發生在 1872 年的流星雨。
當地球軌道掃過已死彗星飄流在太空的尾巴時，就會產生流星雨。

傳一個笑話說，全世界找尋小行星的人數加起來，比普通一家麥當勞速食店雇用的員工還少（目前人數增加了一些，但也沒加多少）。

在舒美克試圖拿太陽系內的潛在危機來嚇唬人的同時，另外一項表面看起來與此無關的發展，也靜悄悄的在義大利進行，主事者為出身於美國紐約哥倫比亞大學拉蒙特杜赫第實驗室（Lamont Doherty Laboratory）的地質學家阿瓦雷茲（Walter Alvarez）。

黏土夾層之謎

1970 年代初，年輕的阿瓦雷茲來到靠近義大利安布利亞山區的小城古比奧（Gubbio），一個叫做波塔契盎尼隘口（Bottaccione Gorge）的美麗山峽做田野調查。

阿瓦雷茲對於在兩層遠古石灰岩間夾著的紅色黏土薄層，感覺很好奇。這兩層石灰岩，一個屬於白堊紀，另一層則屬第三紀，所以中間這層黏土在地質學上，稱為白堊紀與第三紀界限（KT boundary）*。而這條界限所代表的時期，距今六千五百萬年前，正好是各種恐龍以及大約半數的其他動物物種，從化石紀錄上突然消失的時期。阿瓦雷茲很想知道，這僅僅零點六公分厚的薄黏土夾層，跟地球歷史上如此巨大的變化有何種關係？

在阿瓦雷茲注意到薄黏土夾層時，地質學界對恐龍滅絕的看法，仍然稟承一個世紀前萊伊爾時代的老觀念，認為恐龍從開始逐漸消失到終於不見，共歷經數百萬年。但是在安布利亞山區的薄黏土夾層明白暗示，恐龍絕種事件發生得相當快速跟突然。很不幸的是，在 1970 年代，人們還不知道可以用什麼方法決定，這層薄黏土需要多久時間才能累積出來。

在一般的情況下，阿瓦雷茲幾乎就只能停留在這個階段，滿

* 這的確是KT而非CT的筆誤。不錯，白堊紀（Cretaceous period）的開頭字母為C，但是在地質學上，C早已約定俗成專門用來代表寒武紀（Cambrian）。那麼K是打哪兒來的呢？據查它的出處有二：其一是希臘文*Kreta*，其二是德文*Kreide*，這兩個字的意思都是「粉筆」（chalk），也就是白堊。

諾貝爾物理獎得主路易斯．阿瓦雷茲，跟他學地質的兒子聊天後，就給恐龍滅絕這個問題給迷住了，全心投入以求解答。

肚子疑問卻拿它沒轍。但是他的運氣出奇的好，有一個堪稱完美的跨學界「聯外管道」可以幫得上忙，這個管道就是他的老爸路易斯．阿瓦雷茲（Luis Alvarez, 1911-1988）。

路易斯．阿瓦雷茲是卓越的核物理學家，也是 1968 年諾貝爾物理獎得主。他一直對兒子未能克紹箕裘而選學了石頭科學有些不高興，但是這回阿瓦雷茲遇到的問題卻引起了老先生的興趣。路易斯．阿瓦雷茲想到，答案很可能就在從太空來的落塵上。

每年，地球表面上會累積到差不多三萬公噸來自天外的所謂「宇宙球粒」（cosmic spherule），也就是太空塵土。若是把它全都掃到一塊兒，會是很大的一堆；但若分攤在整個地球表面上，就只有非常薄的一層而已。

不過在天外來的灰塵裡，含有一種在地球上很少見的銥元素，它在太空物質中的濃度可是地殼的一千倍（有人認為之所以如此，是當地球年紀尚輕時，地球上的銥大部分就下沉到地心去了）。

路易斯·阿瓦雷茲剛好知道，他在美國加州勞倫斯柏克萊實驗室工作的老同事阿薩羅（Frank Asaro）曾研發出一項技術，利用叫做「中子活化分析」的程序，可以非常準確的測量出黏土中的化學成分。這個程序要在一具小型核反應器內，用中子撞擊分析試樣，然後非常小心的計數發放出來的 γ 射線。這是一項幾近吹毛求疵的工作，阿薩羅曾用它分析陶器碎片。

路易斯·阿瓦雷茲心裡盤算，假如他們能測量出他兒子的試樣中，某一種外來元素的含量，然後跟該元素每年推積率相比，就可以知道這層黏土花了多久時間形成啦。於是在 1977 年 10 月的某個下午，父子倆連袂去拜訪阿薩羅，問他是否能幫這個忙。

這真是大膽、冒昧的請求，他們是要求阿薩羅奉獻出數個月的時間跟精力，去辛苦測量阿瓦雷茲的地質試樣，只是為了要再次證明，一件開始看起來就是完全不證自明的事情：由於這層黏土之薄，顯示它並沒有花很久的時間來形成。根本沒有人會料到，他的檢驗會產生什麼戲劇性的突破。

阿薩羅在 2002 年回憶當時情景時說：「他們父子倆非常有魅力，也非常有說服力，我也覺得這似乎是有趣的挑戰，所以就答應了下來。可惜的是，當時我手邊的工作一大堆，實在無法即刻幫他們分析。等到我終於找到空檔可以顧及到這件事時，已經過了八個月。」

他接下來仔細查了他當時做的筆記，繼續說：「1978 年 6 月 21 日那天下午 1 點 45 分，我們終於把第一個試樣放進偵測器，一連運轉了 224 分鐘後，已經可以看出來，有了有趣的結果，於是我們把實驗暫停，仔細觀察。」

得到的結果的確跟預期的極不一樣，事實上，在場的三位科學家開始時還認為，必然是實驗過程出了問題，才使結果出現大偏差。原來在小阿瓦雷茲的試樣內，銥的含量是通常的三百多倍，比預期的高太多。

接下來的幾個月，阿薩羅與他的同事密歇兒（Helen Michel）為此經常連續工作長達三十小時（阿薩羅解釋說：「你只要一開始，就沒法停下來。」）然而他們每次重新試驗都得到同樣的結果。

後來他們進一步分析了另一些試樣，它們分別來自丹麥、西班牙、法國、紐西蘭、南極洲。數據顯示，當時的高銥含量落塵現象是全球性的，有些地區的含量甚至更高，達平常的五百倍。從這些數據來看，顯然當時發生了某件規模龐大的遽變，才會造成黏土層中銥含量大幅增加的現象。

仔細考量之後，阿瓦雷茲父子做了結論，這看起來似乎最合理，至少對他們來說是如此：地球在那時曾遭一顆小行星或彗星撞擊。

地球有時會遭到災難性的撞擊並非新聞，早在 1942 年，芝加哥西北大學天文物理學家包德溫（Ralph B. Baldwin）就在《大眾天文》（*Popular Astronomy*）雜誌上發表了一篇文章，提過這種可能。(他之所以把文章投到這家雜誌社，是因為沒有學術性期刊願意接受它。)另外還有至少兩位知名的科學家：愛沙尼亞天文學家奧皮克(Ernst Öpik)跟 1934 年諾貝爾獎得主化學家游理(Harold Urey, l893-1981)，都曾在不同的場合發言支持過這個想法。

甚至在古生物學家之間，也有過類似的議論。美國俄勒岡州立大學的教授勞班菲爾(M. W. de Laubenfels)，曾於 1956 年在《古生物學學報》(*Journal of Paleontology*)上發表過一篇論文，裡面就預期到阿瓦雷茲的理論，他提議，也許是因為隕石或小行星撞擊地球，產生的熱跟白熱化物質導致恐龍滅絕。而且在 1970 年，當時的美國古生物學會會長麥克勞倫(Dewey J. McLaren)在該學會的年會上建議，來自地球外的一次撞擊，可能也造成更早的「晚泥盆紀物種滅絕」(Frasnian extinction)事件。

似乎是要強調小行星撞地球的想法已不是新聞，1979 年好萊塢有家公司製作了一部電影，片名為「世界末日」(*Meteor*，它的宣傳海報上說：「它的直徑 5 英里……奔來的速度高達每小時 3 萬英里 。人們無處可躲！」)主演的明星有亨利方達、娜妲麗華、卡爾馬登，以及一塊非常非常大的石頭。

所以當 1980 年開張的第一個星期，在美國科學促進協會(American Association for the Advancement of Science)舉辦的會議上，阿瓦雷茲父子宣布了他們的信念：造成恐龍滅絕的，並非某種經過數百萬年、無法阻擋的程序，而是突如其來的單一爆炸事件。

1979 年，也就是阿瓦雷茲父子宣布那充滿爭議理論的前一年，好萊塢的電影公司製作了一部片名為「世界末日」的電影，描述隕石撞地球的恐怖景象，宣傳海報上說：「它的直徑 5 英里……奔來的速度高達每小時 3 萬英里。地球上的人們無處可躲！」

照理說這個宣布不應該造成震驚的反應才對。但是各方面，尤其是古生物學界人士，都認為這是極其反常的異端邪說。

阿薩羅回憶說：「這個嘛，你必須記得，我們三個在他們眼裡都只是業餘人士。小阿瓦雷茲雖然是地質學家，但專長是古代磁學，老阿瓦雷茲是物理學家，而我搞的是核化學。如今我們站出來告訴古生物學家說，我們解決了一個問題，而這個問題已經困惑了他們一百多年，你能責怪他們反應冷淡嗎？當然不能，此乃人之常情嘛！」老阿瓦雷茲也開玩笑的說：「咱們被逮到無照研究地質學！」

然而除了面子上掛不住，撞擊理論還引起地質學界更深層的不爽。打從萊伊爾時代起的信念就是，地球上的各種變化都是採逐步漸進的；這已經成為該學界自然史觀的主流，早期曾經風行的大災難說，在 1980 年代來臨之前早已不流行，人們認為它簡直不可思議。因此大多數的地質學家認為，毀滅性撞擊的觀念，就像舒美克說的：「違反了科學的教義。」

尤其糟糕的是，小阿瓦雷茲居然還公開侮慢古生物學家，以及他們對科學知識的貢獻，他在一篇登在《紐約時報》上的文章中寫道：「他們的確不是很好的科學家，他們比較像集郵家。」這個批評迄今還不能讓對方釋懷。

於是反對阿瓦雷茲理論的人，有些意氣用事的找出各式各樣的另類說法來解釋高銥含量的現象。譬如他們認為，這些銥是由當時印度長期發生多次火山爆發，產生的德干熔岩（Deccan Trap，德干是印度南部的高原）造成的。

最重要的一點是，他們堅信，在高銥界限處的化石紀錄上，並沒有恐龍突然消失不見的證據。當時反對得最激烈的人士之一，是達特茅斯學院的奧菲瑟（Charles Officer）。他堅稱，銥元素的累積是由火山活動造成的，雖然他對報紙記者坦承他並無真憑實據。甚至到了 1988 年，調查結果顯示，仍有過半數受訪的美國古生物學家相信，恐龍滅絕跟小行星或彗星衝撞地球根本沒有關係。

消失的隕石坑

支持阿瓦雷茲理論最明顯且有利的東西，卻也是阿瓦雷茲他們所沒有的，那就是撞擊現場。這可是舒美克上場的契機，原因是舒美克有一個「愛荷華管道」：他的媳婦剛好在愛荷華大學教書，而且他經由研究工作，對曼森坑洞很熟悉。由於他的關係，大家的注意焦點全都轉移到愛荷華州。

地質學家的工作可說是因地制宜，隨所處環境而不同。愛荷華州地表平坦，地層歷史上沒什麼變化，比起其他地區來，它既平靜又安詳。那兒沒有阿爾卑斯山似的高峰，沒有刻畫地表的冰川，沒有大量的石油或貴金屬蘊藏，也沒有火山碎屑流的影子。

如果你是愛荷華州政府雇用的地質學家，絕大部分的上班時間都得花在評估「動物排泄物管理方案」上。那是該州境內「動

舒美克認為，地球將來有可能受彗星或小行星撞擊，產生危險。他是率先提出這個理論的科學家之一。

物拘留處所經營者」，也就是豬農，依法必須按時申報的事務。愛荷華州豬農養了一千五百萬頭豬，隨時都有大量的動物排泄物需要處理。我說這些完全沒有揶揄嘲弄的意思，這是非常有必要且務實的工作，有了它才能保持愛荷華州的水源潔淨。

但是無論怎樣美化這件工作，在地質學家心中，它究竟沒法取代跑到菲律賓的品納土玻山（Mount Pinatubo）上，觀察火山岩漿迸射的奇景，或在格陵蘭冰層裂縫中爬上爬下，找尋遠古留下來產生生命的石英石。

在 1980 年代裡，當全世界地質學界人士的注意焦點都集中到曼森小鎮跟它的坑洞時，可以想像，有多大的興奮之情掃過愛荷華州自然資源部門員工的心房。

愛荷華市內有一座特羅布里基館（Trowbridge Hall），是落成於上個世紀交替的大型紅磚建築，主要是愛荷華大學的地球科學系在使用。愛荷華州自然資源部門的地質學家，也在這棟大樓裡面辦公，但位於閣樓內。

如今已經沒有人記得，政府什麼時候開始，或為什麼把這個單位設置在學校機構裡。但你一看到這個單位，就會覺得它是勉強湊合的：辦公室異常擁擠、天花板很低、位置也很偏遠難尋。當你被帶進去時先要有點心理準備，要爬上屋脊，然後從窗子進入。

安德森（Ray Anderson）跟魏之奇（Brian Witzke）的工作生涯，就是在這裡，在一大堆雜亂的論文、期刊、捲起的圖表、笨重的樣品石塊（地質學家永遠不會找不到東西鎮紙）間度過的。

這個地方之壅塞，想找東西時：一張多餘的椅子、一個咖啡杯、一具鈴聲在響的電話，都必須把大疊的文件搬來挪去才能辦到。

在一個陰雨的六月天早上，我到他們的辦公室拜訪，安德森一臉興奮的回憶當時情況，告訴我說：「陡然間，我們成了世界注目的焦點，那真是偉大奇妙的時刻。」

我詢問他們對那位似乎到處都受到尊敬的尤金·舒美克有何觀感，魏之奇不假思索的答道：「他真是了不起的傢伙，要不是有他，這整件事壓根兒不會發生。甚至有他的大力支持，也醞釀了兩年才開始動工。鑽洞可是昂貴的玩意兒，那時候要挖 0.3 公尺就得花 35 美元，現在的價格更高，而我們需要鑽到地面下 1,000 公尺……」

安德森插進一句：「有時還不止呢！」

魏之奇接著說：「不錯，有時候真的不止 1,000 公尺，而且不是一、兩個洞就可以擺平，我們得在好幾個不同的地點，鑽上許多個洞才行。所以你可以想見，這需要一大筆費用，絕對不是咱們那點兒預算支付得起的。」

所以，愛荷華州地質調查所跟美國地質調查所，結成了合作關係。

安德森說：「至少我們認為這是一次合作關係。」臉上露出了一絲苦笑。

魏之奇接下來說：「不經一事、不長一智。那次鑽探對我們來說，的確是難得的機會教育。在那段時期，真的不斷發生相當多的蹩腳科學。有些人匆匆的送出經不起仔細審查的結果。」

有個例子發生在美國地球物理聯合會（American Geophysical Union）於 1985 年召開的年會上，美國地質調查所的易澤特（Glenn Izett）跟披歐摩爾（C. L. Pillmore）兩位先生宣稱：曼森坑洞的形成年代，跟恐龍滅絕時間相符，兩者可能有關。消息傳出後，引來大批媒體記者注意，但不幸的是他們發布過早，結果成了一場烏龍。在更仔細的檢驗數據後，不但曼森坑洞的尺寸太小，它形成的年代也比恐龍滅絕時期早了九百萬年。

對於這個烏龍轉折，安德森跟魏之奇一直給蒙在鼓裡，還是在他們參加在南達科塔州召開的某次會議時，發現大夥兒都帶著一臉的同情趨前告訴他們：「我們剛聽說，你們的坑洞完蛋啦！」他們才知道，易澤特跟其他美國地質調查所科學家剛發表報告，說經過改進的數據顯示，曼森不可能是造成恐龍滅絕的坑洞。

安德森回憶這段時說：「這簡直是晴天霹靂！我的意思是，這麼重要的事怎麼搞得如同兒戲一般？一會兒振振有詞的說有，不一會兒卻又煙消雲散了。最糟糕的是，我們認為的合作夥伴，根本不屑於跟我們分享他們的新發現。」

「怎麼會這樣呢？」我問。

他聳了聳肩膀說：「誰知道呢？無論如何，這倒是讓我們看清楚了，當你在某個層面玩弄時，科學可以變得非常醜陋。」

於是大家把目光移到其他地區。1990 年，有志搜尋者之一，亞利桑納大學的希德布蘭（Alan Hildebrand）遇見《休士頓紀事報》的一位記者，後者剛好知道在新奧爾良南方 950 公里處，也就是墨西哥猶加敦半島靠近普洛格雷索（Progreso）市，希克蘇魯伯（Chicxulub）地區的下面，有一個巨大的環狀地層形態（ring formation），直徑達 193 公里、深 48 公里。

這個地層形態為墨西哥國營石油公司（Pemex）在 1952 年發現的，恰巧是舒美克首次去參觀亞利桑納州的流星穴的那一年。但是該公司的地質學家依照當時學界的思想潮流，判定它是由火山活動形成的。希德布蘭親自到現場走了一遭，看過後迅速的做了決定：這正是他們要找的那個坑洞。在 1991 年開春之前，幾乎圈內的每一位專家學者都無異議的贊同，希克蘇魯伯的確就是造成恐龍滅絕的撞擊地點。

但仍然有許多人不很瞭解這種撞擊的威力。著名的古生物學家古爾德（Stephen Jay Gould, 1941-2002）在文章裡曾回憶道：「我猶記得早期的我對此強烈質疑，心想這樣的一次撞擊哪有這麼大的效果……一個直徑不過 10 公里的物體，撞上一個直徑達 1 萬 3 千公里的行星，竟會搞得天翻地覆？」

大自然似乎在冥冥中為這些懷疑者，安排了一次示範表演。不久後尤金．舒美克與李維發現了「尤金．舒美克－李維 9 號」彗星，他們很快就看出來，這個彗星正好對準木星衝過去。於是人類有史以來首次親眼目睹了宇宙撞擊事件，而且感謝剛上太空的哈伯望遠鏡幫忙，看得非常清楚。

根據作家匹勃斯（Curtis Peebles）的說法，絕大多數的天文學家在事情發生前都期望不高，尤其在他們曉得該彗星並非一個完整的圓球，而是分裂成了一連串二十一塊碎片後。

有一位天文學家寫道：「我的感覺是：到時候木星會了無聲息的把這些碎片一一吞沒，事後了不起打個嗝兒罷了！」就在碰撞發生前一個星期，《自然》期刊上登載了一篇與此有關的報導，標題居然是「大雷聲後的小雨點即將來到」（The Big Fizzle Is Coming），預言這次事件將會只招來一陣流星雨而已。

1994 年 7 月 16 日，撞擊開始，經過一個星期才撞完，撞擊之強，遠超出任何人（唯一的可能例外是舒美克）的預計。當其中一塊叫做「核心 G」的碎片撞上木星時，產生的撞擊力相當於六百萬顆百萬噸級的原子彈同時爆發。那是地球上現有核武器總和的七十五倍。核心 G 的大小僅如一座小山，但是在木星表面上造成的傷口，跟地球一般大。這終於堵住了那些批評阿瓦雷茲理論的嘴巴。

萬一彗星撞上地球……

老阿瓦雷茲從不知道希克蘇魯伯坑洞的發現，也不曉得舒美克－李維彗星，因為他在 1988 年就作古了。舒美克也沒活很久，就在舒美克－李維彗星撞擊事件的第三個週年紀念日，他跟太太開車在每年都前往尋找撞擊坑洞的澳洲內陸旅行，疾馳在檀納彌（Tanami）沙漠上的泥土路，而通常這地方是世界上最空曠之處，在越過一個很小的坡道時，撞上一輛突然出現的來車。舒美克當場死亡，他太太則受了傷。他的一部分骨灰搭乘「月球探勘者號」（Lunar Prospector）太空船送往月球，剩餘部分則撒在流星穴四周。

藝術家想像中，尤金．舒美克－李維9號彗星的一個碎片，撞擊木星的景況。舒美克－李維9號彗星的碎片，連續撞擊木星的氣體表面，時間長達一週。對木星產生的衝擊，遠比多數科學家想像的還嚴重。

替愛荷華州政府工作的安德森跟魏之奇兩位地質學家，手邊不再有殺掉恐龍的坑洞。不過安德森有話要說：「咱們仍然擁有美國本土最大、且保存得最好的撞擊坑洞。」

這話不免有點耍嘴皮的味道，目的是要凸顯曼森坑不同凡響。曼森坑當然不是美國境內最大的撞擊坑洞，在 1994 年經確認為撞擊現場的美國維吉尼亞州切薩皮克灣（Chesapeake Bay），就顯然大許多，只是這些坑洞要不是位於近海，要不就已經殘缺不全了。

安德森繼續說：「墨西哥的希克蘇魯伯坑埋在兩、三公里深的石灰石下，大部分是在近海，要研究它有重重困難。曼森坑很容易進去，它埋在地下，處於較原始的狀態。」

我問他們，若是今天有一顆跟當年造成曼森坑一樣大的石塊從天外飛來，我們會有多少預警時間？

安德森輕描淡寫的回答道：「啊，我們很可能完全沒有預警時間。要等到它開始發熱、發光時，我們才見得到它，那時它已經進入了地球大氣層，下一秒鐘就會撞上地面。你講的這件東西飛來的速度，數十倍於最快的子彈，除非『碰巧』有人用望遠鏡老遠就看見它，否則它一定會給我們來個措手不及。」

撞擊結果的嚴重程度取決於許多變數，諸如進入的角度、速度跟軌道，撞擊方式是迎頭相撞、攔腰撞擊、同方向追撞、擦撞等等，撞擊物的質量跟密度以及其他種種。

這些變數在事件已經過了數百萬年後的今天，根本無從得知。現在科學家能夠做的，也正是安德森跟魏之奇兩位所做的，是測量撞擊坑洞的寬度與深度及計算釋放出來的能量，從這些數據推算出當時合理的情景，或更讓人心裡發毛的情況：如果發生在現在，將會是怎樣的場面？以下是他們兩位的描述：

> 以宇宙級速度移動的小行星或彗星，在進入地球大氣層時，由於速度實在太快，擋在它前方的空氣會來不及閃躲而受壓縮。凡是用過腳踏車打氣筒的人都會知道，空氣受壓縮時溫度會急遽增高，因此小行星或彗星前方的空氣，會增高到絕對溫度6萬K左右，相當於太陽表面溫度的十倍！在它進入咱們大氣層後的那短短一剎那間，隕石路經的一切，無論是人、房屋、工廠、或車輛，都像玻璃紙碰到火焰似的，皺縮後頓時消失。

隕石進入大氣層後一秒鐘，就會撞上地球表面。住在曼森的人在壓根不知道的情況下，就氣化蒸發掉了。隕石本身也會瞬間氣化，但爆炸威力可以把1,000立方公里的岩石、泥土炸開。方圓250公里內的生物，即使僥倖逃過隕石進入熱（heat of entry）的殺害，在此爆炸中也將無一幸免。最初的震波以幾達光速的高速，向四面八方散射，把擋在前面的障礙，全數掃得乾乾淨淨。

在上述立即受災範圍以外的地區，人們首先看到一道炫目的強大閃光，比人類以往見過的光都亮，接著在一、兩分鐘內，可以看見末日般的不可思議壯觀畫面：一道滾動的黑暗之牆上沖天頂，瞬間占滿視野，而它移動的速度高達每小時數千公里，因為它前進的速度遠遠超過了音速，所以會毫無聲息的衝過來，讓人悚然。

在奧馬哈（Omaha，離曼森約 185 公里）、德蒙（Des Moines，離曼森約 135 公里）市內高樓裡的人，如果當時剛好面對著曼森的方向，還會看到一面奇怪的混亂煙帳急速掩至，然後瞬間即淹沒其中！

僅僅數分鐘之內，西從丹佛起、東到底特律止，其間這一大片土地上，包括了芝加哥、聖路易、堪薩斯市、明尼蘇達州雙子城，也就是在整個美國的中西部內，幾乎所有突出地面的建築物，不是給夷平，就是燃燒了起來，而此中的生物全都死亡。

在方圓 1,500 公里以內的地區，隨震波的到來，各種物質碎片鋪天蓋地飛奔而來，人們輕則給推倒，重則給打成肉泥。一直到方圓 1,500 公里以外的地區，爆炸的殺傷力才漸漸和緩下來。

但是以上還只是最初撞擊震波所產生的直接效果，隕石撞擊地球還會引發連鎖反應。沒有人能確定這些反應究竟會是啥，不過可以想見的是，它非常強烈且影響力遍及全球。我們幾乎可以確定，隕石的撞擊會引起一連串毀滅性的地震，全球各地的火山會開始一起隆隆作響跟爆發，地震引起的海嘯把死亡推展至海的另一岸。在一小時內，地球的上空都給黑雲籠罩，燃燒的岩石跟其他各種碎片散落各地，使大部分的地面成為火海。

據估計，就在撞擊發生後的一天內，全世界至少有十五億人罹難。而且撞擊嚴重的攪亂了地球上空的電離層（ionosphere），

藝術家想像中，炙熱燃燒的隕石劃過太空往地球飛來的景象。事實上，據愛荷華大學的安德森說，隕石要穿過地球大氣層，才會起火燃燒，我們見到隕石燃燒發光的時刻，大約是在撞地前一秒吧。因此，隕石撞地球，我們事先是完全料不到的。

使全球的電訊中斷，倖存者無法得知其他地方的情況，也不知該往哪兒逃。其實往哪兒逃都一樣，一位評論者如是說：「了不起是從『快速死亡』之地逃到『較慢死亡』之地而已，地球各處支持生命的能力都同樣大幅減弱，遷移不太能影響終極死亡總數。」

撞擊跟之後大火造成的大量煤煙和懸浮灰燼，一定會在往後的數個月，甚至數年的時間內遮天蔽日，陽光無法到達地球表面，使得地球上的生長季節為之中斷。

2001 年，美國加州理工學院的研究人員對後來的白堊紀與第三紀之間，隕石撞擊事件留下的沉積物，做了氦同位素的分析，得到的結論是：該次撞擊影響了地球上的氣候一萬年左右。這個結論實際上已用來做為有力的論據，支持恐龍滅絕過程是快速有力的。這當然只是用地質學觀點來看。至於人類文明能否應付得了這樣的災變事件，目前誰也沒有答案。

而且別忘了，發生了這種事件幾乎可以斷言，將會是毫無預警可言的晴天霹靂。

但讓我們姑且假設，有人居然用望遠鏡預先看到了它對準了地球衝來，那我們該怎麼辦？每個人都以為我們會把核彈送上去，把它炸個粉碎。不幸的是，這個想法有些問題。

首先，正像《彗星撞地球》（*Rain of Iron and Ice*）一書的作者路易斯（John S. Lewis）指出的，咱們現有的各種飛彈並不是設計來攻擊太空目標的。它們的動力不足，沒有逃脫地球重力的能耐，即使有了足夠動力，也缺乏導航的機制，無法飛越太空中數千萬公里的漫長距離。

更不可能像近年的新電影「世界末日」（Armageddon）裡描述的：送一船太空牛仔上去拯救地球。我們已經不再擁有推進力足以載人上月球的火箭，最後一個有此能力的農神五號火箭（Saturn 5）數年前已退休，之後就一直沒有補充，而且也無法很快新建。農神火箭發射計畫，在美國航空暨太空總署一次改革整頓案中，很神奇的給刪除了。

即使我們想出辦法，把核彈送到該小行星上引爆，結果很可能是把它炸成一串小石塊，然後它們一個接一個陸續衝撞地球，就像前述的舒美克－李維彗星撞木星的情況一樣。所不同的是，這些經過核反應處理的石塊會帶著強烈的放射性。

美國亞利桑納大學的小行星尋訪者格里爾斯（Tom Gehrels）認為，這樣的爆破計畫，若是想要妥當做好必要的事前規畫與準備，一年的預警時間都嫌不足，然而比較可能的情形是：我們目前只能在任何來襲物體（甚至包括彗星在內）到達之前的六個月左右才察覺，這時已經太晚了。尤金・舒美克－李維 9 號彗星從 1929 年起，就開始相當明顯的繞過木星，但過了半個多世紀才有人注意到。

有趣的是，由於這些東西的軌道非常難計算，還有很大的誤差範圍，以致於即使我們算出來的結果顯示，某件東西正往地球的軌道前進，我們也要等到最後階段，也就是事情發生前的一兩個星期，才能真正確定它是否會撞上地球。在這個物體接近時，我們大部分時間都會生活在不確定的煎熬下，那將是人類歷史上最耐人尋味的幾個月，如果到時候它安然通過，想想慶祝活動會多瘋狂！

在啟程離開曼森之前，我問安德森跟魏之奇：「依你們看，曼森這種規模的撞擊，在地球上多久會發生一次？」

魏之奇回答道：「啊，平均大概是每一百萬年一次吧。」

安德森接著說：「你得記住，這只是一場比較輕微的撞擊事件而已。你知道有多少物種的滅絕，跟曼森撞擊事件扯上關係？」

「不知道。」我答道。

他顯然很滿意我的回答，他說：「一樣都沒有呢！」

當然為了不讓我一頭霧水，他們馬上七嘴八舌向我解釋，主要是闡明他們先前描述的撞擊情形沒有誇張，地球的大部分都遭到可怕的災難，撞擊中心點周圍數百公里內完全遭摧毀。但是生命是非常有韌性的東西，當煙霧消散時，居然每樣物種都有足夠的幸運存活者，沒有任何物種因此永遠消失。

這似乎意味著一個好消息跟一個壞消息。好消息是顯然要讓一樣物種滅絕還真不簡單，壞消息則是這個好消息並非永遠靠得住。更糟糕的是，實際上我們根本不需要往太空搜尋嚇死人的危險。接下來我們就會看到，地球本身就是個充滿危險的地方。

第 14 章
腳底下的火球

1906 年 4 月 18 日清晨，舊金山發生了大地震，
地面上這條彎曲的裂痕，就是地震瞬間造成的。
這場地震以及後來引發的火警，讓舊金山成了一片廢墟。

1971 年夏天，一位名叫伍爾西斯（Mike Voorhies）的年輕地質學家，跑到美國內布拉斯加州東部某處，一塊荒草蔓生的農地上搜尋化石。這片農地離他成長時期住過的奧查德（Orchard）不遠。在穿過峽谷時，他瞄到上方草叢裡有個奇怪的閃光，於是爬上去一探究竟，結果看到了一個保存得十分完美的年輕犀牛頭顱骨，應該是不久前才經大雨從泥土裡沖出來。

結果發現，在數公尺遠之處，即是北美洲發現過的化石床中，最不尋常的一個。這個地點顯然是一個乾涸了的水坑，竟成了眾多動物的集體墳場，其中包含了犀牛、類似斑馬的馬、劍齒鹿、駱駝、烏龜等。看來都是在距今不到 1,200 萬年，地質學上稱為中新世（Miocene）的年代，因為某種神祕的地殼變動而死亡。

內布拉斯加當時是位於幅員廣闊、氣候炎熱的大平原上，跟今天非洲東部坦桑尼亞的色倫蓋提（Serengeti）地區非常相似。覆蓋這些動物化石的火山灰，至少有 3 公尺厚，但叫人難以解釋的是，內布拉斯加這塊土地上，不只現在沒有、以往也從未有過任何火山。

伍爾西斯當年發現動物化石的鄉下農地，如今已經變成了「落燼化石床州立歷史公園」（Ashfall Fossil Beds State Historical Park）。公園內還新建了一座時髦的訪客中心，包括一所介紹內布拉斯加境內地質狀況跟化石床的歷史博物館。該中心還另設有一間實驗室，訪客可以隔著一道玻璃牆壁，觀看古生物學家在實驗室內清理骨頭標本。

我去中心參觀的那天早上走過該處，就看到一位頭髮微顯灰白、穿著藍色工作衣的老先生獨自在裡面工作。我一眼就認出他就是伍爾西斯教授本人，因為不久以前，我才在一部英國廣播公司（BBC）的紀錄片中看過他。

來這公園觀光的人數不多，也許是它位置相當偏僻，左近沒什麼大城的關係。伍爾西斯似乎很樂意當我的嚮導，他帶我到一個 6 公尺深的峽谷上方，也就是他當年發現骨頭的現場。

他很高興的告訴我：「這實在是個找骨頭的笨地點。我當年來這兒的主要目的也不是尋找骨頭，而是想畫一張內布拉斯加州東部地區的地質圖。所以只是走馬看花各處瀏覽。如果那次我沒有漫步到這個峽谷上，或沒有前兩天的大雨把那個頭骨沖洗出來，我一定會直直走下去，當然也就不可能有這項發現了。」他指出旁邊一個有頂的圍籬圈說，那兒就是當年的主要發掘場所，有兩百來隻動物的骸骨躺在一起。

我問他為什麼說到這地方找骨頭很笨，他回答道：「這麼說吧，如果你的目的是尋找骨頭，最好的地點是裸露的岩石。那就是為什麼大部分古生物學的研究工作，都是在又熱又乾的地區做的，倒不是那兒的骨頭數量較多，而是你看到骨頭的機會較大。譬如這個地區……」他的手一揮，指著眼前一望無垠、地表沒啥變化的大草原接著說：「這兒的問題是，你壓根兒不知道應該從何處找起。假設就在離我們不遠的某處，也許埋藏著非常美好的東西，但從表面上看，卻一點蛛絲馬跡也沒有，叫你無從著手。」

起先，他們以為這些動物是給火山灰活埋的。伍爾西斯在

1981 年刊載於《國家地理》（*National Geography*）雜誌的文章中就是這麼聲稱的。

他告訴我：「在那篇文章裡，我把這個現場錯誤的叫成了『史前動物的龐貝城』。這是很遺憾的事，原因是不久後我們發現，這些動物根本不是突然間死掉的，牠們全都罹患一種叫做『肥大肺骨病變』的疾病，致病原因是吸入了大量有磨損力的灰燼。顯然那時當地的動物都吸進了不少這種灰燼，因為同一時期數百公里內，地上全是厚達數公尺的灰燼。」

說到這兒，他從地上撿起一塊黏土似的灰泥，捏碎後塞到我手上。它看似粉末，但稍帶一點沙子的觸感。他接著說：「這玩意兒吸入後一定很糟糕，因為它的顆粒細但相當尖銳，會讓動物非常難過，成群跑來水坑，希望減輕痛苦，但終究還是悲慘的死去。這種灰燼不僅對動物不利，也毀掉了每樣生物，它把地上的草掩埋起來，覆蓋住每片樹葉，而且把地面上的水變成不能喝的泥漿。對任何生物而言都是禍害。」

上述的 BBC 紀錄片中曾提到，內布拉斯加州境內有這麼多的火山灰，是出人意表的怪事。然而事實上，人們老早就知道該州有豐富的火山灰蘊藏，而且幾乎在過去一個世紀以來，就由廠商大量開採出來，用在製造家用清潔粉上。但奇怪的是，從沒人想過，這些火山灰究竟是打哪兒來的？

伍爾西斯笑了笑說：「說起來真有點難為情，我自己第一次想到這個問題，還是因為一位《國家地理》雜誌的編輯問起我火山灰的來源。當時我愣住了，只得承認不知道。事實上，那時真

工作人員正在出土草食性動物骨骸，這些動物在一千兩百萬年前，因為某場大災難而瞬間死亡。這些動物遺骸深埋在火山灰裡，奇怪的是，此地並沒有火山。而牠們的死亡之謎最近才解開。

的沒人知道。」隨後伍爾西斯準備了一些樣品，寄給遍布美西各地的同行，問他們是否見過相同成分的東西。

幾個月後，一位在愛達荷州地質調查所任職，名叫邦尼契生（Bill Bonnichsen）的地質學家打電話來告訴伍爾西斯，說寄去的樣品跟愛達荷州西南部一個叫做布魯諾賈碧基（Bruneau-Jarbidge）地區的火山沉積物完全相同。所以殺死內布拉斯加大草原上動物的，是一場規模超越想像的火山大爆發，大到距離幾乎達 1,600 公里外的內布拉斯加東部，落下了 3 公尺厚的火山灰。

原來是在美國西部的地底下，有一個巨大的沉陷火山口（cauldron），亦即火山熱點。這個熱點大約每六十萬年就會大爆發一次，造成毀滅性的災難，從上一次的大爆發到現在，剛好超過了六十萬年。此熱點如今還在，我們稱它為「黃石國家公園」。

來自地球內部的訊息

我們對腳底下的活動知道的出奇的少。叫人不可思議的是，我們得知地球有一個地核的時機，居然比福特開始製造汽車，及美國職棒大聯盟第一屆世界大賽（1903 年）的開打，還要晚些。當然，對於「世界各大洲在地表上有如水面上的蓮葉般移動」的觀念成為常識的時間，還不到一個世代。物理大師費曼曾寫道：「聽起來也許非常奇怪，我們對太陽內部物質分布情形的知識，遠甚於對地球內部情況的瞭解。」

地球表面到它的中心，距離為 6,370 公里，不算太遙遠。有人計算過，如果你挖一口井直達地心，然後丟一塊磚頭下去，只

愛爾蘭地質學家奧爾德姆，他對地震的研究，在二十世紀的科學界掀起了地震。他的地震研究，讓他發現了地球有個地核。

要四十五分鐘，磚頭就會碰到井底（在到達井底的那一刻，磚頭變成了無重量狀態，因為地球重力平均分布在它的四周，而不在它的下方）。

這個挖井的說法純係臆測，實際上我們朝地心挖掘的深度都非常有限。南非有一、兩個金礦的礦坑，深度到達地下 3 公里，但絕大多數礦坑的深度，都不超過 400 公尺。如果地球是一個蘋果的話，這麼一丁點兒深度可說連要戳破蘋果皮，都還差得遠呢。

在將近一百年前，即使最有學問的科學家，對於地球內部情況的瞭解，也不會比煤礦工人知道的多：就是，你向下挖掘時，開始會是泥土，然後會碰到岩石。這就是有關地球內部的全部知識。

然後到了 1906 年，有一位名叫奧爾德姆（R. D. Oldham）的愛爾蘭地質學家，研究當時發生在中美洲瓜地馬拉的一次大地震，在檢驗地震儀上的一些讀數時，注意到某些特殊震波，向地球深處穿透到某個程度後，會以一個角度反彈出來，就像碰到了某種障礙物。他從這個反射現象推論，地球應該有一個核心。

三年之後，克羅埃西亞的地震學家莫荷羅維奇克（Andrija

Mohorovičić），也是在研究發生於克羅埃西亞首都札格拉布（Zagreb）的一次地震時，注意到在較淺的深度也有相似的反射現象，因而發現地殼和其下的地函之間的界面區，地質學界從此稱這個區域為莫荷不連續面（Mohorovičić discontinuity）。於是我們開始對地球分層的內部有了模糊的印象。如此維持了大約一個世代。

到了 1936 年，才又出現雷嫚（Inge Lehmann, 1888-1993）這位丹麥科學家，在研究發生於紐西蘭的地震紀錄時，發現了地球的核心還可分為內外兩層。我們現在相信，地核的內層為固體，外層（即當年奧爾德姆首先偵測到的）為液體，且是儲存岩漿的所在。

就在雷嫚利用檢驗地震波，改進我們對地球內部基本認知的同時，美國加州理工學院有兩位地質學家也設計出一個地震規模，可以用來比較兩個在不同時間發生的地震。

這兩位地質學家是芮希特（Charles Richter, 1900-1985）跟古登堡（Beno Gutenberg），但由於一些跟公平無關的因素，人們幾乎立刻認為此規模屬於芮希特一人而已。〔這跟芮希特本人也毫無干係，他是謙謙君子，從沒有用自己的名字稱呼過這個尺度，他始終只稱它為『強度』（the Magnitude of Scale）。〕雖然目前情況也許稍微好轉了些，但整體而言，芮氏地震規模一直廣受非科學家誤解。早期常有訪客來到芮希特的辦公室，指名要求一觀他校準好的尺度，因人們誤以為芮氏地震規模是某種儀器。

當然我們知道，它只是一個觀念而非物體，是武斷設定的標

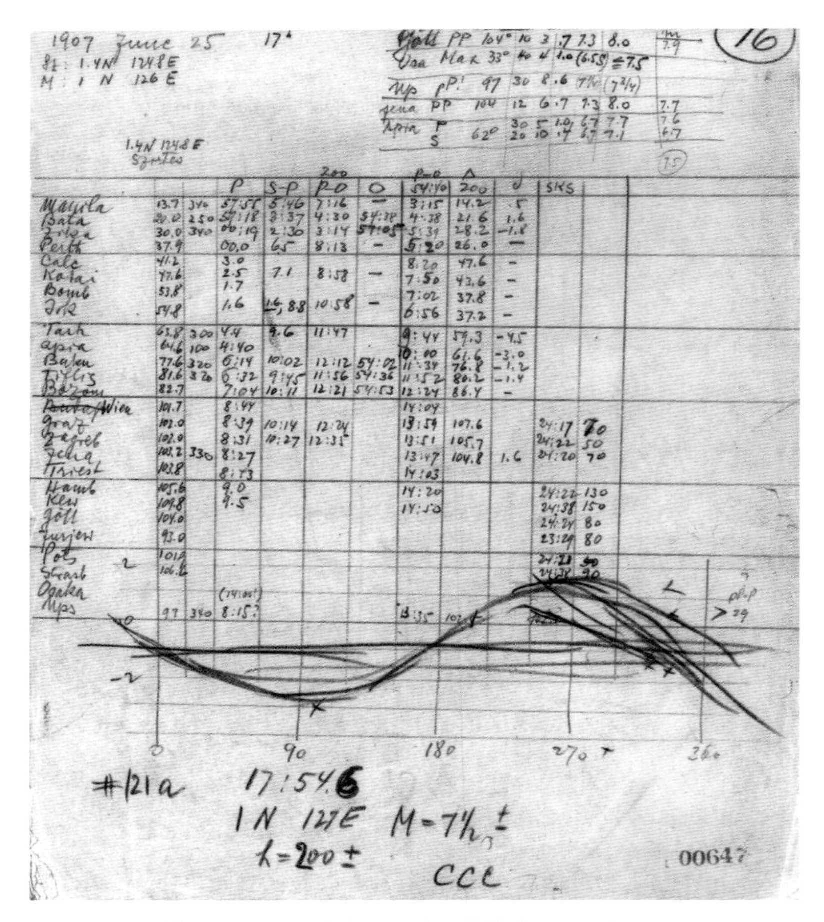

古登堡的一頁筆記，上面還有芮希特的注解。芮希特從沒有稱呼這個尺度為「芮氏規模」，他始終只稱它為「強度」。

準，利用地球表面測量到的數值，估計地震的強弱。它的數值是按照指數比例遞增，每單位相當於 50 倍，因此規模 7.3 的地震，強度相當於規模 6.3 地震的 50 倍、規模 5.3 地震的 2,500 倍。*

地震的大小沒有上限也沒有下限，至少理論上是如此。芮氏地震規模只是力量的一種簡單計量，跟它造成的破壞無關。一個發生在地函深處，譬如離地表 650 公里規模 7 的地震，也許在地球表面不會造成任何傷害，但是規模較小的地震，如果是發生在只有 6、7 公里深的地裡，則很可能會造成嚴重的大災難。

災難的大小除了與地震規模、震央深度有關，還取決於當地地表的土質、地震持續的時間、餘震的頻率及嚴重性、還有受影響地區的物理環境。這些變數告訴我們：力量固然是極其重要的因素，但以結果衡量，最可怕的地震，並不必然是力量最強的。

自從 1935 年發明了芮氏地震規模以來，最強的一次地震是哪個呢？答案得看你根據的消息來源是啥。有兩起可說是在伯仲之間，其中一次是 1964 年 3 月間發生的，震央在美國阿拉斯加的威廉王子海灣（Prince William Sound），芮氏地震規模是 9.2。**另一次是 1960 年，發生在南美智利的太平洋岸近海，原先正式紀錄的規模只有 8.6，但是事後一些地震學權威機構（包括美國聯邦地質調查所）把它向上修正為 9.5 這個難出其右的規模。

你也可以從這個例子的出爾反爾看出，地震量測顯然不是很精確的科學，特別是在一些必須借助由遠離震央的地方測到的數

* 編注：根據台灣中央氣象局網站說明，芮氏地震規模差 1，能量差 32 倍。https://reurl.cc/Lb1o9L

** 編注：台灣地震科普作家潘昌志說明，芮氏地震規模最大不會超過 9.0。美國聯邦地質調查所網站上使用的 9.2、9.5，其單位並非芮氏地震規模，而是經改良後的「地震矩規模」。
更多相關內容，可參考「震識」網站 https://reurl.cc/W34ovy

芮希特（右）與一位加州理工學院的同事，一起勘查因地震造成的地面鼓起與裂痕。芮希特與古登堡共同發明了著名的芮氏地震規模。

據來做判讀的場合時，誤差範圍會變得極大。

話說回來，這兩個地震不管哪個是真正的老大，都算是特大號的，1960 年的那次，不只在南美洲太平洋岸一帶造成嚴重損失，還激起了巨型海嘯，在太平洋上滾動了約一萬公里後，直撲夏威夷群島，讓首當其衝的夏威夷大島上的城市希洛（Hilo）損失慘重，夷平了城中五百棟建築物，奪走六十條人命。同樣的這波巨浪，越過夏威夷後繼續推進肆虐，在更遙遠的日本與菲律賓又造成了許多傷亡。

不過若以單一集中的災難衡量，有史以來最強烈的地震，也許是 1755 年的萬聖節（11 月 1 日）那天，襲擊（粉碎一詞或許更恰當）葡萄牙首都里斯本的那次。

那天早上十點鐘到來的前幾秒，整個城市突然遭到一股現在推測約為芮氏地震規模 9.0 的強大力量，摔向一邊，然後連續劇烈搖晃達整整七分鐘。力道之強，使該城市港灣內的海水大量曳向外海，然後馬上回頭以 15 公尺高的巨浪沖回岸上，更加劇它的破壞性。七分鐘後搖晃終於停止，但倖存者只享受到三分鐘的平靜，第二波強震又於焉開始，搖晃力量跟前一次相差無幾。兩個小時後，第三次也是最後一波強震到達。在該次地震終於止息後，共造成六萬人死亡，而數公里內的建築物全部倒塌成瓦礫堆。

相比之下，著名的 1906 年美國舊金山大地震，據估計只有芮氏地震規模 7.8，震動持續的時間還不到三十秒。

地震相當普遍，規模在 2.0 以上的地震，平均世界上每天會有兩起，這已足以讓附近的人感到震動。雖然它們有聚集在某些地區的傾向（很明顯聚集在太平洋周遭沿岸），但也可能出現在世界上任何地方。

到目前看來，美國境內似乎只有佛羅里達州、德州東部以及中西部的北半邊，幾乎完全沒有地震。新英格蘭地區在過去 200 年內，曾發生兩次規模 6.0 以上的大地震。2002 年 4 月間，該地區經歷了一次規模 5.1 的地震，震央是在紐約跟佛蒙特（Vermont）兩州邊界上的善普連湖（Lake Champlain）附近，造成當地嚴重的損失。當時遠在新罕布夏州家裡的我，目睹牆上的畫作搖落，小孩摔到床外。

瞠目結舌的舊金山市民，呆呆看著大火吞噬這個城市。
1906 年的舊金山大地震，估計達到了芮氏規模 7.8，雖然非常大，但搖晃不到六十秒。大多數的災害都是地震後的火災造成的。

餘悸猶存的大地震

最普通的地震形式，發生在兩個地殼板塊相會之處。加州境內沿聖安地列斯斷層（San Andreas Fault）一帶，就是標準的例子。當兩個板塊相互推擠，壓力增強到其中一塊不得不讓步時，地震就發生了。

一般說來，地震的間隔愈久，未釋出的壓力愈大，一旦發作，震動起來就會特別厲害。這就是為什麼日本東京特別叫人憂慮，根據倫敦大學學院的災難專家麥奎爾（Bill McGuire）的說法，東京目前是一個「等待死亡來臨的城市」（這可不是會在觀光手冊上出現的名言）。

日本早以多地震而舉世聞名，東京更是坐落在三塊地殼板塊的交會處。你應當還記得 1995 年的神戶大地震，神戶在東京西方約 500 公里，那次地震規模 7.2，罹難人數為 6,394，估計財產損失高達 990 億美元。但若跟東京隨時可能爆發的超級地震相較，也許無足掛齒。

東京事實上已經遭受過近代史上破壞力最大、損失最嚴重的一次大地震。1923 年 9 月 1 日接近正午，東京地區發生了所謂的「關東大地震」，強度超過七十二年後的神戶大地震十倍，頃刻間造成了 20 萬人死亡。但從那次大地震以來，東京一直保持恐怖的平靜，在它的地表下，不斷聚集的壓力已累積了八十多年，遲早會爆發。

1923 年關東大地震時，東京地區人口是三百萬，如今卻已接

這張募款海報，是為了幫助 1923 年東京的關東大地震災民。當時東京僅有三百萬人口，這場地震就造成了二十萬人罹難。東京已經很多年都不再有地震了，隨時可能爆發強烈地震。

近三千萬。現在沒有人願意預估，一旦地震發生，會有多少人死亡，但有人預估經濟上的損失，很可能高達 7 兆美元！

但是更讓人神經緊張的地震，是較少見的板塊內地震（intra-plate quake）。顧名思義，它們不是發生在板塊間的接縫地帶，這使它們難以預測。我們對它們瞭解不多，只知道它們能隨時隨地發生。並且由於它們的震央都非常深，以致於受影響的面積比板塊間地震要大得多。

歷史上發生在美國本土的此類地震中，最著名的當推 1811

年到 1812 年的冬天，發生在密蘇里州新馬德里（New Madrid）一連串的三次地震。

故事的序幕在 12 月 16 日午夜的前一刻拉開，睡夢中的人讓農場上驚慌失措的動物的喧鬧聲吵醒（地震前動物的不安並非穿鑿附會的傳說，而是確有事實根據的自然現象，只是我們尚不瞭解其中原委），接著巨大的撕裂聲從地底深處傳了上來。當地居民逃到戶外空地上，看到地面像波浪似的滾動，上下起伏高達一公尺，很多地方裂開成數公尺深的裂縫，空氣中瀰漫著硫磺味。這次地震持續了四分鐘，造成了可觀的財產損失。

目擊者中有著名的藝術家奧都邦（John James Audubon, 1785-1851），當時他恰好在當地。地震向四周擴散出去，搖動力量之強，連遠在 600 公里外辛辛納提市的煙囪都遭震塌。根據至少一則報導指出：「美國東岸港灣內停泊的船隻遭損毀，以及……在華盛頓特區，國會大廈周圍搭建的鷹架也倒塌了。」其後在 1812 年 1 月 23 日跟 2 月 4 日兩天，又發生了相同規模的地震。

不過在這三次地震後，新馬德里一直都很平靜，未再發生過任何地震。這並不奇怪，此類地震從未在同一個地方上演兩次。就我們所知，它們跟閃電一樣出沒無常。下一次也許是在芝加哥、巴黎，或非洲薩伊共和國首都金夏沙（Kinshasa）的地底下，誰都無法猜得到。那麼究竟是什麼造成了這種巨大規模的板塊內撕裂活動呢？應該是地球深處的某樣東西，至於那東西是啥？就非我們所知的了。

艱辛的鑽探計畫

在進入 1960 年代之前，科學家就已經為了自己對地球內部所知極其有限而深感挫折，決定要積極有所作為。特別的是，他們想到一個點子，就是到海床上去鑽孔（因為陸地的地殼太厚了），一直鑽到莫荷不連續面的深度，取出地殼的石塊，以備閒暇的時候來檢驗。他們的想法是，如果能瞭解地球內部各種岩石的性質，也許就可推知它們之間的交互作用，進而找出辦法，預測地震與其他不受歡迎的事件。

這本 1969 年出版的少年小說，以曾經沸沸揚揚的「莫荷鑽探計畫」為主題。「莫荷鑽探計畫」原是想穿透 5 公里厚的地殼，直接探測地殼下有什麼名堂。可惜受限於技術問題，只挖了 180 公尺深的洞，整個計畫就宣告失敗了。

這項計畫，順理成章命名為「莫荷鑽探計畫」（Mohole project），但結果只能以損失慘重來形容。他們原先的構想是在墨西哥的太平洋外海約 4,000 公尺處，把鑽頭從船上沉降到海底向下鑽探，希望在較薄的地殼岩石上，鑽 5,000 公尺左右。從浮在海面的船隻操控海底鑽孔的情況，套用一位海洋學家的描述：「猶如從紐約帝國大廈的屋頂，把一根極長的麵條下垂到地面的人行道上，試圖用它在地上鑽孔！」

無論工作人員如何試探、調整，一直未得要領，他們曾經鑿穿的最深洞，深度僅 180 公尺而已。這個 Mohole 計畫遭戲稱為「無洞」（No Hole）計畫。到了 1966 年，由於費用一再高漲卻無啥進展可言，美國國會中止了這項計畫。

四年後，蘇聯科學家決定在陸地上試試運氣，他們選擇了俄國科拉半島（Kola Peninsula）上的一個地點，這個半島跟芬蘭邊界很靠近。他們準備好一切，希望能鑽到 15 公里深，但同樣發現，實際上沒想像的容易。蘇俄人向來以不輕言放棄著稱，堅持了十九個寒暑最後黯然而退時，探鑽到的深度是 12,262 公尺。我們要記得，地球的地殼僅代表整個地球體積的 0.3% 而已，蘇俄人費了十九年鑽出來的科拉洞，尚未打通地殼厚度的三分之一，我們實在不太能宣稱已經「征服」了地球內部。

有趣的是，雖然這個科拉洞看起來不起眼，但是它披露的訊息幾乎每樣都出乎預料。在鑿洞之前，科學家從地震波研究的心得中，相當有信心的預測，在 4,700 公尺的深度內，會全是沉積岩，其下為 2,300 公尺厚的花崗石，再下面是玄武岩。但是鑽洞

後證明，沉積岩層的厚度比預期的大了約50%，鑽到最後，玄武岩層始終沒出現。

其次，地下的溫度比預期高了許多，譬如在1萬公尺深處，實測溫度為攝氏180度，幾乎是鑽前預估的兩倍。最出乎人意料的是，深層的岩石全都飽含水分，這是以往認為不可能之事。

我們看不透地球內部，因此必須依賴其他技術去瞭解，而這些技術大都牽涉到讀取各種波在地球內傳播時的數據。我們從「角礫雲橄岩管」（kimberlite pipe）這個會生成鑽石的地方，得知一丁點有關地函裡面的活動情形。

地球深處有時會發生爆炸，把岩漿像砲彈似的以超音速射向地球表面。這種事件雖然稀有，但任何時刻、任何地點都可能發生，全無脈絡可尋，譬如就在你閱讀這本書的時候，一條角礫雲橄岩管也許在你家後院爆開。

角礫雲橄岩管來自地球深處（可到200公里深），會把地面附近不常見的各式各樣東西帶了上來：諸如內含橄欖石結晶的橄欖岩，而也許在每一百次裡，偶爾有那麼一次，會帶來鑽石。原來是在每回角礫雲橄岩管噴射時，都帶來大量的碳，其中絕大部分不是氣化蒸發掉，就是變成了石墨。在極其偶然的情況下，一大塊碳以恰到好處的速度衝上來，並得到必要的快速冷卻，變成了鑽石。

南非的約翰尼斯堡就是由於這樣一條管狀礦，成為全世界鑽石產量最高的城市。或許世界上其他地點還有更大的鑽石蘊藏，只是我們不知道確實位置而已。

譬如地質學家知道，證據顯示在美國印第安納州的東北部附近，也許有一條或甚至一群大規模的管狀礦。因為有人在該區的幾個分散點，發現二十克拉或更大顆的鑽石，但尚無人發現它們的共同來源。如同科學作家米克菲指出的：該來源也許跟愛荷華州曼森隕石撞擊坑一樣，也遭冰河帶來的沉積土掩沒了，也或許位於五大湖的湖底某處。

拼湊地球內部的模樣

所以，我們對地球內部知道多少呢？非常之少。

科學家大都同意，咱們腳底下的世界分成四層：最外層為岩質外殼，其內的地函含有又熱又黏的岩石，然後是液態的外核，最裡面的固體內核＊。我們知道地球表面以矽酸鹽為主要成分，然而它們比重很輕、不足以代表地球的總比重，所以地球內部必

＊ 為了稍稍滿足那些非常想知道地球內部更多細節的人，我把各層的平均厚度列在這兒：從地球表面算起，0到40公里為地殼，從40到400公里為上部地函，從400到650公里為轉變區，從650到2,700公里為下部地函，從2,700到2,890公里為D層，從2,890到5,150公里為外地核，以及從5,150到6,370公里為內地核。

然有更重的東西在。

我們也知道，要產生地球的磁場，地球裡面某處也必然要有液態金屬元素形成的帶狀區域。然而一旦超出上述範圍，諸如問到諸層之間有何交互作用、什麼因素使它們如此分層、將來是否就會這樣維持不變，我們就不很確定。

甚至是地殼這個我們能夠看得見的部分，也相當有爭議。幾乎所有地質學教科書都告訴我們，海洋下面的地殼厚度大約是 5 到 10 公里，而平地部分的地殼厚度則是 40 公里左右，高山下的地殼最厚，可達 65 至 95 公里不等。

但這只是概括說法，事實上會有許多原因不詳的例外。譬如美國加州境內內華達山脈的下方，地殼只有 30 到 40 公里厚，沒人知道為什麼如此。根據地球物理學所有的定律，這條山脈理應下沉，就像有人不小心一腳踩在流沙上面那樣（有些專家認為的確會如此）。

地質學家由於對地殼的形成方式跟形成時間的看法不同，分成了兩大陣營。其中一方認為，此事是在地球歷史上較早時期，突如其來的；另一方則認為它是漸進式的，發生時代也相對較晚。前者是 1960 年代間，由美國耶魯大學的阿姆斯壯（Richard Armstrong, 1937-1991）所揭櫫。

之後終其一生，阿姆斯壯都不斷跟意見相左的人激辯。他在 1991 年不幸因癌症去世，根據一篇 1998 年登載在《地球》雜誌上的文章報導，就在死前不久，「他還在一本澳洲地球科學期刊上，與批評者爭論，指控對方使神話永生。」他的一位同事也說：

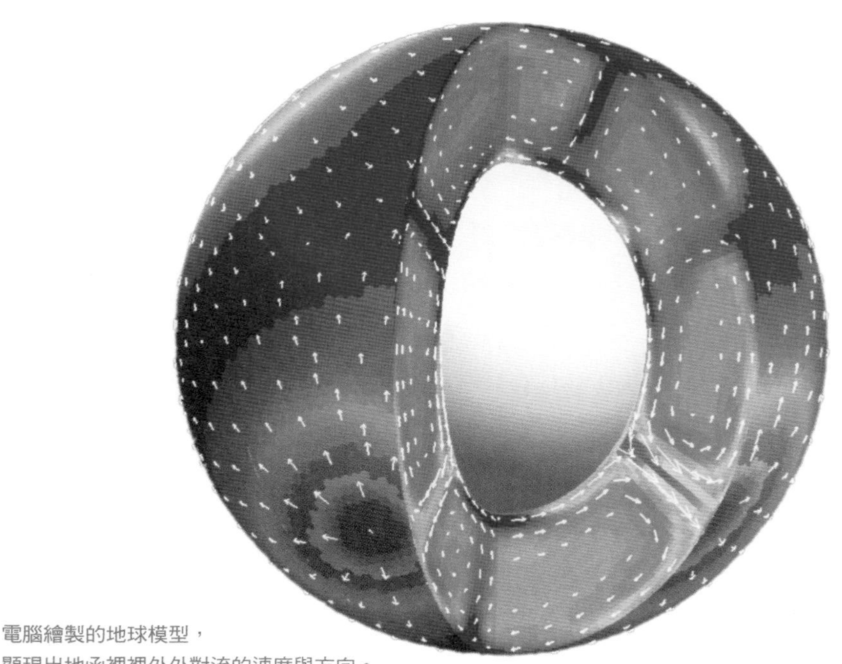

電腦繪製的地球模型，
顯現出地函裡裡外外對流的速度與方向。
科學家至今仍不清楚，
這種對流可以達到多大深度。

「他在這項爭議上所累積的怨氣，至死都無法釋懷。」

地球的地殼加上部分的外地函，合稱為岩石圈（lithosphere，來自希臘字 *lithos*，意思為「石頭」），岩石圈「浮動」在另一層稱為軟流圈（asthenosphere，此字來源也是希臘文，意義為「沒力氣」）的較軟的岩石上。不過把岩石圈說成在軟流圈上浮動，讓人誤以為牽涉到某個程度的浮力，也會讓人誤以為岩石會像液面上的物體一樣流動。事實上，時針移動的速度，比地函中岩石流動的速度約快了一萬倍。

這種流動不僅會像地表板塊般進行側向水平移動，而且也由於對流的攪動，會使石頭上下翻動。對流作用最早是十八世紀末，由科學奇人冉福得伯爵（Count Rumford）推論出來，六十年後，英國的教區牧師費雪（Osmond Fisher, 1817-1914）頗有先見之明的指出：地球內部可能具有相當程度的流體性質，所以大陸才會漂移。但是他提出這個想法後，過了很長時間才有人支持。

到了 1970 年左右，當地球物理學家瞭解地底下正在不斷動盪時，都嚇呆了。《裸露的地球》（*Naked Earth*）一書的作者伍吉（Shawna Vogel）描述當時的情境說：「這就像是科學家花了數十年工夫，把地球大氣分了好幾層，諸如對流層、平流層等等後，才突然發現了風的存在。」

至於這種對流運動的範圍有多深，則有兩種說法，有人認為最深只到地面下 650 公里處，另一夥人認為深度遠大於此，應該是深入地表下 3,000 公里之遙。雙方的說法都有憑有據。

作家特菲爾（James Trefil）在《科學大哉問 101》（*The Edge of the Unknown*）一書中提到：「對此問題兩個不同學門各有一套互不相容的數據。」地球化學家認為，地球表面的某些特殊元素不可能來自上部地函，一定是從地球的更深處來的，因而上部地函跟下部地函的物質，至少要偶爾混合一番。但是地震學專家卻堅稱，完全沒有證據可以支持這個理論。

所以我們能說的只是，在前往地心的路上某處，我們會離開軟流圈，進入所謂的純地函。雖然一般認為，純地函占整個地球體積的 82%、質量的 65%，但這不是大家注意的焦點。地球科學家跟一般讀者的興趣雷同，只在乎地球內部的兩個層次，要嘛是極深處（有關地磁），不然就是靠近地表（有關地震）。

我們目前所知的是，在 150 公里的深度內，主要組成成分為橄欖岩，但以下 2,650 公里深的地方，是由啥填滿的就不很確定了。根據一篇登載在《自然》期刊上的報導，我們只知道似乎不像是橄欖岩。

在地函之下有兩層地核，內層是固體，外層是液體。不在話下的是，我們對這兩層地核的瞭解是間接的。科學家的長處就是在沒有直接證據的情況下，做出合理的推測。

他們知道，地核的壓力極大，是地表處的三百萬倍左右，這足以把任何岩石都壓成固體。他們也從地球的歷史（及其他的蛛絲馬跡）知道，內地核在保持熱量上非常高桿。雖然僅僅是猜測而已，據信在過去四十億個年頭裡，地心的溫度總共才下降不到攝氏 110 度。雖然大家對這一點的意見頗一致，但無人確實知道地心的溫度是多少，估計值是人言各殊，範圍從攝氏 4,000 度到 7,000 度都有，後者相當於太陽表面的溫度。

比較起來，我們對外地核的瞭解還更差勁。說到它，每個專家都同意：它是液態、它是形成地球磁場的所在。

英國劍橋大學的布拉德（E. C. Bullard, 1907-1980）在 1949 年提出理論解釋此一現象，他說地核的流體部分在旋轉流動，使地核實際上成了巨型的電動機，因而產生地磁。這個假設是，在地球內進行熱對流的液體，功效類似電流。

實際情形我們並不很清楚，但是非常確定的是，地球之所以具有磁場，與地核是旋轉的流體有關。其他沒有液態地核的天體，例如火星與我們的月亮，就不具磁場。

我們知道地球磁場的強度並不固定，會隨時間而變化，譬如恐龍時期的地磁強度就比目前的大了快三倍。我們也知道，地磁平均每隔五十萬年左右會南北倒轉一次，不過這個平均值非常靠不住，顯然有很大程度的不可預測因素，例如從上一回發生磁場倒轉到現在，已經過了七十五萬年。有證據顯示，曾有一連數百萬年保持同方向的紀錄，最長的一次是三千七百萬年，但有時候二十萬年就倒轉一次。在過去一億年內，它總共的倒轉次數約為兩百次，我們完全不曉得為何如此。曾有人說，地球磁場倒轉現象是「地質科學上尚未解決的最大問題」。

也許我們正在經歷一次地磁倒轉，因為僅在上一個世紀裡，地磁強度就減弱了將近 6%。地磁減弱的趨勢看來並非什麼好消息，因為磁性除了可以把「留言」固定在冰箱門上，並使指南針指示正確方向外，還有一樣極重要的功能：讓我們繼續活下去。

太空中充滿了各式各樣的危險宇宙射線，如果沒有地磁的保護，它們會自由的來到地面，穿透我們的身體，讓我們的許多 DNA 變成無用的碎片。當有磁場存在時，這些射線會在到達地表前，給安全的引開，射向離地球不遠的太空中兩個名叫范艾倫帶（Van Allen belt）的區域。這些射線也會跟大氣上層的粒子發生交互作用，製造出讓人嘆為觀止的美麗極光。

有趣的是，我們之所以在這方面如此無知，大部分原因是傳統上從不曾有人試圖把地面上跟地底下發生的種種聯繫起來。伍吉的說法是：「地質學家跟地球物理學家絕少出席相同的會議，或在研究工作上合作。」

難以預料的火山爆發

常常是事發後，才能真正顯露出我們對地球內部知識的匱乏。發生在 1980 年的美國華盛頓州聖海倫斯火山爆發，就是一個好例子。

那一次，由於美國本土已經有六十五年之久沒發生過火山爆發，所以受命監視、預測聖海倫斯動向的政府火山專家只見過夏威夷火山爆發的情況，結果顯示，聖海倫斯跟夏威夷火山的情況根本不同。

聖海倫斯是在 1980 年 3 月 20 開始發出不祥的隆隆聲響，之後一星期，它連續間歇的噴出岩漿，雖然每次的量不多，但最多一天可噴上一百次，地面也跟著不停震動。附近的居民疏散到了 13 公里外的安全地區。隨著該山的聲響愈來愈大，聖海倫斯也變成了世界級觀光勝地，報紙上每天都在報導各個最好的觀景地點，電視台工作人員一再搭直升機到山頂進行實況轉播，有人竟故意選在此時去爬山。

有一天，同時在圍繞山巔飛行的直升機與輕型飛機總數超過七十架。之後又過了幾天，隆隆響聲並未發展出任何戲劇性的進一步結果，人們的情緒更加高亢，同時也有愈來愈多的人相信，這座火山大概不會爆發！

4 月 19 日，該山的北側山腰突然開始出現明顯的鼓起，奇怪

1980 年 5 月 18 日，美國華盛頓州聖海倫斯火山爆發的前幾天，就陸續噴出了濃煙與火山灰。當時，科學家錯估情勢，讓一些觀察者太靠近火山，導致火山爆發時，造成 57 個人罹難的悲劇。

的是，負責監視的專家學者中，居然無人看出這是即將側向爆發的強烈警訊，地震學家之所以判斷錯誤，是因為夏威夷火山從未側向爆發過。當時，幾乎只有在華盛頓州塔科馬（Tacoma）社區大學教地質學的海德（Jack Hyde）相信這是噩兆。

海德指出聖海倫斯的情形跟夏威夷諸火山不同，後者有敞開的通氣孔而前者卻無，所以聖海倫斯地底下聚集的壓力，都會藉由爆發宣泄出來，輕則出現奇觀，重則釀成大災難。不過，由於他不是正式觀測小組的成員，沒人把他的話放在心上。

我們都知道接下來發生了啥。5 月 18 日是個星期天，早上 8 點 32 分，這座火山的北向山坡崩塌，大量土石以每小時 250 公里的速度沿山坡衝了下來。

這是人類歷史上最大規模的一次山崩，滾落的泥石足以把整個曼哈頓埋在 120 公尺的土石之下。一分鐘後，由於山崩嚴重弱化了山腰，聖海倫斯爆發開來，其力量之大，相當於五百顆投於廣島的原子彈同時引爆。

致命的滾燙雲煙以每小時 1,050 公里的高速從缺口噴出，速度之快，附近的人顯然都逃不了。許多人身在原先認為的安全區，這些地區遠到連火山都見不到，卻也遭到侵襲。總共有 57 人罹難，其中有 23 人連屍骨都沒找到。

不幸中的大幸是，事發當天為星期天，如果是週一到週五，會有數百名伐木工人進入山區，在死亡範圍內工作，死亡人數將大幅增加。事實證明，在離山 30 公里之遙的地方也有人罹難！

那天運氣最好的人是研究生葛里肯（Harry Glicken），他原先負責一個離山僅 9 公里的觀測站，不過 5 月 18 日他在加州有求職面試，所以在火山爆發的前一天離開觀測站。職務由瓊斯敦（David Johnston）代理，第一個對外發出火山爆發消息的就是瓊斯敦，不過片刻之後他就遇難了，屍體一直沒找到。

但是葛里肯的好運也不長久，十一年後，包括葛里肯在內共計 43 位科學家與新聞記者在日本的雲仙岳（Mount Unzen）遭到突然噴出的火山碎屑流，也就是超熱灰燼、氣體跟熔岩混合物擊中而當場喪命。又是一次看走眼的火山災難。

不管火山學家是不是世界上預測做得最糟糕的科學家，不過毫無疑問的，他們的確是對「自己的預測有多爛」最無自知之明的科學家。就在雲仙岳災難發生後不滿兩年，另一個火山觀測團隊，由亞利桑納大學的威廉斯（Stanley Williams）教授領隊，到哥倫比亞境內，進到一

這張照片攝於距離聖海倫斯火山 9 公里外的觀測站，可以看到美國地質調查所的地質學家瓊斯敦正在享受片刻悠閒時光。瓊斯敦全然沒有想到，這會是他生命中最後一個午後。他在第二天清晨，率先發報了火山爆發的消息，之後自己也讓這個火山爆發給吞沒了。

個叫做加利拉斯（Galeras）的活火山口去勘查。

雖然雲仙岳意外的記憶猶新，威廉斯一行十六人中，只有兩人穿戴了安全帽之類的防護裝備，結果行動中火山突然爆發，六名科學家當場喪命，另有三名同行的旅客也罹難，剩下的七人也受了重傷，其中包括威廉斯本人。

事後威廉斯寫了一本非常「不」自責的書，書名《加利拉斯生還記》，竟然在裡面說：事後當他聽說，火山學界的同儕批評他忽略了一些重要的地震信號，而且行為魯莽，他只有「搖頭嘆息、難以相信的份。」接著指出：「事後放馬後砲中傷別人是最容易的事，尤其不該拿新的知識去批評 1993 年發生的意外。」

威廉斯相信，他唯有的罪過是運氣不佳，選錯了勘查行程的時間，恰巧碰到了加利拉斯火山「行為反常時刻，就像各種自然力量一貫習以為常的那樣。不錯，我是受自然愚弄了，這點我承認，但我不覺得同伴罹難是我的罪過。總之，這個事件沒有罪過問題，只不過是不巧遇上了火山爆發。」

現在讓我們回到華盛頓州，替聖海倫斯爆發事件做個了結。

這次爆發讓聖海倫斯山峰頓時矮了 400 公尺，同時摧毀掉了 600 平方公里的森林。損失的樹木材積，足夠用來建造十五萬棟家庭住屋（另一說是三十萬棟）。若換算為金錢，損失高達 27 億美元。爆發的當時，出現了濃煙跟灰燼直沖雲霄，在不到十分鐘內，上升到 1 萬 8 千公尺的高度。據說當時有一架客機在大約 48 公里外的空中飛過，機身居然遭好些飛過來的石頭擊中。

爆發後九十分鐘，火山灰開始如雨般落在 130 公里外，華盛頓州的雅基馬市（Yakima），該地人口約五萬。你可以想見，滿天的灰雨不但把白天變成黑夜，而且細灰鑽進所有縫隙，把馬達、發電機、電開關設備內部塞住，以致不能繼續運作，讓戶外行人呼吸困難，且把過濾系統全部堵死。概括說來，整個地區的活動全都被迫停擺，該城的飛機場與進出該城的公路全都關閉。

當然，這種種不方便只發生在火山的下風處。雖然這座火山在爆發前隆隆作響了兩個月之久，事發時雅基馬市卻毫無準備，不但沒有針對火山災難擬妥應變措施，甚至該城原有的緊急廣播系統也沒發生作用，原因是「星期天早上值班人員中，沒人知道如何操作該項設備。」

於是雅基馬地區形同癱瘓，與世隔絕了三天，其間機場關閉，道路不通。而這一切只是因為聖海倫斯爆發後，該城不幸從空降下了 1.5 公分厚的火山灰罷了。請記住這個事件，因為下一章要講的，是黃石公園的火山若爆發可能造成的嚴重後果。

第 15 章
致命的美景

這幅十九世紀的日本木刻版畫，描繪的是富士山景致。人們一看到富士山的山型，就會認出這是典型的火山。但事實上，很多大火山單由外型是看不出來的。

1960 年代，美國地質調查所的研究員克里斯丁生（Bob Christiansen）在研究黃石國家公園的火山歷史時，發現有件事非常蹊蹺。而讓他更想不通的是，前人似乎對它都見怪不怪，這就是：他在公園裡找不到火山。

長久以來，大家都知道黃石公園屬於火山地質，所以公園內會有間歇溫泉及其他噴發蒸氣的景點。而且一般說來，火山都很明顯，很容易指認，但是克里斯丁生走遍了黃石公園，卻看不見火山，特別是他找不到稱為火山臼（Caldera）的地形結構。

我們之中絕大多數人只要想到火山，就會聯想到古典的圓錐狀山形，像日本富士山跟非洲的吉力馬札羅山（Kilimanjaro）那樣。這樣的山形是火山爆發噴出的岩漿堆積成的對稱性地面突起物，形成過程可以非常快速。

譬如在 1943 年，在墨西哥巴里庫廷（Paricutin）的一個農人，有天突然驚奇的發現，他的土地上有一小塊冒出濃煙，一個星期後，他就糊里糊塗擁有了一座 152 公尺高的圓錐形小山。兩年內，這座山的高度增長到了 430 公尺，底座直徑超過了 800 公尺。

地球上像這樣的突起火山，總數高達一萬座左右，除了少數幾百個仍然在爆發，其餘都是死火山。

這種標準火山之外，還有一種不太為人所知、不牽涉造山運動的火山，這種火山的爆發威力極猛，地面會裂開一個大口，過後還會在地面上留下大深坑，也就是所謂的火山臼。黃石公園的火山顯然是屬於此類，但是克里斯丁生就是找不到黃石公園的火山臼。

所謂無巧不成書，這時候美國航空暨太空總署剛好決定要測試一種新的高空照相機，選取的地面目標剛好是黃石公園，照好之後，航太總署的一位官員很好心的把一份拷貝送給了黃石公園的管理處，心想後者可以把空照圖擺在公園的遊客中心好好的展示。克里斯丁生一見到這些相片，馬上省悟到為何他一直找不到火山臼：幾乎整個黃石公園（總面積達 9,000 平方公里）就是火山臼。

換言之，上一次爆發留下的火山口直徑超過 65 公里，由於實在太大，以致於從地面上怎麼也看不出來。這也說明了在過去，黃石火山必然大大的爆發過，威力遠遠超過了人類所知道的規模。

超乎想像的超級火山

真相是，黃石公園的確是一座超級火山，它坐落在一個極大的所謂熱點（hot spot）上。這個熱點是一個岩漿庫，聚集的大量岩漿是從至少地下 200 公里深處浮上來的。黃石公園裡的眾多蒸氣孔、間歇泉、溫泉與滾熱泥漿鍋的熱量來源，都是這個熱點。

在地表下面，有一個巨大的岩漿庫，直徑約 72 公里，差不多跟黃石公園的面積一樣大，這個岩漿庫最厚的部分約為 13 公里。如果你想像一堆黃色炸藥（TNT），面積約為英國的一個郡，而炸藥直堆上 13 公里的高空，大約跟最高的卷雲高度相當，這樣你就有一點概念，知道那些拜訪黃石公園的旅客，是在多麼危險的東西上漫步了。

這樣一個岩漿庫對它上方的地殼造成的壓力，已經把黃石公園跟周圍地區頂高了約半公里。一旦發生爆炸，災難之大將難以想像。根據倫敦大學學院的麥奎爾（Bill McGuire）的估算，在爆發期間，「你將無法接近方圓一千公里內的任何地點」，而接下來情況會變得更為糟糕。

支撐在黃石公園下的這種所謂超級地函柱（superplume），形狀有些像是馬丁尼酒杯，細細的高腳在接近地表處形成一個巨杯，裡面充滿了不穩定的岩漿，這種巨杯的直徑有的可達到 1,900 公里。

根據目前的理論，它們不見得總是以猛然爆發的方式宣泄，有時候熔岩也可能如洪水般突然持續的大量外流。一個例子是六千五百萬年前形成的印度德干熔岩。這片德干熔岩的面積共達 50 萬平方公里，形成時釋出大量有毒氣體，很可能跟恐龍的滅絕有關，至少是無益的。超級地函柱也可能產生導致大陸板塊分裂的裂縫。

這種地函柱並不罕見，當前地球上就有三十來個活性地函柱，而它們是世界上許多著名島嶼與島鏈的來源，其中包括冰島、夏威夷群島、亞速群島、加那利群島（Canaries）、加拉巴哥群島（Galápagos）、南太平洋中間的小皮特肯島（Pitcairn）、以及許多其他例子。但除了黃石公園，其他的全在海洋裡。

沒有人知道黃石公園的這個地函柱究竟如何或為何跑到大陸板塊下。人們確知的只有兩件事：黃石公園下方的地殼特別薄、該處地底世界的溫度特別高。至於它們之間有怎樣的因果關係：

是由於熱點的關係而使地殼變薄呢？還是因為地殼薄而使得熱點產生？則是爭論的焦點。

不過大陸地殼性質使它在爆發方式上出現巨大的不同，在海裡的超級火山爆發時，傾向於以持續冒泡這種較無害的方式進行，但是黃石公園不同，一旦爆發就會是大爆炸，它不常發生，但發生時你會希望離它遠一點。

我們知道它第一次爆發是在一千六百五十萬年前，之後到現在總共爆發了大約一百次左右，但只有最後三次的情形有文字描述。最後一次黃石公園爆發的規模，是聖海倫斯火山爆發的 1,000 倍；倒數第二次的規模稍微小些，是聖海倫斯火山爆發的 280 倍；而在它之前的倒數第三次規模之大，沒人能估計，只能說至少是聖海倫斯火山爆發的 2,500 倍，但也許有 8,000 倍也說不定。

對於它，我們完全沒有其他的實際例子可拿來比較。近代史裡最大的一次火山爆發是在 1883 年 8 月，地點是印尼的克拉卡托（Krakatau）火山。它爆發時的那一聲巨響，在全世界持續回響了九天，還使得遠在英吉利海峽裡的海水也晃蕩起來。

但是假如你把那次從克拉卡托火山噴射出來的物質總量，想像成一顆高爾夫球大小的話，那麼最大的那次黃石公園爆發物所形成的圓球，幾乎可以讓你藏在它身後不為人所見。以同樣的尺度衡量，聖海倫斯火山爆發的物質，了不起只是一顆豌豆而已。

黃石公園在距今兩百萬年前的那次爆發，噴出的火山灰足以把整個紐約州都埋在 20 公尺的火山灰下，若是均勻鋪在加

印尼的克拉卡托火山，在 1883 年大爆發前，不斷噴出濃煙與火山灰，蔚為奇觀。那次的克拉卡托火山爆發，已經是近代中最大的了，但與真正的超級火山爆發相比較，還只能算是微微顫抖罷了。

州，也有 6 公尺厚。就是這些火山灰，造就了伍爾西斯（Mike Voorhies）在內布拉斯加州東部發現的化石床。不過那一次的爆發地點並不是現在的黃石公園，而在今天的愛達荷州境內。

原來這個地函柱上方的地殼，一直以每年 2.5 公分的速度在移動，兩百萬年下來，就從愛達荷州移到了懷俄明州西北角上的黃石公園現址（熱點本身固定待在同一個地點，就像指向天花板的乙炔火把），且在移動過的路徑上，留下了肥沃的火山平原。

2001 年 6 月，
夏威夷國家公園的火山熔岩流入海中的驚人景象。

愛達荷州農人老早就發現，在這種土質種植馬鈴薯極為理想。地質學家喜歡開玩笑說：再過兩百萬年，咱們會看到今天的黃石公園在替麥當勞生產薯條，而住在蒙大拿州比林斯（Billings）的人會發現，他們那兒到處都是溫泉。

上次黃石公園火山爆發噴出的灰燼，撒落後遍布美國西部十九州（還有部分越界到了加拿大與墨西哥境內），幾乎囊括密西西比河以西的整個美國本土。

咱們得記住，這片土地是美國甚至美洲的糧倉，目前生產的五穀雜糧，幾乎占了全世界糧食產量的一半。而我們也得記住，下火山灰可不比下大雪，雪無論積得多高，來年開春就自動融化了。但火山灰沒這麼簡單，要在土地上再種植作物，必須把堆積的火山灰清除才行。

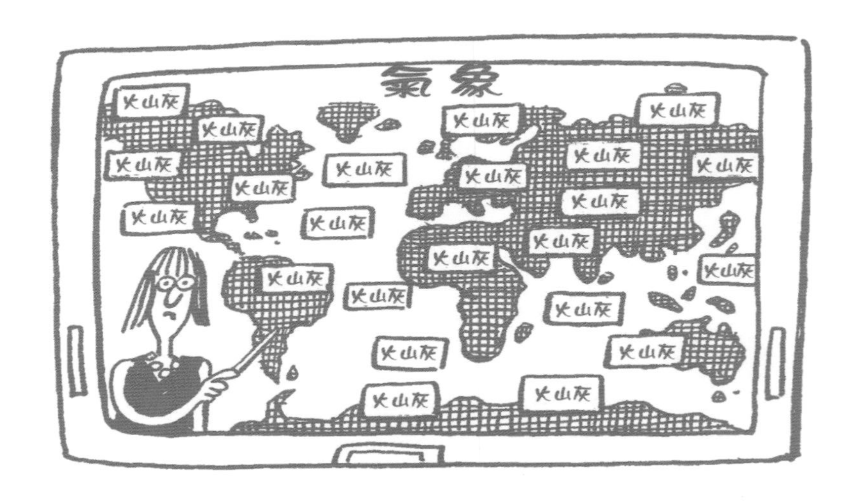

你可知道 911 事件後，世貿中心的 6.5 公頃廢墟上，堆了 18 億噸的破瓦殘礫，經由數千名工人花費了八個月才清除乾淨。你且想想，要清除堪薩斯州的火山灰將是何等艱巨的工程？

而且，這還是沒把氣候變化的結果考量進去。上一次地球上超級火山爆發是在七萬四千年前，地點是印尼蘇門達臘島北部的托巴（Toba）。除了曉得它的爆發力大得了不得之外，沒人確知它的規模。但是我們可以從格陵蘭的冰芯上清楚看到，它給地球帶來了至少六個年頭的「火山冬天」，而接下來還有多少個不理想的生長季節，只有上帝才知道。

有人認為，該次事件曾把人類一度推到滅絕邊緣，全球人口總數減少到只有數千。這說明了現代人類是從非常小的族群基礎上發展起來的，因而我們缺乏基因的多樣性。無論如何，有些證據顯示，在那次火山爆發後有兩萬年時間，地球上的人口從未超過數千人。無庸置疑，火山爆發後的恢復期非常長。

箭在弦上的黃石公園

在 1973 年以前，上述各節還都是有趣的假說而已，但是那年發生了一件怪事，讓一切變得有意義起來。

黃石公園的中央有個湖泊，名稱就叫黃石湖，人們發現該湖南岸的湖水突然暴漲起來，淹掉了一大片草地，而北岸的湖水卻向湖中央方向退去。地質學家趕緊做了一次地勢測量，發現公園裡有一大片面積出奇的向上鼓，使湖的北邊上升，湖水當然從南

黃石公園如畫的奇山怪水，吸引了無數的旅客。這張攝於猛獁溫泉的照片，拍攝時間大約在 1870 年代，也就在此時，黃石公園成為了全世界第一個國家公園。

岸淌了出來，正如你把後院裡給小孩子玩水的塑膠水池一端抬高的後果一樣。

到了 1984 年，整個中央部分（面積超過 100 平方公里），都比 1924 年測量時高出了至少 1 公尺。然後在 1985 年，公園的中央部分下陷了 20 公分，但如今看起來又在腫脹之中。

地質學家如今心知肚明，造成這些現象的原因只有一個：不安分的地下岩漿庫。他們瞭解，黃石公園並非以往超級火山爆發的舊址，它是活火山的現址。而且就在此時，他們還研究出，過去黃石火山的爆發週期平均為六十萬年。有趣的是，上一次黃石火山爆發距今已經六十三萬年，所以如果說它現在是箭在弦上，也不為過。

「也許感覺不太像，但你正站在全世界最大的活火山上頭。」在一個美好的六月清晨，我在黃石公園設在猛獁溫泉（Mammoth Hot Springs）的總部，拜訪在黃石公園任職的地質學家達斯（Paul Doss）時，他這樣告訴我。

達斯騎著大型哈雷機車來上班，一見面就跟我握手寒暄，他在印第安納州出生，是和藹可親、講話斯文、極有想法的人，實在不像是國家公園的雇員。他的鬍鬚灰白，頭髮紮在腦後成為長馬尾，一隻耳朵上還綴著一顆小藍寶石，身著筆挺的制服，在微凸的肚子部分顯得有些緊，看起來比較像是藍調樂手而不像公務員。

事實上他的確是藍調樂手（擅長藍調口琴），不過他也真的懂得且喜愛地質學。他答允讓我跟在他身邊一整天，觀察公園地質學家一天的工作。他領我搭乘一部車身有夠破爛的四輪傳動車，一路顛簸前往老忠實噴泉，上路時他告訴我說：「我這兒可是全世界搞地質學的最佳地點。」今天他的第一件任務是要向一批新解說員開講。

用不著我吹噓，黃石公園的景色出奇美麗：高大莊嚴的群山、點綴著野牛的草地、湍急翻滾的溪流、天藍色的湖泊、無數野生動物充斥其間⋯⋯

達斯有感而發的說：「對地質學家而言，世間沒有比這兒更好的地方。你若是要找石頭的話，熊齒口（Beartooth Gap）的岩石年齡幾達三十億年，相當地球年齡的四分之三，而且這地方有許多礦泉。」他指著猛獁溫泉的硫礦泉水說：「你可以在礦泉中看到岩石正在誕生，在最古老跟最新鮮的兩個極端間，你想要的全都不缺。我沒見過地質標本比這兒更明顯或更漂亮的地方！」

我說：「看來你滿喜歡這兒嘛。」

他鄭重的回應道：「豈止！我愛死這地方啦。雖然這兒的冬天冷得要命，薪資也低，但是一想到它的好處，我就⋯⋯」

這時候咱們朝西前進的車子正好翻過一個小山坡，遠方頓時出現橫亙的山脈，但中間顯然有個大缺口。他不待把話說完，就轉移了話題，指著前方告訴我，那條山脈叫做格拉丁山（Gallatins），而「中間那個大缺口少說有 96 公里、也許 110 公里寬。當初沒人知道為何會有這樣一個缺口，直到克里斯丁生才理解到，唯一的可能是，原先在那兒的山給吹走了。當你發覺 96 公里長的大山遭移除得乾乾淨淨，你知道牽涉到的力量一定大得嚇死人。克里斯丁生花了六年的時間，才把上次黃石火山爆發事件研究出一些眉目來。」

我問他是啥原因導致了上次黃石火山爆發。

「不知道，沒人知道。火山是極奇怪的東西，我們對它真的完全不瞭解。譬如義大利的維蘇威火山，一連有三百年時間都很活躍，但是從 1944 年的一次爆發後，就停止了一切表面活動，靜悄悄的直到如今。有些火山學專家認為，它是在默默的再裝填，以備下一次大舉噴發。如果他們所料不差，就相當令人擔心，因為住在這座山周遭的人數，已經高達兩百萬。」

「如果黃石火山真的要爆發，你會在事前多久獲得警訊？」

他聳了聳肩答道：「如今活著的人當中，沒人經歷過它的上次爆發，所以無人知道到時候它究竟會發出怎樣的警訊。不過根據我們猜測，很有可能是一窩蜂似的一連串地震、以及一些地表快速上升，或是間歇泉跟噴蒸氣孔的行為模式突然發生變化，但是沒人確實知道究竟會怎樣！」

「你是說它有可能在毫無預警的情況下突然爆發？」

他若有所思的點了點頭，然後解釋說，教人搞不清楚的是，所有猜想得到的可能預警現象，事實上或多或少在黃石公園裡都已經存在。「一般說來，地震是火山爆發的預兆。但是黃石公園一直以來就是地震頻繁，去年一年之內就發生了 1,260 次，雖然其中絕大多數是無感的小地震，但是它們的確是地震沒錯。」

間歇溫泉噴發模式的改變，也是火山爆發的預兆之一。但是他說黃石公園裡的這類噴泉行為早就全無章法。

黃石湖的黃昏景色，寧靜華美，
絲毫不見潛藏在底下的危險。
黃石湖底的巨大岩漿庫隨時可能爆發，
威力會比現代人所曾見的還大上數千倍。

譬如，曾經一度是園中最負盛名的精進間歇泉（Excelsior Geyser），早年很有規律的定時噴水，水柱高達 100 公尺，但它在 1888 年間突然不噴了，然後到了 1985 年又恢復噴水，但高度大為減低，只有 25 公尺。

蒸汽船間歇泉（Steamboat Geyser）一旦爆發，就是世界上最大的間歇泉，噴水高度達 120 公尺，只是它的間歇時間不定，最短的四天、最長的幾達五十年。達斯說：「如果它今天噴水了，下星期又噴一次，我們還是完全不能預知，下星期、下下星期或二十年後，它的狀況為何。這整座公園裡的一切，幾乎都反覆無常到不管發生任何事件，都不能做為火山爆發的預兆。」

黃石公園裡的緊急疏散永遠不會是容易的事。每年來造訪的旅客大約有三百萬人次，大部分集中在夏季的三個月裡面。公園裡的道路不多且故意開得很窄，原因有三，其一是要車行速度慢下來，其二是要營造可以入畫的美麗氣氛，其三則是受限於地勢起伏的關係。

在夏季遊客蜂擁而至的日子裡，要開車穿過公園很容易就花掉半天的時光，而在公園裡從甲地到乙地，動輒會耗上數小時。達斯說：「人們一看到動物，會不管三七二十一的把車子停下來，而不管他們身在何處。公園裡常會塞車，有時是因為出現了黑熊，有時是野牛，有時則是有人看到了狼。」

2000 年秋天，美國聯邦地質調查所跟國家公園管理局的代表，以及一些學者、專家開會成立了「黃石火山觀測站」（Yellowstone Volcanic Observatory, YVO）。其實在此之前，美國

黃石公園中，噴泉爆發時，
景觀就是這樣驚人。
黃石公園裡有數以千計的間歇泉與冒著蒸汽的噴泉，
要眼見這樣的聲勢，才會真的感受到，
黃石公園山水的極端不穩定。

已經有了四個同樣性質的機構，分別設在夏威夷、加州、阿拉斯加與華盛頓州，但是黃石公園這個全世界最大的火山區卻沒有觀測站，未免有點奇怪。

YVO 並非是實質上的機構，而是著重在一個觀念：自此，研究分析黃石公園的多樣性地質學時，大家同意通力合作。達斯告訴我：他們在會議上設定的首要任務，就是起草一份「地震與火山災難應變計畫」，以便災難發生時有所遵循。

我聽了非常意外：「難道從來都沒有任何應變計畫？」

「的確沒有。不過很快就有了。」

「你不覺得有點太過遲緩嗎？」

他笑說：「沒錯，咱們的說法是，它來得一點也不嫌早！」

一旦計畫出爐後，它的重點將是由三位專家：加州門洛帕克（Menlo Park）的克里斯丁生、猶他大學的史密斯（Robert B. Smith）教授、以及在公園現場的達斯，隨時評估重大災難即將出現的可能程度，然後把他們的看法知會黃石公園管理處處長，處長隨即決定是否實施疏散，讓公園內淨空。

至於公園以外的地方，如今沒有、將來也不會有任何應變計畫。易言之，如果黃石火山發生大災難，他們只負責把你送出公園大門，之後你就得自己想辦法逃命了。

當然啦！那個可怕的日子也許就是明天，也許還得等上數萬年，而達斯最樂觀，認為它也許永遠不會到來。他說：「以往的行為模式，不見得一定會繼續下去。而且有些證據告訴我們，模

黃石公園風景美麗絕倫，且有眾多的野生動物，每年會吸引三百萬的遊客前來。
為了保持山光水色不受干擾，公園裡的道路一般都相當窄小，
但這在發生事故需要疏散人群時，會是個大麻煩。

式也許就是在一連串災難性爆炸後，進入長久的安靜期，咱們也許就正處在這段安靜期內。證據就是大部分的岩漿庫正在冷卻跟結晶。它正在釋放出揮發性的東西，揮發性物質要給悶住，才會醞釀成大規模爆炸。」

同時在黃石公園的裡外，另有許多危險存在，一個顯著的例子發生在 1959 年 8 月 17 日，地點是公園外不遠的禾布根湖（Hebgen Lake）。就在那天午夜前二十分鐘，禾布根湖地區發生了規模 7.5 的地震，震度雖不特別驚人，但由於來得快速且猛烈，使得區內一座山整個崩塌。

8 月中正值旅遊旺季，但幸好那個年代遊園的人不像現在這麼多。山崩時有八千萬噸石頭以超過 160 公里的時速滾下山，其力量跟動能之大，當它的前緣到達山腳後，居然衝上了對山的山坡，達 120 公尺高之處。在它行經的路徑上，部分屬於石頭溪露營區，有二十八名露營客慘遭活埋，十九人因為埋得太深，屍骨始終沒挖出來。

這次災難事件發生得極其快速，災民命運也各不相同。譬如有三名兄弟睡在同一個帳篷中居然逃過一劫，他們的父母睡在旁邊另一個帳篷中，卻遭土石沖走就此失蹤。

達斯告訴我：「大地震，我指的是非常非常大的地震，在某個時候將可能發生。這一點也不意外，因為這裡本來就是一個多地震的斷層區。」

雖然經歷過禾布根湖地震跟其他類似的事故，黃石公園一直要到 1970 年代才裝設了一些永久性的地震儀。

假如你有意觀賞地球上地質變化過程的莊嚴跟無情，找不到比特頓山（Tetons）更好的地方了，它是聳立在黃石公園南邊、峭壁嶙峋的險峻大山。距今九百萬年前，特頓山根本不存在，傑克遜洞（Jackson Hole）的周圍原是高地草原，但地底下 64 公里長的斷層突然裂開，從那時候開始，平均每隔九百年，這個地區就會發生一次強大的地震，每次都使地面上升約 2 公尺。不斷增高的結果，使特頓山現今高達 2,000 公尺。

「九百年」這個平均數字實際上有些誤導，有一本介紹黃石公園地質歷史的書，名為《地球之窗》（*Windows into the Earth*），根

破碎的湖岸公路，見證了 1959 年那場驚人的大地震。地震發生在黃石公園不遠的禾布根湖，迅速撼動附近的山谷，致使 28 名露營客慘遭活埋。

據該書兩位作者史密斯（Robert B. Smith）與西格爾（Lee J. Siegel）的報導，上一次特頓山大地震距今已經過了五千年到七千年，使得它成為地球上「最欠」地震的地區。

極端下的生命

水熱爆炸（hydrothermal explosion）也是相當嚴重的危機，在黃石公園中，它們幾乎會隨時隨地毫無預警的發生。在我們觀賞了老實噴泉的噴水奇觀後，達斯告訴我說：「你瞧，公園的最初設計就是把遊客引到這些地熱盆地來，這也是遊客來此的最主要目的。你可知道黃石公園裡的間歇泉跟溫泉的總數，比世界上其他地方的總數還多嗎？」

「真的嗎，我不知道這事咧。」

他點了點頭，繼續告訴我說：「現有的已達一萬座左右，而且沒人知道什麼時候會有新的出現。」

此時我們開車來到一個叫鴨湖（Duck Lake）的地方，是一個直徑約為百來公尺的水塘。他說：「你瞧它彷彿平靜無害，不過是個大水池。但這個大洞以前並不在這兒，距今大約一萬五千年前，這兒曾經大大的爆發過，數千萬噸的泥土、石塊夾雜滾燙的熱水，以超音速從洞裡衝出來。你想想看，如果現在同樣的事情恰巧發生在老實噴泉的停車場，或某個遊客中心，那就糟糕了！」他做出悲傷樣子。

「發生前會有任何預兆嗎？」

「很可能沒有。公園內上一次較嚴重的爆炸事件發生在 1989

年，地點在豬排間歇泉（Pork Chop Geyser）。該次爆發後留下了一個直徑大約 5 公尺的深坑，尺寸雖然不很大，但當時若是不巧在附近，就會劫數難逃。幸好那次爆發時無人在場，沒造成傷亡，但也毫無徵兆。我們知道在非常久遠以前，曾發生過數次大爆炸，每次都留下直徑約 1.6 公里的地洞。誰也不能告訴你，這樣規模的爆炸會在何時、何地再度發生。你只能希望，發生爆炸時你剛好不在那裡。」

大量落石從空而降也很危險。1999 年在黃石公園北邊入口附近的加地拿峽谷（Gardiner Canyon）就發生過一次，幸好無人傷亡。那天傍晚，達斯與我暫停在一處交通繁忙的公園道路旁，上頭就有一塊巨石，其上的裂縫清晰可見。達斯有些憂心的說：「這塊巨石隨時都可能掉下來！」

我說：「你是開玩笑的吧。」因為幾乎每時每刻，都至少有兩部車從危石下通過，車裡都滿載著興高采烈的露營客。

他補充道：「啊，別害怕，發生的機率很小。我只說它『有可能』會掉下來，它同樣也可能安然無恙在上面再待個數十年。究竟會怎樣，誰也說不準。其實來公園的人，必須要有接受這種風險的心理準備才行。說穿了不過如此。」

當我們走回他的座車，要回猛獁溫泉時，達斯又加上了幾句：「不過反過來看，絕大部分時間裡，各種壞事都沒有發生。大石頭沒掉下來，地震沒發生，新的噴水孔也沒有突然出現。在上述這些怵目驚心的不穩定事物環伺下，黃石公園還真是出人意料的安詳寧靜呢！」

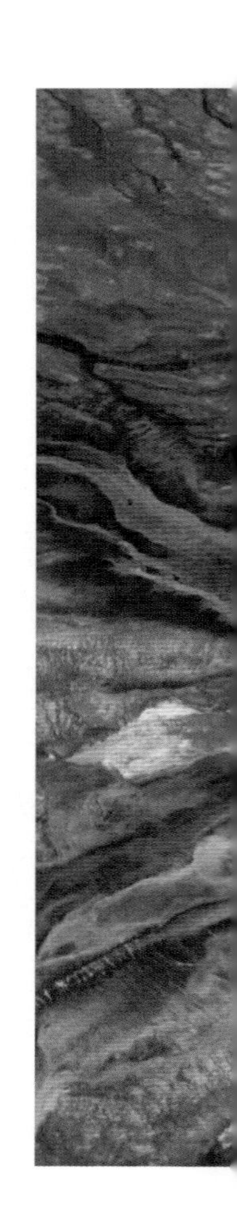

「其實就像地球本身一樣嘛。」我有感而發。

「一點也不錯。」他同意。

黃石公園對遊客來說充滿了風險，對工作人員也一樣。達斯五年前來此就職的第一個星期，就有過一次恐怖經歷。一天深夜裡，有三名年輕的夏季臨時雇員，一同去從事一項叫做「煮火鍋」（hot-potting）的違規活動：在溫水池裡游泳或取暖。

雖然園方基於明顯的原因不大肆宣傳：黃石公園中水池的溫度，並非都是滾燙的，有些還非常適合人去泡澡。而且多年以來，雖然園方明令禁止，但是夏季雇員深夜摸黑外出泡溫泉幾乎成了習慣。但糟糕的是，這三個年輕人居然沒有攜帶手電筒，這是極端愚蠢跟危險的，因為這些溫泉水塘四周的泥地，許多都只是表面堅硬，很可能一腳踩進滾燙的氣孔裡。他們泡完澡後在回宿舍的路上，得跨過一條小溪。來時他們不得不一躍而過，此時三人退後幾步，手拉手，一起奔跑起跳，哪曉得他們跳的不是那條小溪，而是幾近沸騰的水塘，他們在暗夜中迷失方向，三人全數罹難。

第二天早上在離開黃石公園的路上，我想到一件事情，於是獨自繞道匆匆拜訪位於上間歇泉盆地（Upper Geyser Basin）內的翡翠池（Emerald Pool）。達斯在前一天沒時間帶我去，但是我想應該至少去看它一眼，因為翡翠池是歷史上著名的地點。

畫面中這個美麗的湖泊，是「大稜鏡泉」(Grand Prismatic Spring)，水溫高達 86℃，是黃石公園面積最大的溫泉池。黃石公園中，有很多這類礦物池，泉水滾燙幾近沸騰。當布羅克夫婦發現，在這種溫度將近 100℃的泉水中，竟然還有微生物存在時，科學家都大感意外。這類的微生物稱為「極端微生物」，透過它們也許可以稍稍揭開生命如何在地球崛起之謎。

1965 年夏天，夫妻檔生物學家布羅克（Thomas and Louise Brock）伉儷來此做田野調查時，異想天開，從溫泉水池周圍邊緣部分，採集了一些黃褐色的泡沫浮渣，帶回實驗室檢驗，看看其中有無生命跡象。結果大出他們甚至全世界科學家的意料，他們發現其中充滿著好些種微生物，這可是人類首次發現所謂的「極端微生物」(extremophile)。

這類生物可以存活在溫泉中，以往人們一直認為溫泉由於太熱、太酸、含有太多硫磺，而不適宜生命生存。翡翠池之所以特殊，是因為它齊備了上述三個不利條件，然而卻至少發現有嗜酸熱硫化葉菌（*Sulpholobus acidocaldarius*）與嗜高溫水生菌（*Thermophilus aquaticus*）兩種微生物，快活的生活其中。在此以前，大家都以為，攝氏 50 度為生物存活環境的高溫極限，但是在這兒，居然有微生物繁衍於既臭又酸且溫度幾乎兩倍於攝氏 50 度的泉水中。

在布羅克夫婦的意外發現後，嗜高溫水生菌幾乎有二十年之久都只是實驗室的奇珍異寶，直到美國加州科學家穆利斯（Kary B. Mullis, 1944-2019）想到，其中的耐熱酶可以用來創造出一點化學奇蹟，也就是聚合酶連鎖反應（polymerase chain reaction, PCR）。

聚合酶連鎖反應可以讓科學家從非常少量（在理想條件下，僅僅單一個分子即足夠）的 DNA 中，生產出大量的 DNA 複製品，有點像是基因學上的影印機，於是很快就成了基因學上不可或缺的基本工具。從基礎學術研究到法醫的調查工作，都少不得它。聚合酶連鎖反應為穆利斯贏得了 1993 年的諾貝爾化學獎。

在這段期間裡面，科學家繼續發現了一些更能吃苦耐勞的微生物，如今這類微生物被統稱為高溫細菌（hyperthermophile），它們至少需要攝氏 80 度的高溫。根據《極端下的生命》（*Life at the Extremes*）一書的作者艾許克羅福特（Frances Ashcroft）的記述，截至目前為止，已知最耐高溫的微生物叫做延胡索酸火葉菌（*Pyrolobus fumarii*），居住在海底熱液噴口的岩牆上，那兒的溫度可達到攝氏 113 度。

至於生命的耐溫極限雖然無人確知，但有人認為很可是攝氏 120 度。無論如何，布羅克夫婦的發現完全改變了我們對生命世界的認知，美國航空暨太空總署的科學家伯格史翠爾（Jay Bergstralh）說得好：「不管我們走到地球的哪個角落，甚至是那些似乎對生命最有敵意的環境裡，只要那地方有少許的液態水跟化學能源，我們就會發現生命。」

看來生命比以往任何人所想像的，都更為聰明跟善於適應環境。這可是極好的事，因為下一章我們即將討論的，就是我們稱為「家」的這個世界，許多現象都顯示，它並不太高興我們在這兒。

《萬物簡史》（上）圖片來源

AIP = American Institute of Physics
BAL = Bridgeman Art Library/ www.bridgeman.co.uk
NPG = National Portrait Gallery, London
NHMPL = Natural History Museum Picture Library, London
SPL = Science Picture Library, London

扉頁：evolution chart by Neil Gower. © Neil Gower

Page 52, 122, 146, 252, 288, 375, 398, 440, 462 © Kipper Williams 2005
9. © Neil Gower
13. © The Saul Steinberg Foundation/Artists Rights Society (ARS), NY/DACS, London. Originally published in The New Yorker, September 24, 1960

第一部：迷失在太空裡

14-15. © National Geographic Image Collection

第1章
22. Mullard Radio Astronomy Laboratory/SPL
27. Physics Today Collection/ AIP/SPL
29. Martin Bond/SPL
33. National Optical Astronomy Observatories/SPL
35. Private collection/BAL

第2章
38. Lowell Observatory
42. Mary Evans Picture Library
44. SPL
46. Heritage Image Partnership
48-49. Futures: 50 Years in Space/SPL
51. NASA/SPL
53. Detlev van Ravenswaay/SPL
56. Science Museum Pictorial.
60. Mary Evans Picture Library

第3章
62. © Anglo-Australian Observatory/photo David Malin
64-65. © Robert Karpa/ Masterfile:www.masterfile.com
68. © 1988-2002 Anglo-Australian Observatory/ photo David Malin
71. Courtesy of the Archives, California Institute of Technology
75. Photo Timothy Ricketts
76. © ScienceCartoonsPlus.com
81. Frank Zullo/SPL
83. NASA/ESA/STScI/SPL
84. A. Barrington Brown/SPL
86-87. Pekka Parvainen/SPL

第二部：地球有多大？

88-89. Tate, London 2005

第4章
92. Lauros/Giraudon/BAL
94.（上）The Royal Society of London（下）WL
97. Trinity College, Cambridge/ BAL
98. Ann Ronan Picture Library/ Heritage Image Partnership
103. Private Collection/BAL
107. British Library, London
109. Académie des Sciences, Paris/BAL
110. Voyage Historique d'Amérique Méridionale, 1752.
115. The Royal Society of London
116. National Archives, Washington
117. Sven Kaestner/AP
120. © copyright 2001 StillDigital
121. NPG
124. Library Company of Philadelphia/BAL
127. Wellcome Library, London
129. Private Collection/BAL

第5章
130. Oxford Scientific Archive/ Heritage Image Partnership
133. Paul Mellon Collection/ BAL
137. NPG
139. © Geological Society/ NHMPL
142. NPG
144. © Geological Society/ NHMPL
145. Heritage Image Partnership
150. © NHMPL
153. Oxford Science Archive/ Heritage Image Partnership
156. Musée Condée, Chantilly. Lauros/Giraudon/BAL
159. Oxford Science Archive/ Heritage ImagePartnership
163. Courtesy of the Advertising Archives

第6章
164. American Philosophical Society, Philadelphia
167. Sheila Terry/SPL
168. American Philosophical Society, Philadelphia
170. Jean-Loup Charmet/SPL
174. © Geological Society/ NHMPL
176.（左）Portrait of Gideon Mantell by J. S. Masquerier. The Royal Society of London（右）Anonymous portrait of Mary Ann Mantell from Sidney Spokes, © NHMPL
178-179. llustrations of the Geology of Sussex..., 1827
182. Reproduced by kind permission of the President and Council of the Royal College of Surgeons of England
185. © NHMPL
190. © Louie Psihoyos/CORBIS
193. Getty Images
194. © CORBIS
197. © Dennis Stock/Magnum Photos

第7章
198. Science Museum Pictorial
200. WL
206. The Art Archive/ Metropolitan Museum of Art/Joseph Martin
208. Wellcome Library, London
210. SPL
213. SPL
217. Novosti/SPL
219. © Neil Gower
221. SPL
222-223. © Murray Robertson 1999-2005

224. AIP Emilio Segrè Visual Archives
229. （左）Musée Curie, Paris（右）AIP Emilio Segrè Visual Archives

第三部：新時代的序幕

230-231. © Bettmann/CORBIS

第8章

235. AIP Emilio Segrè Visual Archives, Brittle Books Collection
239.（左）Courtesy AIP Emilio Segrè Visual Archives/ original from Case Western Reserve University（右）Photograph Elmer Taylor, AIP Emilio Segrè Visual Archives
241. Ullstein/Granger Collection
243. © Jewish Chronicle/ Heritage Image Partnership
245. Ann Ronan Picture Library/ Heritage Image Partnership
248. © Sotheby's/akg-images
255-256. Julian Baum/SPL
259. Lowell Observatory
261. Henry E. Huntington Library and Art Gallery
265. Courtesy AIP Emilio Segrè Visual Archives, Shapley Collection
271. NASA/SPL

第9章

272. Martin Bond/SPL
275. John Walsh/SPL
277. by J. Stephenson. SPL
278. James King-Holmes/SPL
284. AIP/SPL
290. © Digital Art/CORBIS
292. © Bettmann/CORBIS
293. Professor Peter Fowler/SPL
294. （左）Courtesy AIP Emilio Segrè Visual Archives, W. F. Meggers Gallery of Nobel Laureates（右）© DK Limited/CORBIS
295. AIP Emilio Segrè Visual Archives, Brittle Books Collection
296. Francis Simon/AIP/SPL
298. AIP Emilio Segrè Visual Archives, Segrè Collection
300. Kenneth Eward/SPL
301. by Simon Way. www. CartoonStock.com
305. © CORBIS

第10章

306. © Stephanie Maze/CORBIS
308. （左）Courtesy of the Advertising Archive.（右）© Todd Gipstein/CORBIS
311. SPL
313. Photo by Time Life Pictures/Time Magazine, Copyright Time Inc./Time Life Pictures/Getty Images
318. SPL
319. © Estate of Francis Bello/ SPL
320. Courtesy of the Archives, California Institute of Technology
326-327. Tony Page/Ecoscene

第11章

330. AP Photo/Superconducting Super Collider Laboratory
332. I. Curie & F. Joliot/SPL
333. Lawrence Berkeley National Lab
335. CERN/SPL
337. Cartoon by Sidney Harris. © Science Cartoons Plus. com
338-339. CERN/SPL
343. （上方圖組）（上圖左）AIP Emilio Segrè Visual Archives, Physics Today Collection;（上圖右）Linn Duncan/ University of Rochester, courtesy AIP Emilio Segrè Visual Archives;（下圖左）CERN/SPL;（下圖中）CERN/SPL;（下圖右）CERN/SPL.
343. （下）The Standard Model
344. （左）AIP Emilio Segrè Visual Archives, Physics Today Collection（中）SPL（右）Fermi National Accelerator/SPL
347. © Rick Friedman/CORBIS
349. © The Saul Steinberg Foundation/Artists Rights Society (ARS), NY/ DACS, London. Originally published in The New Yorker, May 21, 1960
350. Sandford Roth/SPL
354. Lynette Cook/SPL
356. Jon Lomberg/SPL

第12章

358. © Tim Beam/CORBIS
360. SPL
361. SPL
362-363. © Jay Dickman/CORBIS
367. Chris Butler/SPL
370. NOAA Central Library
372. Sheila Terry/SPL
377. SPL
382. akg-images

第四部：地球，危險危險！

384-385. © Roger Ressmeyer/ CORBIS

第13章

391. David Parker/SPL
393. Science Museum Pictorial
394. Roger Harris/SPL
396-397. Pekka Parviainen/SPL
400. Detlev van Ravenswaay/SPL
402. Lawrence Berkeley Laboratory/ SPL
406. British Film Institute
408. David Parker/SPL
414. Julian Baum/SPL
418. Michael Dunning/SPL

第14章

422. Rykoff Collection/CORBIS
426. Annie Griffiths Belt/National Geographic Image Collection
428. SPL
430. © copyright California Institute of Technology.
432. © copyright California Institute of Technology.
434. Photo by Arnold Genthe. © CORBIS
436. © Swim Ink 2, LLC/CORBIS
438. designed by Cécile Rojer
443. Los Alamos National Laboratory/SPL
448. AP Photo/US Geological Survey
451. US Geological Survey photo courtesy of Harry Glicken

第15章

454. Private Collection/BAL
459. Natural History Museum/BAL
460-461. © Brenda Tharp/CORBIS
464. © CORBIS
468-469. © Darrell Gulin/CORBIS
471. Jeff Vanuga/CORBIS
473. © Lake County Museum/ CORBIS
475. © CORBIS
479. © Raymond Gehman/CORBIS

科學天地 178

萬物簡史（上）

天地奇航（全新改版）

A Short History of Nearly Everything

國家圖書館出版品預行編目(CIP)資料

萬物簡史. 上, 天地奇航 / 比爾.布萊森(Bill Bryson)著；師明睿譯. -- 第二版. -- 臺北市：遠見天下文化出版股份有限公司, 2021.07
面；　公分. --（科學天地；178）
譯自：A short history of nearly everything.
ISBN 978-986-525-223-6(精裝)

1.科學　2.通俗作品

307　110010188

作者 — 比爾・布萊森（Bill Bryson）
譯者 — 師明睿
科學叢書顧問群 — 林和、牟中原、李國偉、周成功

總編輯 — 吳佩穎
編輯顧問 — 林榮崧
責任編輯 — 林文珠、黃雅蕾、徐仕美、畢馨云；吳育燐、林韋萱
美術編輯暨封面設計 — 江儀玲
校對 — 呂佳真

出版者 — 遠見天下文化出版股份有限公司
創辦人 — 高希均、王力行
遠見・天下文化・事業群 董事長 — 高希均
事業群發行人／CEO — 王力行
天下文化社長 — 林天來
天下文化總經理 — 林芳燕
國際事務開發部兼版權中文總監 — 潘欣
法律顧問 — 理律法律事務所陳長文律師
著作權顧問 — 魏啟翔律師
社 址 — 台北市 104 松江路 93 巷 1 號 2 樓
讀者服務專線 — 02-2662-0012　傳真 — 02-2662-0007；02-2662-0009
電子信箱 — cwpc@cwgv.com.tw
直接郵撥帳號 — 1326703-6 號 遠見天下文化出版股份有限公司

製版廠 — 東豪印刷事業有限公司
印刷廠 — 立龍藝術印刷股份有限公司
裝訂廠 — 精益裝訂股份有限公司
登記證 — 局版台業字第 2517 號
總經銷 — 大和書報圖書股份有限公司 電話／（02）8990-2588
出版日期 — 2021 年 7 月 30 日第二版第 1 次印行

定價 — NT 750 元
書號 — BWS178
ISBN — 978-986-525-223-6
天下文化官網 — bookzone.cwgv.com.tw

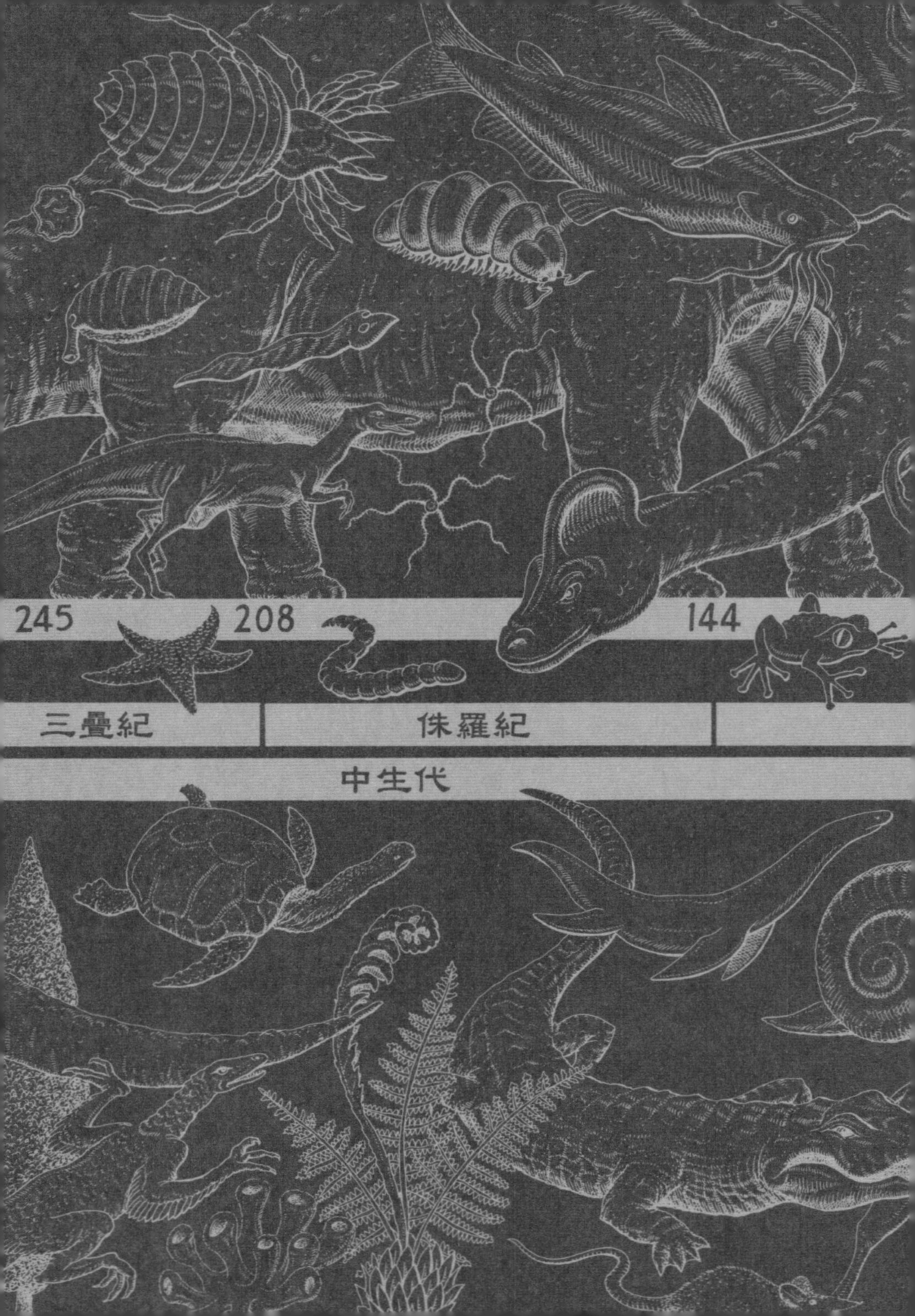
245
208
144
三疊紀
侏羅紀
中生代